CE LIVRE
APPARTIENT À
L'AQUARIUM

ollège Charles-Lemoyne LSL

D0755914

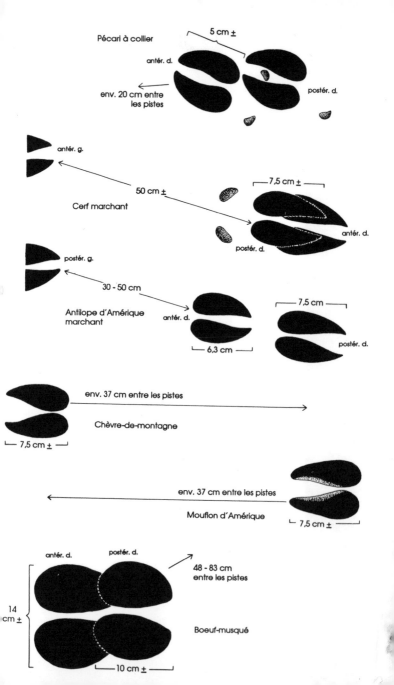

Pécari à collier

5 cm ±

antér. d.

postér. d.

env. 20 cm entre
les pistes

antér. g.

50 cm ±

Cerf marchant

7,5 cm ±

antér. d.

postér. d.

postér. g.

30 - 50 cm

Antilope d'Amérique
marchant

antér. d.

7,5 cm

postér. d.

6,3 cm

env. 37 cm entre les pistes

Chèvre-de-montagne

7,5 cm ±

env. 37 cm entre les pistes

Mouflon d'Amérique

7,5 cm ±

antér. d.   postér. d.

48 - 83 cm
entre les pistes

14
cm ±

Boeuf-musqué

10 cm ±

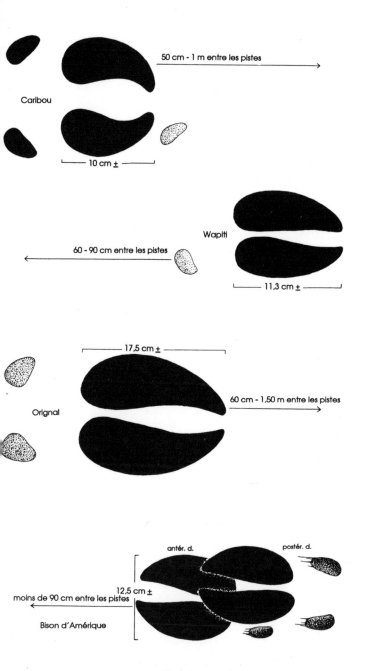

Caribou

50 cm - 1 m entre les pistes

10 cm ±

Wapiti

60 - 90 cm entre les pistes

11,3 cm ±

17,5 cm ±

Orignal

60 cm - 1,50 m entre les pistes

antér. d.

postér. d.

12,5 cm ±

moins de 90 cm entre les pistes

Bison d'Amérique

Les mammifères de l'Amérique du Nord (au nord du Mexique)

LES GUIDES D'IDENTIFICATION
SUR LE TERRAIN
Édités par les Éditions BROQUET

Les guides Peterson:
> Oiseaux de l'est de l'Amérique du Nord
> Traces d'animaux
> Insectes de l'Amérique du Nord
> Mammifères de l'Amérique du Nord

Les petits guides Peterson:
> Astronomie
> Fleurs sauvages
> Insectes
> Oiseaux
> Mammifères

National Geographic Society:
> Les oiseaux de l'Amérique du Nord

Autres guides:
> Animaux dangereux de l'Amérique du Nord
> Arbres de l'Amérique du Nord
> Arbres du Canada
> Batraciens de l'Amérique du Nord
> Coquillages de l'Amérique du Nord
> Fleurs sauvages de l'est l'Amérique du Nord
> Guide du ciel
> Oiseaux de l'Amérique du Nord (Robbins)
> Plantes d'appartement
> Plantes sauvages médicinales
> Poissons d'eau douce du Québec
> Reptiles de l'Amérique du Nord
> Végétaux d'ornement Tome 1
> Végétaux d'ornement Tome 2
> Végétaux d'ornement Tome 3

LES GUIDES PETERSON

Les mammifères
de l'Amérique du Nord
(au nord du Mexique)

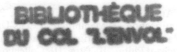

Texte et cartes
WILLIAM HENRY BURT

Illustrations
RICHARD PHILIP GROSSENHEIDER

Traduction et adaptation
FRANÇOISE HARPER

Recommandé par la National Audubon Society
et par la National Wildlife Federation

É D I T I O N S
BROQUET I N C

C.P. 310, LA PRAIRIE, Qc, J5R 3Y3, TÉL.:(514)-659-4819

Données de catalogage avant publication (Canada)

Burt, William Henry, 1903-

Les mammifères de l'Amérique du Nord (au nord du Mexique)

(Les Guides Peterson)
Comprend un index.
"Recommandé par la National Audubon Society et par la National Wildlife Federation".
Traduction de: A field guide to the Mammals.

ISBN 2-89000-331-0

1. Mammifères - Amérique du Nord - Identification. 2. Mammifères - Canada - Identification. 3. Mammifères - États-Unis - Identification. 4. Mammifères - Amérique du Nord - Classification. I. Grossenheider, Richard Philip. II. Titre. III. Collection.

QL715.B814 1992   599.097   C92-096507-5

Titre original:

Peterson Field Guides
Mammals of North America North of Mexico
Publié par Houghton Mifflin Company, Boston

Copyright © 1976 by William Henry Burt
and the estate of Richard Philip Grossenheider
All rights reserved.

Pour l'édition en langue française:

Copyright © 1992
Éditions Broquet Inc.
Dépôt légal — Bibliothèque nationales du Québec
2e trimestre 1992

ISBN 2-89000-331-0

Préface

Nos rencontres avec les mammifères sont parfois si brèves que nous devons savoir exactement ce qu'il faut chercher comme caractéristiques particulières afin de pouvoir reconnaître les espèces à distance. Un pourcentage important de mammifères sont nocturnes; nous pouvons voir leurs pistes dans la boue le long des rivières ou dans la neige, mais, à l'exception des écureuils et de quelques autres espèces, il est rare que nous ayons l'occasion d'observer très longuement ces créatures plutôt réservées.

William H. Burt et Richard P. Grossenheider ont travaillé de concert pour produire ce *Guide* qu'Ernest Thompson Seton aurait approuvé avec enthousiasme puisque c'est lui qui a fait remarquer que chaque animal porte une marque particulière, un trait caractéristique, qui permet de le reconnaître au premier coup d'œil. L'idée a d'abord servi de base au *Field Guide to the Birds* dans lequel les oiseaux de l'Est étaient décrits de façon simplifiée. Autre innovation: l'usage des flèches pour indiquer les traits particuliers. Le succès de ce livre et de son compagnon, *A Field Guide to Western Birds* a été instantané, dépassant largement les prévisions de l'auteur et de l'éditeur. Les utilisateurs de ces guides nous ont évidemment poussés à élargir nos horizons et à traiter d'autres aspects de l'histoire naturelle, d'où la naissance de la série des Guides.

Le *Field Guide to the Mammals* est le second livre auquel ont collaboré MM. Burt et Grossenheider, déjà auteurs de l'ouvrage réputé *The Mammals of Michigan*. Le Professeur Burt, riche de ses années d'enseignement à l'Université du Michigan, de son expérience comme responsable de la collection de mammifères du Muséum de Zoologie à Ann Arbor et comme directeur de la revue *Journal of Mammalogy*, est particulièrement bien préparé pour décrire les mammifères de l'Amérique du Nord en termes clairs et directs. Grand connaisseur des mammifères, à la fois en nature et en laboratoire, il sait choisir des termes qui illustrent des observations visuelles immédiates plutôt que des caractères taxonomiques. Comme on le verra, quelques petits mammifères ne peuvent être identifiés avec certitude que par la méthode du «spécimen en mains», après examen de la denture et du crâne. Le Professeur Burt a évité de séparer les sous-espèces, puisqu'elles sont plus du ressort de spécialistes et que leur identification requiert presque toujours d'avoir l'animal en mains. En outre, le traitement des sous-espèces risquerait de rendre un livre comme celui-ci désuet en très peu de temps.

Les illustrations valent la peine d'être étudiées avec soin si on veut en apprécier pleinement la sensibilité et le réalisme. Richard Grossenheider avait une prédilection pour les petits mammifères et personne ne les a jamais dessinés avec autant de compréhension. La finesse de ses dessins nous rappelle un maître ancien, Albrecht Dürer. Malheureusement, Richard Grossenheider n'a pu assister à la parution de cette édition révisée, car il est mort tragiquement dans un accident de la route.

George Sutton, peintre de la nature, décrivait ainsi le travail de Richard Grossenheider: «Ceux qui étudieront ces illustrations s'accorderont, j'en suis sûr, pour admirer en elles une qualité rare, l'étincelle de la vie. J'ai étudié les oiseaux et les mammifères pendant des années et je trouve que la vie qui transparaît dans ces dessins est remarquable et merveilleuse. Il devait y avoir un peu du petit mammifère dans le for intérieur de Dick Grossenheider, quelque chose de très sensible aux bruits, quelque chose aux aguets d'une ombre passante, toujours à l'affût des signaux et des dangers; autrement comment ses dessins pourraient-ils avoir cette authenticité *autobiographique* qu'il faut leur reconnaître?»

Dans la seconde édition (1964), le *Field Guide to the Mammals* a atteint sa maturité. Les cartes ont été mises à jour de façon à refléter les nouvelles connaissances basées sur les commentaires des dizaines de milliers d'utilisateurs. La description de chaque espèce a été révisée et complétée par des données sur l'habitat, les mœurs, la reproduction et l'importance économique. Bien que ces additions en aient augmenté considérablement le nombre de pages, le livre a gardé son format de poche et il est devenu beaucoup plus satisfaisant pour le lecteur soucieux d'étoffer ses connaissances sur les caractères visuels de chaque espèce.

Cette troisième édition (1976) contient des détails supplémentaires sur chaque espèce. Face à l'intérêt croissant des naturalistes pour les baleines et les marsouins et devant la nécessité d'assurer la conservation de ces animaux, la description des mammifères marins a été très augmentée et quatre schémas de crânes dessinés par Robert F. Wilson ont été ajoutés. Les planches de Grossenheider sont les mêmes que celles utilisées dans les éditions précédentes, mais elles ont été reproduites selon un procédé différent.

Quand vous vous préparez à aller camper, apportez ce livre avec vous; ne le laissez pas sur les tablettes de votre bibliothèque, il est conçu pour servir sur le terrain!

Roger Tory Peterson

Avant-propos

Dans la seconde édition du *Field Guide to the Mammals*, des cartes représentaient la répartition géographique de 291 espèces de mammifères terrestres. Le même nombre apparaît ici dans la troisième édition. Cependant, des informations nouvelles ont nécessité la mise à jour de 56 des cartes. Comme dans la seconde édition, il n'y a pas de cartes de répartitions dans le cas d'espèces insulaires, d'espèces connues d'une seule localité, d'espèces restreintes au sommet d'une seule montagne ou dans le cas des espèces marines. Pour ces espèces, une rubrique spéciale apparaît dans le texte, la rubrique **Répartition**.

Un changement important a été apporté à cette édition. Les planches sont maintenant regroupées au milieu du livre pour consultation aisée et rapide.

Pour ceux qui voudraient tenir une liste de contrôle des espèces qu'ils ont vues et identifiées, une liste systématique de toutes les espèces principales (celles qui sont décrites sous un en-tête) traitées dans le livre apparaît dans les pages qui suivent.

Je désire remercier mes nombreux collègues, particulièrement mes étudiants de cycles supérieurs, pour leur aide et leurs critiques constructives. En outre, plusieurs utilisateurs des éditions antérieures m'ont fourni des informations très utiles sur la présence de certains mammifères dans des régions que je connaissais moins bien. À ces personnes, mes remerciements les plus sincères.

Ma gratitude s'adresse aussi au personnel de la maison Houghton Mifflin Company dont l'expertise et la patience ont favorisé une relation auteur-éditeur des plus cordiales. L'intérêt continu qu'a manifesté Paul Brooks, les talents de Morton Baker et de Katherine Bernard du service de la production et, avant tout, la compétence inégalée d'Helen Phillips, qui a préparé l'édition précédente, et de James F. Thompson, qui a préparé celle-ci, ont contribué à rendre possible la matérialisation de mon rêve. Comme toujours, les conseils de Roger Tory Peterson se sont avérés inestimables.»

1975   William Henry Burt

Comme pourront le constater les utilisateurs de l'édition américaine que décrit William Burt, le texte présenté ici n'est pas une traduction exacte de cette édition qui remonte à 1976. En effet, depuis 1976, certains changements ont été apportés à la classification générale d'une part, et, d'autre part, bon nombre de taxons ont fait

vii

l'objet de modifications systématiques, soit en étant intégrés à d'autres espèces, soit en étant promus au rang d'espèces.

Le texte proposé ici tente de refléter le plus possible les tendances récentes dans la classification et l'étude taxonomique des mammifères de l'Amérique du Nord. Cet exercice a nécessité certains remaniements du texte; les espèces qui paraissaient dans l'édition américaine et qui n'existent plus sont mentionnées dans le texte avec leur ancien nom latin ainsi qu'avec une référence à l'espèce à laquelle elles ont été assimilées: par exemple, la Musaraigne d'Ashland, *Sorex trigonirostris* (p. 10), est maintenant reconnue comme appartenant à l'espèce *Sorex vagrans*, la Musaraigne errante. En d'autres cas, certains taxons ont été subdivisés et on reconnaît maintenant plusieurs espèces là où on n'en reconnaissait autrefois qu'une seule: par exemple, des sous-espèces de la Musaraigne cendrée, *Sorex cinereus* (p. 3), sont devenues des espèces valides et la liste de ces nouvelles espèces apparaît dans le paragraphe qui suit la description de l'espèce d'origine. En de rares cas, des espèces ont été découvertes depuis peu et elles sont mentionnées: par exemple, la Musaraigne de l'Arizona, *Sorex arizonae* (p. 12). Enfin, certaines espèces domestiques introduites et devenues sauvages, bien qu'absentes de l'édition américaine, font partie de notre faune et elles méritent d'être citées: par exemple, le Lapin de garenne, *Oryctolagus cuniculus* (p. 212) et le Mouflon à manchettes, *Ammotragus lervia* (p. 227).

Certains chapitres ont nécessité des transformations assez considérables, celui sur les lemmings (p. 175), notamment, puisqu'on reconnaît maintenant dans le genre *Dicrostonyx* toute une série d'espèces qui forment un complexe d'entités génétiquement différentes, mais très difficiles à distinguer extérieurement; l'intégration parmi les campagnols du genre *Phenacomys*, divisé maintenant en *Phenacomys* et *Arborimus*, a demandé aussi un remaniement majeur. Autre cas, celui du Caribou (p. 220), puisqu'il est maintenant reconnu que tous les caribous appartiennent à la même espèce que le Renne eurasien, *Rangifer tarandus*; comme l'édition américaine décrivait trois espèces, on trouvera ici un bref résumé de leur statut actuel, même si généralement ce livre ne s'attarde pas à la description des sous-espèces.

Les cartes de répartition ont été annotées de façon à tenir compte du statut actuel de chacune des espèces étudiées.

On trouvera au chapitre **Comment utiliser ce livre** (p. xv) la provenance des noms communs français qui apparaissent dans ce guide. L'usage des traits d'union en surprendra plus d'un, mais aussi longtemps que nous devrons nous contenter de noms génériques composés, il nous semble important de trouver une façon de bien distinguer le nom générique du nom spécifique, ce que permettent de faire les traits d'union; ainsi, dans le nom Campagnol-à-dos-roux de Gapper, il devient clair que le mot composé «Campagnol-à-dos-roux» désigne le genre et les mots «de Gapper» désignent l'espèce.

Remerciements : nous tenons à adresser des remerciements très chaleureux aux personnes qui ont contribué, par leurs suggestions, corrections et commentaires, à parfaire la liste des noms français telle qu'elle apparaît dans ce volume, notamment MM. Henri Ouellet et Michel Gosselin du Musée national des Sciences naturelles et M. Jacques Prescott, du Jardin zoologique de Québec. Nous voulons remercier de façon particulière M. C. G. van Zyll de Jong, spécialiste des mammifères au Musée national des Sciences naturelles, qui a accepté de relire certains passages du manuscrit français et dont les suggestions ont permis de clarifier plusieurs questions relatives à la classification. Nous remercions enfin Madame Louise Cloutier, du Département de Sciences biologiques de l'Université de Montréal, qui a consacré de nombreuses heures à la révision du manuscrit français et à la correction de l'index.

Françoise Harper, traductrice

Table des matières

Illustrations

Comment utiliser ce livre

Contrairement aux oiseaux, la plupart des mammifères sont nocturnes et vivent loin des humains. Ils sont par le fait même plus difficiles à voir et à reconnaître en nature, à l'exception peut-être des membres de la famille des écureuils. Les écureuils arboricoles, les spermophiles, les tamias, les marmottes et les chiens-de-prairie sont actifs le jour et constituent donc des sujets parfaits pour le naturaliste. Certains gros mammifères font aussi partie de cette catégorie: les cerfs, les élans, les orignaux, les caribous, les mouflons, les chèvres, les bisons, les antilopes et les bœufs-musqués, de même que les mammifères marins, baleines, dauphins, phoques et otaries. Les chats, les renards, les coyotes, les lapins et les lièvres, actifs surtout la nuit, s'observent parfois le jour. La plupart des petits mammifères, chauves-souris, taupes, musaraignes, souris et rats, dorment durant le jour et sortent à la tombée de la nuit. Il est parfois possible de voir ces petits mammifères le jour, surtout au petit matin ou juste avant la nuit, mais ils sont difficiles à identifier, sauf de très près. Même dans les meilleures conditions, la détermination de certains de ces animaux reste problématique si l'on n'utilise que des caractéristiques externes. La description des caractères est assez vague dans certains cas et c'est généralement parce que l'espèce concernée ne possède pas de trait vraiment exclusif. Il vaut quand même mieux traiter les espèces difficiles de cette façon que d'en donner des caractéristiques que personne ne peut voir facilement.

Détermination : pour utiliser ce *Guide* de façon efficace, je vous suggère la procédure suivante. Déterminez d'abord le grand groupe auquel appartient l'animal en feuilletant les planches illustrées. Les flèches indiquent les caractéristiques particulières qui sont signalées dans les pages légendes situées en regard des planches. Dans beaucoup de cas, ces caractéristiques, combinées à la région géographique générale mentionnée à la page légende (explication en p. xviii), suffiront à déterminer correctement l'animal. Sinon, il vous faudra consulter les cartes qui donnent la répartition géographique des espèces qui appartiennent au groupe. Un examen rapide des cartes vous permettra de savoir quelles espèces existent dans votre voisinage. S'il en existe plus d'une, vous devrez consulter le texte qui décrit l'une de ces espèces; lisez aussi la rubrique **Espèces semblables** pour connaître les espèces avec lesquelles vous êtes susceptible de confondre l'animal à déterminer. *Ne vous attardez qu'aux espèces présentes dans la région où vous êtes.* Cette technique devrait vous assurer le succès dans la plupart des cas.

Voici un exemple; suivez-le et vous saurez comment utiliser ce guide. Vous êtes dans le parc national Rocky Mountain au Colorado. Vous apercevez un petit mammifère à un tournant; il est brunâtre et porte des rayures latérales. En feuilletant les planches illustrées, vous constatez que la planche 11 illustre les mammifères du type écureuil qui portent des rayures. L'animal que vous avez vu porte des rayures latérales sur le corps, mais aucune sur la face. De plus, sa tête semble de couleur cuivrée. Si cette description est la bonne, il est inutile d'aller plus loin; il s'agit du Spermophile à mante dorée. Vous apercevez alors un autre mammifère de type écureuil, un peu plus gros, olive rougeâtre avec une rayure noire diffuse le long de la ligne qui sépare le dos olivâtre et le ventre blanc. L'animal est très certainement du type écureuil (Pl. 11 et 12). Consultez alors les cartes où sont illustrées les répartitions respectives des écureuils. Vous constatez que dans le parc Rocky Mountain il n'existe que deux espèces d'écureuils arboricoles, l'Écureuil d'Abert et l'Écureuil roux. Vous n'avez plus à tenir compte des autres espèces d'écureuils. Comme les deux espèces sont illustrées sur les planches 11 et 12, vous devriez être en mesure de déterminer l'espèce par comparaison des deux figures. Si vous avez des doutes, lisez la description de l'Écureuil roux (p. 120). Lisez aussi les particularités de l'Écureuil d'Abert à la rubrique **Espèces semblables.**

Il arrive assez fréquemment que des crânes soient trouvés sur le sol ou dans les fèces d'un hibou. Ces crânes peuvent souvent être identifiés, au moins au grand groupe auxquels ils appartiennent, en les comparant aux illustrations (Pl. 25-32 et p. 265). En plusieurs cas, ils peuvent même être identifiés à l'espèce par le nombre de dents qu'on peut comparer à la liste contenue au chapitre **Formules dentaires.**

La mesure «tête et corps» se rapporte à l'animal étiré, du bout du museau à la base de la queue. La mesure de la queue n'inclut pas les poils qui dépassent le bout des vertèbres. Toutes les mesures sont métriques. Dans la courte liste des caractères énumérés dans la description, les plus importants sont *en italique.*

Espèces semblables : dans cette rubrique, l'espèce la plus apparentée est mentionnée la première et celle qui l'est le moins est mentionnée en dernier lieu. Seules les espèces qui habitent la même région sont nommées.

Habitat : l'habitat où l'on trouve un animal constitue parfois un bon indice de son identité, surtout dans le cas de mammifères qui requièrent un ensemble bien particulier de conditions; les écureuils arboricoles, par exemple, ne vivent que dans les régions boisées, alors que les chiens-de-prairie vivent dans les terrains herbeux découverts. La rubrique **Habitat** indique les types d'endroits où chaque espèce est le plus susceptible d'être rencontrée.

Mœurs : ce paragraphe décrit le moment de la journée, jour ou nuit, où l'animal est le plus actif. Dans certains cas, lorsque l'information est disponible, des indications sont données sur le régime alimentaire, le nid, les populations, la longévité, la saison de reproduction, et sur tout autre détail intéressant de la vie de l'animal.

Jeunes : le nombre de jeunes dans une portée, le nombre de portées par an, la durée de la période de gestation sont décrits lorsque l'information est connue.

Importance économique : lorsqu'elle concerne tous les membres du groupe, cette information apparaît dans le paragraphe qui présente la famille. Dans les autres cas, cette rubrique est la dernière dans la description d'une espèce.

Répartition : la répartition des mammifères marins, des mammifères confinés à des îles et de certaines espèces à répartition très restreinte ou connues à une seule localité n'est pas donnée sous forme de carte. Dans ces cas, une rubrique **Répartition** apparaît dans la description de l'espèce et elle indique où l'animal peut être rencontré.

Nombre d'espèces : 371 espèces nord-américaines sont décrites en détails dans ce livre; 44 autres, très semblables à d'autres ou récemment promues au rang d'espèces, sont également mentionnées; dans ces cas, plusieurs espèces sont regroupées sous le même en-tête, car elles sont difficiles, voire impossibles, à distinguer les unes des autres, sauf par des spécialistes.

Étendue géographique : ce livre traite de toutes les espèces de mammifères sauvages qui habitent en Amérique du Nord et sur les îles côtières au nord du Mexique. Il inclut les espèces de mammifères marins qui vivent au large des côtes des États-Unis et du Canada.

Cartes de répartition : à part les chauves-souris et les mammifères marins, peu de mammifères font des migrations importantes et ils sont généralement sédentaires, trait qui favorise leur identification par élimination. La carte qui illustre la répartition d'une espèce apparaît dans une page voisine de celle où se trouve la description de cette espèce. Les parties ombragées des cartes représentent les zones approximatives où les animaux sont susceptibles d'être rencontrés. Cela ne signifie pas que l'animal puisse être trouvé partout dans la région, mais là où prévalent les conditions qui lui conviennent. Les limites des zones de répartition restent approximatives. Ce sont les répartitions actuelles qui sont indiquées; plusieurs espèces de gibier ont été introduites dans des régions situées bien au-delà de leur zone d'origine. Ces espèces réussissent parfois à s'établir, mais plusieurs disparaissent. Parmi celles-là quelques-unes sont indiquées sur les cartes et les autres (si elles sont connues de l'auteur) sont mentionnées dans le texte.

Désignation des zones sur les pages légendes des planches : les grandes divisions du continent nord-américain où vivent les espèces sont désignées N et S, respectivement nord et sud du 40e parallèle, et E et O, respectivement est et ouest du 100e méridien. Certaines espèces chevauchent ces limites arbitraires, mais la plus grande partie de leur répartition se retrouvera dans le secteur indiqué. Dans les quelques cas où la répartition est restreinte aux plaines centrales, le terme «centre» est utilisé, parfois accompagné de N, S, E ou O; de plus, les termes arctique et sub-arctique sont utilisés dans le cas des quelques espèces confinées au Grand Nord. La carte de la p. 129 illustre les différents secteurs du continent.

Nomenclature : en attendant que des spécialistes se penchent sur le problème et publient une liste révisée des noms français des mammifères de l'Amérique du Nord, nous avons dû choisir des noms pour toutes les espèces nord-américaines traitées ici. Bon nombre de noms ont dû être créés de toutes pièces car beaucoup d'espèces n'ont jamais eu de nom français; ces nouveaux noms ont été formés soit à partir du latin, soit à partir de l'anglais dans beaucoup de cas, soit à partir de caractéristiques propres à l'animal.

Un grand nombre d'espèces, surtout les espèces canadiennes, ont déjà un nom commun. La nomenclature utilisée par A. W. F. Banfield (*Les mammifères du Canada*. Presses de l'Université Laval et University of Toronto Press, 1974, 1977) ainsi que par J. Prescott, P. Richard et R. Caron (*Mammifères du Québec et de l'est du Canada*, tomes 1 et 2. Éditions France-Amérique, 1982) est celle proposée par le Comité de nomenclature de la Société zoologique de Québec (*Noms français des mammifères du Canada*. Les carnets de Zoologie, 27:25-30, 1967); de façon générale, cette nomenclature a été conservée ici, quoique certains noms aient été légèrement modifiés, soit pour devenir plus précis (par exemple Opossum d'Amérique du Nord, plutôt qu'Opossum d'Amérique, Loup gris plutôt que Loup tout court pour le distinguer du Loup roux, etc.), soit pour mieux correspondre aux nouvelles classifications (par exemple Campagnol des bruyères au lieu de Phénacomys, (Heather Vole en anglais)), soit pour éliminer les risques de confusion (par exemple, Écureuil de l'Ouest plutôt qu'Écureuil gris de l'Ouest alors qu'existe déjà l'Écureuil gris tout court). Le terme anglais «Woodrat», nom générique de toute une série d'espèces, devient en français Néotoma, du nom latin, plutôt que rat. Le nom souris-moissonneuse a été substitué au terme souris-des-moissons. Le terme Aplodonte, accepté maintenant de façon générale, remplace ici le nom de Castor de montagne, puisqu'il ne s'agit aucunement d'un castor.

Les noms français des chiroptères et des insectivores proviennent d'ouvrages récents du mammologiste C.G. van Zyll de Jong (*Traité des mammifères du Canada*. Vol. 1. *Les marsupiaux et les insectivores*. Vol. 2. *Les chauves-souris*. Musée national des sciences naturelles, Musées nationaux du Canada, 1983 et 1985) et ils sont utilisés tels quels dans le présent ouvrage; une exception cependant, la Musaraigne de Gaspé devient ici la Musaraigne de Gaspésie, dont le nom répond ainsi mieux à la répartition de l'espèce.

Dans le cas des mammifères marins, les noms utilisés dans Banfield (op. cit.) ont été retenus à quelques exceptions près où d'autres noms internationaux ont été utilisés; nous préférons le nom de Dauphin à dents obliques à celui de Dauphin à flancs blancs du Pacifique, puisqu'il existe déjà un Dauphin à flancs blancs tout court; de même, nous préférons Globicéphale à gros nez plutôt que Globicéphale noir du Pacifique, puisque ce nom ne correspond pas vraiment à la répartition de l'animal.

La plupart des noms français utilisés dans l'édition française du Guide Peterson *Les traces d'animaux* (O. J. Murie. Éditions Broquet, 1989) se retrouvent ici, mais certains n'ont pas été retenus et l'utilisateur de ce livre aura tôt fait de retrouver les noms équivalents.

Généralement un seul nom français est donné; par ailleurs, dans les cas où des animaux ont plusieurs noms français très utilisés, un est choisi de préférence aux autres comme en-tête, mais les autres sont mentionnés dans le texte.

Les noms anglais sont ceux de la liste systématique *Checklist of Vertebrates of the United States, the U. S. Territories, and Canada* (Banks, R. C., R. W. McDiarmid, and A. L. Gardner. U. S. Fish Wildl. Serv., Resour. Publ., 1987), sauf dans quelques cas où des noms plus anciens sont conservés. Les noms anglais des insectivores et des chiroptères proviennent des ouvrages de van Zyll de Jong (op. cit.).

Noms scientifiques : chaque mammifère est désigné par un nom scientifique, universel, qui ne s'applique qu'à lui et, s'il est choisi selon les règles, ne devrait jamais changer. Si par exception, un animal a reçu plusieurs noms, le premier nom qui a été proposé doit être retenu, selon la «loi de la priorité».

Classification : le but premier d'une classification est l'arrangement des choses selon un système ordonné. Dans la classification, nous tentons d'arranger les mammifères selon un ordre qui peut indiquer leurs liens de parenté et donner en même temps une bonne idée de leur cheminement évolutif. La classification proposée n'est évidemment pas définitive puisque nous ne connaissons pas tout des mammifères, mais il est possible de les regrouper d'après des études d'anatomie comparée, de paléontologie et même de physiologie et de génétique.

La classification présentée ici suit celle du *Checklist* (op. cit.), sauf en de rares exceptions (familles des Zapodidae, Antilocapridae conservées). En théorie, le groupe le plus primitif (ou plus ancien) (Marsupiaux) est traité en premier lieu, le groupe le plus évolué (ou plus jeune), en dernier lieu. Par ailleurs, certains groupes sont tout aussi primitifs ou tout aussi évolués que d'autres et leur classification reste donc en quelque sorte arbitraire et la présentation d'un groupe avant un autre ne représente donc pas nécessairement une tendance évolutive définie.

Abréviations employées dans le texte

infér.	inférieur
supér.	supérieur
antér.	antérieur
postér.	postérieur
esp.	espèce
env.	environ
hab.	habituellement
qqs	quelques
batt.	battements
vr	voir
N, S, E, O	nord, sud, est, ouest
Amér.	Amérique
nord-amér.	nord-américain
É.-U.	États-Unis
C.-B.	Colombie-Britannique

Liste systématique

On peut tenir une liste de contrôle en cochant les espèces que l'on observe.

....OPOSSUM D'AMÉRIQUE DU NORD
....MUSARAIGNE CENDRÉE
....MUSARAIGNE DU MONT LYELL
....MUSARAIGNE DE PREBLE
....MUSARAIGNE FULIGINEUSE
....MUSARAIGNE NORDIQUE
....MUSARAIGNE D'UNALASKA
....MUSARAIGNE DE PRIBILOF
....MUSARAIGNE DE MERRIAM
....MUSARAIGNE DE BACHMAN
....MUSARAIGNE LONGICAUDE
....MUSARAIGNE DE GASPÉSIE
....MUSARAIGNE DE TROWBRIDGE
....MUSARAIGNE ERRANTE
....MUSARAIGNE SOMBRE
....MUSARAIGNE DU PACIFIQUE
....MUSARAIGNE ORNÉE
....MUSARAIGNE D'INYO
....MUSARAIGNE NAINE
....MUSARAIGNE PALUSTRE
....MUSARAIGNE DE BENDIRE
....MUSARAIGNE DE L'ARIZONA
....MUSARAIGNE PYGMÉE
....MUSARAIGNE DU DÉSERT
....PETITE MUSARAIGNE
....GRANDE MUSARAIGNE
....TAUPE NAINE
....CONDYLURE À NEZ ÉTOILÉ
....TAUPE À QUEUE GLABRE
....TAUPE À QUEUE VELUE
....TAUPE DE TOWNSEND
....TAUPE DU PACIFIQUE
....TAUPE DE CALIFORNIE
....CHAUVE-SOURIS DE PETER
....MACROTUS DE CALIFORNIE
....CHOÉRONYCTÈRE DU MEXIQUE
....LEPTONYCTÈRE À LONG NEZ
....VAMPIRE À QUEUE COURTE

....VESPERTILION BRUN
....VESPERTILION DE YUMA
....VESPERTILION DU SUD-EST
....VESPERTILION GRIS
....VESPERTILION DES CAVERNES
....VESPERTILION DE KEEN
....VESPERTILION À LONGUES
     OREILLES
....VESPERTILION À QUEUE
     FRANGÉE
....VESPERTILION DE L'INDIANA
....VESPERTILION À LONGUES
     PATTES
....VESPERTILION DE CALIFORNIE
....VESPERTILION PYGMÉE DE L'EST
....CHAUVE-SOURIS ARGENTÉE
....PIPISTRELLE DE L'OUEST
....PIPISTRELLE DE L'EST
....SÉROTINE BRUNE
....CHAUVE-SOURIS ROUSSE
....CHAUVE-SOURIS SÉMINOLE
....CHAUVE-SOURIS CENDRÉE
....CHAUVE-SOURIS JAUNE DE L'EST
....CHAUVE-SOURIS JAUNE DE
     L'OUEST
....CHAUVE-SOURIS VESPÉRALE
....OREILLARD MACULÉ
....OREILLARD DE TOWNSEND
....OREILLARD DE L'EST
....OREILLARD D'ALLEN
....CHAUVE-SOURIS BLONDE
....MOLOSSE DU BRÉSIL
....MOLOSSE À QUEUE LARGE
....GRAND MOLOSSE
....MOLOSSE DE L'OUEST
....MOLOSSE D'UNDERWOOD
....MOLOSSE DE WAGNER
....OURS NOIR

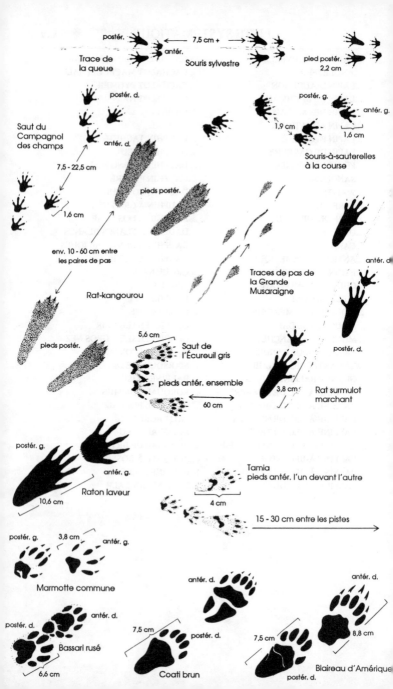

Trace de la queue

postér.

antér.

← 7,5 cm + →

Souris sylvestre

pied postér. 2,2 cm

Saut du Campagnol des champs

postér. d.

antér. d.

7,5 - 22,5 cm

1,6 cm

env. 10 - 60 cm entre les paires de pas

Rat-kangourou

pieds postér.

pieds postér.

postér. g.

antér. g.

1,9 cm

1,6 cm

Souris-à-sauterelles à la course

Traces de pas de la Grande Musaraigne

antér. d

5,6 cm

Saut de l'Écureuil gris

pieds antér. ensemble

60 cm

postér. d.

antér. d

3,8 cm

Rat surmulot marchant

postér. g.

antér. g.

Raton laveur

10,6 cm

postér. g.

3,8 cm

antér. g.

Marmotte commune

postér. d.

antér. d.

Bassari rusé

6,6 cm

Tamia pieds antér. l'un devant l'autre

4 cm

15 - 30 cm entre les pistes

antér. d.

7,5 cm

postér. d.

Coati brun

antér. d.

7,5 cm

8,8 cm

postér. d.

Blaireau d'Amérique

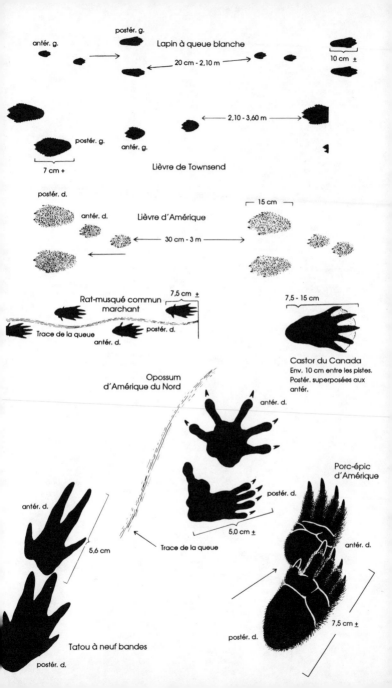

antér. g. postér. g. **Lapin à queue blanche** 10 cm ±

←— 20 cm - 2,10 m —→

Lièvre de Townsend

postér. g. antér. g. ←— 2,10 - 3,60 m —→

7 cm +

postér. d. **Lièvre d'Amérique** 15 cm

antér. d. ←— 30 cm - 3 m —→

Rat-musqué commun marchant 7,5 cm ±

Trace de la queue postér. d.

antér. d.

7,5 - 15 cm

Castor du Canada
Env. 10 cm entre les pistes. Postér. superposées aux antér.

Opossum d'Amérique du Nord

antér. d.

postér. d.

Porc-épic d'Amérique

antér. d.

antér. d.

5,6 cm

5,0 cm ±

Trace de la queue

7,5 cm ±

Tatou à neuf bandes

postér. d.

postér. d.

Les mammifères
de l'Amérique du Nord
(au nord du Mexique)

Marsupiaux : Marsupialia

Les petits naissent prématurément chez la plupart et terminent leur développement dans une poche garnie de poils (marsupium) située sur le ventre de leur mère.

Sarigues : Didelphidae

Les seuls marsupiaux en Amér. du N. 5 doigts sur chaque pied; orteil interne du pied postér. opposable (sert à grimper) et sans griffe; queue préhensile squameuse, comme celle d'un rat. Parmi les plus primitifs des mammifères actuels. Les fossiles remontent au Crétacé supérieur.

OPPOSUM D'AMÉRIQUE DU NORD   Pl. 19
Didelphis virginiana   (North American Opossum)

Tête et corps 35-50 cm; queue 25-50 cm; 4-6 kg. Souvent aperçu sur les routes la nuit. De la taille d'un chat, mais corps plus trapu, pattes plus courtes, museau pointu, *face blanche, oreilles noires* très minces à bout souvent blanc; *queue* semblable à celle d'un rat, cylindrique, préhensible, noire à la base ($1/3$ à $1/2$), blanche au bout. Oreilles et queue parfois cassées par le gel dans le N. Hab. gris blanchâtre dans le N, gris ou presque noir dans le S. Yeux à reflets orange. 50 dents (Pl. 31). Jusqu'à 17 mamelles dans la poche.

Espèces semblables : Le Ragondin (p. 200) a la queue garnie de poils épars, d'une seule couleur, les pattes postér. palmées et la face aplatie (pas pointue) semblable à celle d'un gros Rat-musqué.

Habitat : surtout dans les zones agricoles, aussi dans les bois et le long des ruisseaux.

Mœurs : hab. actif seulement la nuit. Mange fruits, légumes, noix, viande, œufs, insectes et charognes. Cherche refuge dans des terriers abandonnés, sous les bâtiments, dans les arbres ou les troncs creux, les canaux, les broussailles. «Fait le mort» en cas de menace. Aire d'activité 6-16 ha, mais peut s'éloigner beaucoup, surtout à l'automne. Atteint maintenant des zones plus nordiques et devient plus abondant. Peut vivre 7 ans ou plus.

Jeunes : jusqu'à 14 par portée; gestation env. 13 jours; 1 ou 2 portées par année. Minuscules à la naissance (2g); portée toute contenue dans une cuillère à thé. Restent dans la poche env. 2 mois; voyagent parfois sur le dos de leur mère, leurs queues accrochées à la sienne.

Importance économique : sert parfois de gibier, surtout dans le S. Viande très grasse. S'en prend parfois aux poulaillers, mais détruit aussi souris et insectes. Fourrure parfois commercialisée, mais de peu de valeur.   Carte ci-dessous

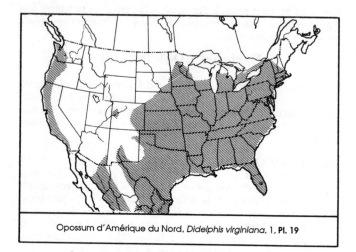

Opossum d'Amérique du Nord, *Didelphis virginiana*, 1, **Pl. 19**

Insectivores : Insectivora

Les espèces nord-amér. de ce groupe, répandu presque partout dans le monde, sont plutôt petites (longueur maximale env. 25 cm), ont un long museau pointu et de petits yeux ronds; 5 doigts à chaque patte.

Musaraignes : Soricidae

Débordantes d'énergie; de *la taille d'une souris, yeux ronds non recouverts* de peau; oreilles cachées ou presque sous un pelage doux; toujours *5 doigts* à chaque patte (les souris ont hab. 4 doigts aux pattes antér.); dents hab. tachées de brun. Parfois difficiles à identifier; en cas de doute, les spécimens doivent être envoyés à un musée. Répandues dans presque toute l'Amér. du N. Préfèrent les endroits humides, mais quelques-unes habitent les bosquets d'armoises des déserts de l'O. Les fossiles datent de l'Oligocène inférieur.

Importance économique : animaux inoffensifs ou utiles; mangent plusieurs insectes.

MUSARAIGNE CENDRÉE *Sorex cinereus*   Pl. 1
(Masked Shrew)

Tête et corps 50-65 mm; queue 30-50 mm; 3-6 g. Corps gris brun, queue bicolore; ventre plus clair que le dos. Dans le N et le long des Rocheuses et des Appalaches, surtout dans les *zones humides*; esp. la plus commune. 32 dents (Pl. 25). 6 mamelles.

Sorex fontinalis est redevenue sous-espèce de *S. cinereus* et trois sous-espèces, *haydeni* (M. des steppes), *jacksoni* (M. de l'île Saint-Laurent) et *ugyunak* (M. de Béringie), très semblables à *S. cinereus*, sont devenues des espèces valides.

Espèces semblables : (1) La M. pygmée, un peu plus petite, ne diffère que par le nombre de dents unicuspides (dents à une seule crête sur la mâchoire supér.), 3 plutôt que 5 de chaque côté. (2) La M. fuligineuse est plus grosse et a le ventre foncé. (3) La M. de Merriam est gris pâle à ventre blanchâtre. Les M. (4) nordique, (5) longicaude, (6) errante, (7) sombre et (8) de Trowbridge sont plus grosses. Chez les M. (9) de Gaspésie et (10) naine, la queue n'est pas vraiment bicolore. (11) La M. de Bachman est de même taille, mais sa répartition diffère. (12) La Petite M. a la queue plus courte.

Habitat : endroits humides dans les forêts, les clairières et les bosquets.

Mœurs : active jour et nuit; en dehors des heures de sommeil, cherche sa nourriture. Consomme plus que sa masse chaque jour; un individu gardé en captivité mangeait plus de 3 fois sa masse; s'alimente surtout d'insectes, mais aussi d'autres petits animaux. Nids de feuilles ou d'herbes séchées dans les souches, les broussailles ou sous les troncs. Groupes de plusieurs individus observés fréquemment. Pouls, plus de 1200 batt./min; respiration très rapide. Reproduction probablement de mars à octobre; certaines femelles atteignent leur maturité sexuelle dès l'âge de 4-5 mois.

Jeunes : 2-10; probablement plus qu'une portée par an. Embryons observés en janvier, avril, mai et septembre.   Carte p. 4

MUSARAIGNE DU MONT LYELL *Sorex lyelli*
(Mount Lyell Shrew)

Tête et corps 55 mm; queue 35-40 mm. Restreinte à une petite section de la Sierra Nevada, *en altitude, à 2000 m ou plus*. 32 dents.

Carte p. 7

MUSARAIGNE DE PREBLE *Sorex preblei*   (Preble's Shrew)

Tête et corps 50-55 mm; queue 40 mm. L'une des *plus petites* musaraignes de l'O. 32 dents.

Espèces semblables : Les M. (1) de Merriam et (2) errante sont plus grosses.

Habitat : semble vivre dans les marécages et près des ruisseaux.

Carte p. 7

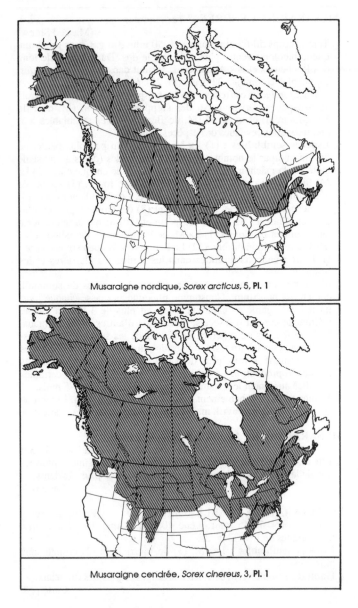

Musaraigne nordique, *Sorex arcticus*, 5, Pl. 1

Musaraigne cendrée, *Sorex cinereus*, 3, Pl. 1

MUSARAIGNE FULIGINEUSE *Sorex fumeus*

(Smoky Shrew)

Tête et corps 65-75 mm; queue 45-50 mm; 6-9 g. *Brun terne uniforme*, sauf la queue, *bicolore* (jaunâtre dessus, brune dessous), et *les pattes* qui sont *pâles*. Commune dans toute sa répartition. 32 dents. 6 mamelles.

Espèces semblables : (1) la M. longicaude a la queue plus longue. (2) La M. cendrée est plus petite et a le ventre plus clair que le dos. Les M. (3) pygmée et (4) de Gaspésie sont plus petites. (5) La M. nordique a la queue plus courte et n'est pas de couleur uniforme. (6) La M. de Bachman est plus petite.

Habitat : préfère les forêts de bouleaux et de pruches à litière épaisse.

Mœurs : creuse ses propres terriers ou utilise ceux d'autres petits mammifères dans la litière humide. Nourriture: insectes et autres petits animaux. Nids de plantes séchées dans les souches, les troncs et parmi les rochers. Populations parfois denses; parfois coloniale; ne semble pas vivre plus d'un an en nature.

Jeunes : 2-7, nés entre avril et juin; parfois, 2e portée en juillet, août, même octobre; gestation probablement moins de 3 semaines (détail inconnu). Nus, aveugles.   Carte p. 7

MUSARAIGNE NORDIQUE *Sorex arcticus*   **Pl. 1**

(Black-backed Shrew)

Tête et corps 70-75 mm; queue 30-40 mm; 7-9 g. La *plus colorée* et la plus jolie des musaraignes. Dos, flancs et ventre contrastants. *Tricolore* à dos presque noir en hiver; en été, *brun terne*. 32 dents. 6 mamelles.

S. tundrensis, la M. de la toundra, est maintenant une espèce distincte.

Espèces semblables : (1) la M. fuligineuse, à queue plus longue, est de couleur uniforme. Les M. (2) sombre et (3) de Gaspésie ne sont pas tricolores, mais brun pâle. Les M. (4) cendrée et (5) pygmée sont plus petites et brun grisâtre.

Habitat : marécages à mélèzes et à épinettes.

Mœurs : semble manger insectes et autres invertébrés.

Jeunes : cas connu de 1 femelle à 6 embryons.   Carte ci-contre

MUSARAIGNE D'UNALASKA *Sorex hydrodromus*

(Unalaska Shrew)

Dans l'île Unalaska; de statut très incertain.

MUSARAIGNE DE PRIBILOF *Sorex pribilofensis*

(Pribilof Island Shrew)

Dans les îles Pribilof. Forme, avec *S. ugyunak* et *S. jacksoni*, le groupe des espèces béringiennes.

MUSARAIGNE DE MERRIAM *Sorex merriami* **Pl. 1**
(Merriam's Shrew)
Tête et corps 55-65 mm; queue 30-40 mm. Dos *gris pâle, ventre et pattes blanchâtres*; queue bicolore. 32 dents.
Espèces semblables : (1) La M. naine a la queue indistinctement bicolore. (2) La M. de Preble est plus petite, (3) la M. du désert est plus pâle à queue plus courte, (4) la M. cendrée est un peu plus grosse et brun grisâtre, (5) la M. sombre, plus grosse, est brunâtre, (6) la M. errante est plus grosse, à pattes foncées. (7) La M. d'Inyo, plus foncée, vit en montagne.
Habitat : zones arides d'armoises ou de schizachyriums à balais.

Carte ci-contre

MUSARAIGNE DE BACHMAN *Sorex longirostris*
(Southeastern Shrew)
Tête et corps 50-65 mm; queue 25-40 mm; 3-6 g. *Brun foncé*; seule musaraigne à longue queue à habiter la Plaine atlantique et les contreforts des Appalaches où elle est bien répandue. 32 dents. 6 mamelles.
Espèces semblables : (1) la M. cendrée lui ressemble, mais leurs répartitions se recoupent à peine. (2) Les autres musaraignes ont la queue plus longue.
Habitat : clairières et bois; préfère les endroits humides. Non restreinte à un seul type d'habitat.
Mœurs : mange probablement insectes, vers et autres petits animaux. Nids d'herbes ou de feuilles séchées dans les dépressions peu profondes.
Jeunes : hab. 4, nés en avril; probablement 1 portée par année.

Carte ci-contre

MUSARAIGNE LONGICAUDE *Sorex dispar*
(Long-tailed Shrew)
Tête et corps 70 mm; queue 55-65 mm; 5-6 g. En été, *pelage grisâtre foncé*, ventre un peu plus pâle, queue *de couleur à peu près uniforme*; en hiver, entièrement gris ardoise; répartition restreinte. 32 dents. 6 mamelles.
Espèces semblables : les M. (1) cendrée et (2) pygmée sont plus petites. Les M. (3) fuligineuse et (4) de Bachman ont la queue plus courte.
Habitat : endroits frais et humides, zones rocheuses des forêts décidues ou mixtes.
Mœurs : mange centipèdes, araignées, insectes et peut-être d'autres petits invertébrés. Vit parfois en groupes.
Jeunes : nés en mai; portées connues de 5 petits; probablement 1 portée par année. Carte ci-contre

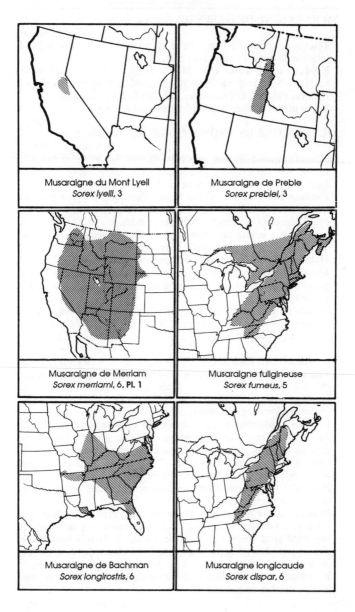

Musaraigne du Mont Lyell
Sorex lyelli, 3

Musaraigne de Preble
Sorex preblei, 3

Musaraigne de Merriam
Sorex merriami, 6, **Pl. 1**

Musaraigne fuligineuse
Sorex fumeus, 5

Musaraigne de Bachman
Sorex longirostris, 6

Musaraigne longicaude
Sorex dispar, 6

MUSARAIGNE DE GASPÉSIE *Sorex gaspensis*

(Gaspé Shrew)

Tête et corps 50-55 mm; queue 40-55 mm. Semblable à la M. longicaude, mais un peu plus petite. 32 dents. 6 mamelles.

Espèces semblables : les M. (1) cendrée, (2) pygmée et (3) fuligineuse ont la queue bicolore. (4) La M. nordique est tricolore.

Habitat : le long des ruisseaux, dans les forêts de conifères.

Répartition : restreinte à la péninsule gaspésienne.

MUSARAIGNE DE TROWBRIDGE *Sorex trowbridgii*

(Trowbridge's Shrew)

Tête et corps 65-70 mm; queue 50-65 mm; 6-9 g. Assez grosse, à pelage presque uniforme *gris-souris ou brunâtre*; *queue nettement bicolore, presque blanche dessous*. 32 dents. 6 mamelles.

Espèces semblables : (1) la M. du Pacifique est plus grosse à queue non bicolore. (2) La M. errante a la queue plus courte. Les M. (3) ornée et (4) cendrée sont plus petites. (5) La M. sombre est brun terne à ventre blanchâtre. (6) La Taupe naine (p. 16) est un animal plus gros à pattes antér. élargies.

Habitat : forêts de conifères et autres endroits boisés.

Mœurs : mange insectes, cloportes, et probablement d'autres petits invertébrés et des graines de sapins de Douglas. Vit parfois jusqu'à 18 mois.

Jeunes : 3-6 nés entre mars et mai, parfois en juillet; bruns jusqu'à la première mue en septembre. Nombre de portées par année inconnu, probablement 1. Carte p. 11

MUSARAIGNE ERRANTE *Sorex vagrans* (Vagrant Shrew)

Tête et corps 60-70 mm; queue 40-45 mm; env. 7 g. *Brun roux* en été, presque *noire* en hiver; pattes foncées; commune dans les montagnes de l'O. 32 dents. 6 mamelles.

Inclut maintenant *S. trigonirostris*.

Espèces semblables : (1) la M. sombre est brun terne. Les M. (2) du Pacifique et (3) de Trowbridge sont plus grosses. Les M. (4) cendrée et (5) pygmée sont plus petites et gris brunâtre. (6) La M. naine est plus petite, brun pâle. (7) La M. de Merriam est plus petite, gris pâle. (8) La M. de Preble est plus petite.

Habitat : marécages, tourbières, prairies humides; aussi le long des ruisseaux en forêt.

Mœurs : active jour et nuit. Mange insectes, centipèdes, cloportes, araignées, vers de terre, limaces et qqs plantes. Des individus en captivité sont connus pour avoir mangé 1 1/3 fois leur masse chaque jour. Nids d'herbes ou de feuilles séchées, dans les souches ou les troncs. Mue deux fois l'an. Vit rarement plus de 16 mois. Reproduction parfois hâtive, de la fin de janvier à la fin de mai, puis en octobre ou novembre.

Jeunes : 2-9; gestation env. 20 jours; probablement plus de 1 portée par an. Yeux ouverts à 1 semaine; sevrés à 20 jours env.   Carte p. 11

MUSARAIGNE SOMBRE *Sorex monticolus*   (Dusky Shrew)
Tête et corps 65-75 mm; queue 40-65 mm. Dos *brun terne*, ventre *blanchâtre*; queue *bicolore*. 32 dents. 6 mamelles.

Une révision récente a révélé la priorité du nom *monticolus* sur celui d'*obscurus*, sans doute plus familier. Difficile à distinguer des autres espèces des mêmes régions. En cas de doute, envoyer les spécimens à un musée.

Espèces semblables : (1) la M. errante est noirâtre ou brun roux. (2) La M. nordique est tricolore. (3) La M. de Trowbridge a le ventre foncé. (4) La M. du Pacifique est plus grosse. Les M. (5) cendrée, (6) naine et (7) pygmée sont plus petites. (8) La M. de Merriam est plus petite, gris pâle et vit dans le désert.

Habitat : marécages, forêts de conifères, bruyères, côteaux secs, bosquets de la forêt pluvieuse.

Mœurs : active jour et nuit. Nids dans les souches, les troncs, ou les débris.

Jeunes : 4-7, observés en juillet.   Carte ci-dessous

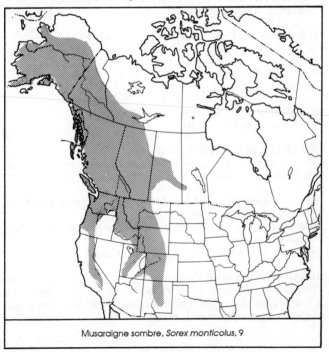

Musaraigne sombre, *Sorex monticolus*, 9

MUSARAIGNE DU PACIFIQUE *Sorex pacificus*

(Pacific Shrew)

Tête et corps 85 mm; queue 50-70 mm. Musaraigne *brune* dont la taille n'est dépassée que par celle de la M. de Bendire. Hab. entièrement brun moyen. 32 dents.

Espèces semblables : les M. (1) errante, (2) sombre et (3) de Trowbridge sont plus petites, à queue bicolore. (4) La M. de Bendire est plus grosse, noirâtre, à poils raides aux pattes postér.

Habitat : forêts de séquoias et d'épinettes, marécages.

Carte ci-contre

MUSARAIGNE ORNÉE *Sorex ornatus*   (Ornate Shrew)

Tête et corps 60-65 mm; queue 40-45 mm. Petite musaraigne *brun grisâtre, pâle dessous*; seule musaraigne presque partout dans la région qu'elle habite. 32 dents.

Inclut maintenant *S. willetti* et *S. sinuosus*.

Espèces semblables : (1) la M. de Trowbridge est plus grosse, à ventre brun. (2) La M. du désert est gris cendré pâle et habite le désert.

Habitat : près des ruisseaux et dans les prairies humides.

Mœurs : active jour et nuit.   Carte ci-contre

MUSARAIGNE D'ASHLAND   *Sorex trigonirostris*

voir Musaraigne errante, p. 8

MUSARAIGNE DE SANTA CATALINA   *Sorex willetti*

voir Musaraigne ornée, p. 10

MUSARAIGNE DE SUISUN *Sorex sinuosus*

voir Musaraigne ornée, p. 10

MUSARAIGNE D'INYO *Sorex tenellus*   (Inyo Shrew)

Tête et corps 60 mm; queue 35-40 mm. *Brun grisâtre*; seulement au sommet des *hautes montagnes* de Californie et du Nevada. 32 dents.

Espèces semblables : la M. de Merriam a le ventre presque blanc et habite les zones désertiques basses.

Habitat : près de l'eau; corniches rocheuses et vieux troncs, dans le fond des canyons.

Mœurs : active jour et nuit.   Carte ci-contre

MUSARAIGNE NAINE *Sorex nanus*   (Dwarf Shrew)

Tête et corps 65 mm; queue 45 mm. *Petite* espèce. Corps *brun grisâtre pâle*, queue vaguement bicolore. Trouvée en des points dispersés de sa répartition. 32 dents.

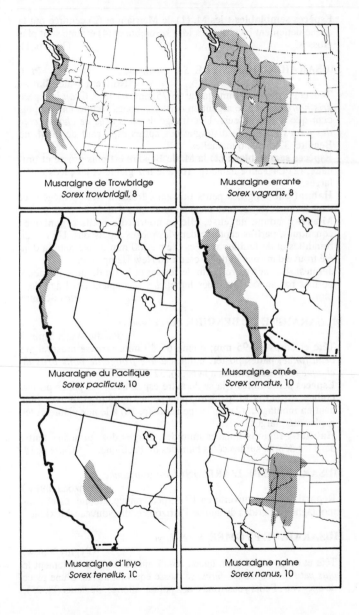

Musaraigne de Trowbridge
Sorex trowbridgii, 8

Musaraigne errante
Sorex vagrans, 8

Musaraigne du Pacifique
Sorex pacificus, 10

Musaraigne ornée
Sorex ornatus, 10

Musaraigne d'Inyo
Sorex tenellus, 1C

Musaraigne naine
Sorex nanus, 10

Espèces semblables : les M. (1) de Merriam et (2) cendrée ont la queue nettement bicolore, les M. (3) sombre et (4) errante sont plus grosses.   Carte p. 11

MUSARAIGNE PALUSTRE *Sorex palustris*   **Pl. 1**
(Northern Water Shrew)

Tête et corps 80-90 mm; queue 65-75 mm; 10-15 g. *Grande* espèce *gris noirâtre*; ventre argent en certaines zones, ventre un peu plus clair que le dos ailleurs. Une frange de *poils drus de chaque côté des pattes postér.* la distingue des autres esp., sauf de la M. de Bendire. 32 dents. 6 mamelles.

Espèces semblables : (1) la M. de Bendire est plus grosse et brunâtre. (2) La Taupe naine (p. 16) a le nez glabre et les pieds antér. larges.

Habitat : le long des petits ruisseaux froids à rives protégées et dans les marécages; seulement en montagne dans le S.

Mœurs : bonne nageuse, elle se nourrit de petits organismes aquatiques; parfois capturée dans les pièges à poissons. Un nid de brindilles et de feuilles séchées d'env. 100 mm de diamètre a déjà été trouvé dans une hutte de castor au New Hampshire.

Jeunes: 4-8, nés entre la fin de février et la fin de juin; plusieurs portées par année. Quelques femelles s'accouplent dès l'âge de 3 mois.   Carte ci-contre

MUSARAIGNE DE BENDIRE *Sorex bendirii*
(Pacific Water Shrew)

Tête et corps 90-95 mm; queue 65-80 mm. *Grosse* musaraigne *brun foncé*; pattes postér. munies *d'une frange de poils drus de chaque côté* (adaptations à la nage). 32 dents.

Espèces semblables : la seule autre esp. à avoir les pattes postér. poilues est (1) la M. palustre, plus petite, noirâtre et trouvée plus haut en montagne. (2) La Taupe naine (p. 16) a le nez glabre et les pieds antér. larges.

Habitat : régions boisées humides; berges des ruisseaux lents, dans les débris; sur les côtes humides du Pacifique.   Carte p. 14

MUSARAIGNE DE L'ARIZONA *Sorex arizonae*
(Arizona Shrew)

Répartition : découverte en 1977, peu connue. Habite les régions montagneuses arides du sud de l'Arizona et du Nouveau-Mexique.

MUSARAIGNE PYGMÉE *Sorex hoyi*
(Pygmy Shrew)

Tête et corps 50-65 mm; queue 25-35 mm; 3-4 g. Probablement le *plus petit de nos mammifères*; sa masse équivaut à celle d'une pièce de dix cents. Petits yeux ronds; nez pointu, allongé. 32 dents (Pl. 25).

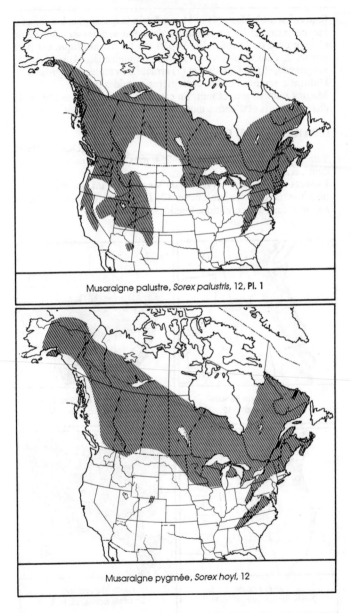

Musaraigne palustre, *Sorex palustris*, 12, **Pl. 1**

Musaraigne pygmée, *Sorex hoyi*, 12

Espèces semblables : (1) la M. cendrée a la queue plus longue et il faut en examiner les dents: elle a 5 dents unicuspides au lieu de 3 de chaque côté de la mâchoire supér. (2) La M. nordique est plus grosse, de couleur plus vive. Les M. (3) fuligineuse, (4) sombre, (5) longicaude, (6) de Gaspésie et (7) errante sont toutes plus grosses.
Habitat : régions boisées et clairières, humides ou non.
Mœurs : active jour et nuit. En captivité, mange des insectes et la chair de souris et d'autres musaraignes. Carte p. 13

MUSARAIGNE DU DÉSERT *Notiosorex crawfordi*

(Desert Shrew)

Tête et corps 50-65 mm; queue 25+ mm. *Pâle, cendrée*; rare. 28 dents. 6 mamelles.
Espèces semblables : (1) la M. de Merriam est un peu plus grosse, plus foncée et à longue queue. (2) Les autres esp. de la région habitent dans des conditions humides, en montagne.

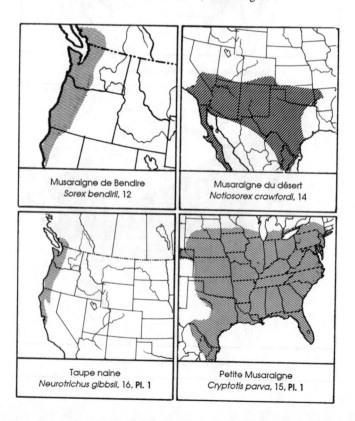

Musaraigne de Bendire
Sorex bendirii, 12

Musaraigne du désert
Notiosorex crawfordi, 14

Taupe naine
Neurotrichus gibbsii, 16, **Pl. 1**

Petite Musaraigne
Cryptotis parva, 15, **Pl. 1**

Habitat : terrains alluviaux séchés ou côteaux du chaparral; armoises ou autres buissons trapus du désert; terres arides.
Mœurs : nids de végétation fine, parfois avec des poils, sous les agaves, sous des planches ou des débris.
Jeunes : nés en août; un cas connu de 1 femelle à 5 embryons.

Carte ci-contre

PETITE MUSARAIGNE *Cryptotis parva*   **Pl. 1**
(Least Shrew)

Tête et corps 55-65 mm; queue 10-20 mm; 4-7 g. Petite musaraigne de *couleur cannelle*, à *queue courte*. Se distingue des autres esp. par sa couleur et sa queue très courte. 30 dents (Pl. 25).
Espèces semblables : (1) la Grande Musaraigne est plus grosse, gris bleuâtre. (2) Les autres esp. ont la queue plus longue.
Habitat : prairies herbeuses à bosquets épars; marécages.
Mœurs : active jour et nuit. Suit parfois les sentiers tracés par les campagnols. Mange insectes et autres petits animaux; peut consommer plus que sa masse chaque jour. Nids dans des débris ou sous la surface du sol, parfois dans des ruches; on rapporte le cas d'un nid où il y avait 31 petits en hiver. Reproduction entre mars et novembre dans le N., aussi en février dans le S.
Jeunes : 3-6; gestation de 21-23 jours; plusieurs portées par année. Nus; yeux et oreilles fermés; sevrés à 21 jours; apparence d'adultes à 1 mois.

Carte ci-contre

GRANDE MUSARAIGNE *Blarina brevicauda*   **Pl. 1**
(Northern Short-tailed Shrew)

Tête et corps 75-100 mm; queue 20-30 mm; 11-22 g. *Gris bleuâtre*, queue courte, *pas d'oreilles externes*; yeux miniscules *à peine visibles*. 32 dents (Pl. 25). 6 mamelles.

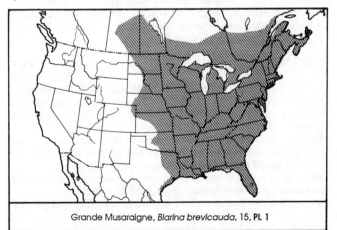

Grande Musaraigne, *Blarina brevicauda*, 15, **Pl. 1**

La M. des marais, *B. telmalestes,* la M. de Caroline, *B. carolinensis* et la M. d'Elliot, *B. hylophaga,* sont maintenant considérées comme des espèces distinctes.

Espèces semblables : (1) la Petite M. est plus petite et de couleur cannelle. (2) Les autres esp. ont la queue longue.

Habitat : forêts, prairies, marécages, bosquets; assez tolérante à tous les milieux.

Mœurs : active jour et nuit toute l'année. Creuse des tunnels dans le sol ou la neige; utilise parfois ceux d'autres animaux. Mange insectes, vers de terre, escargots, d'autres invertébrés et peut-être aussi de jeunes souris; sa salive est venimeuse. Nids de feuilles et d'herbes sèches et de poils (diam. 150-200 mm), sous les troncs, les souches, les pierres ou les débris. Domaine vital 0,2-0,4 ha. Populations parfois très denses, jusqu'à 62 par ha, hab. moins. Longévité 1-2 ans. Reproduction mars-mai et août-septembre.

Jeunes : 5-8; gestation 21+ jours; 2-3 portées par an. Nus, roses, de la taille d'une abeille à la naissance; yeux et oreilles fermés.

Carte p.15

Taupes: Talpidae

Les taupes passent presque toute leur vie *sous terre.* Les tunnels qu'elles creusent sous la surface du sol laissent des rubans de *crêtes superficielles*; les taupes expulsent aussi la terre qu'elles déplacent, ce qui forme des *monticules* de 2-8 l. L'entrée des terriers n'est cependant pas marquée comme celle des monticules des gaufres. On peut reconnaître qu'une galerie est occupée en écrasant la terre en plusieurs points; si la taupe y habite toujours, le lendemain elle aura déjà recreusé. Pattes avant *larges*, à paumes hab. retournées vers l'extérieur. Yeux *minuscules*, parfois recouverts d'une peau mince; *pas d'oreille externe*; pelage doux et épais. Absentes des Montagnes Rocheuses et du Grand Bassin. Longueur hors tout, 100-230 mm. Les fossiles remontent à l'Éocène supérieur.

TAUPE NAINE *Neurotrichus gibbsii*　　　　　　　　**Pl. 1**
　　　　　　　　　　　　　　　　　　　　　　(Shrew-mole)

Tête et corps 65-75 mm; queue 25-40 mm; 11 g. Entièrement noire. Pieds antér. *plus longs que larges*; museau nu; narines *latérales*; yeux *petits mais visibles*; queue *velue.* La plus petite des taupes nord-amér. 36 dents (Pl. 25).

Espèces semblables : les M. (1) palustre et (2) de Bendire n'ont pas les pieds antér. élargis ni le nez glabre. (3) La M. de Trowbridge est plus petite, à pieds antér. peu élargis.

Habitat : lieux humides dans les ravins ombragés et le long des ruisseaux à rives sans humus; de 0 à 2450 m d'altitude.

Mœurs : active jour et nuit. Se déplace lentement et avec précaution en surface; peut fuir rapidement au besoin. Chasse les petits invertébrés en faisant des couloirs sous la litière de feuilles et la végétation en décomposition; peut manger 1 $1/2$ fois sa masse chaque jour. Nids dans les souches et les troncs pourris. Reproduction toute l'année, sauf peut-être en décembre et janvier.

Jeunes : 1-4; plusieurs portées par année.

Importance économique : très utile; détruit les insectes et ameublit le sol. Carte p. 14

CONDYLURE À NEZ ÉTOILÉ *Condylura cristata* Pl. 1
(Star-nosed Mole)

Tête et corps 115-125 mm; queue 75-90 mm; 35-80 g. Brun foncé ou noir. Son nez entouré de *tentacules charnus* (22), à l'allure d'étoile, le distingue de tous les autres mammifères. Yeux petits mais visibles; pieds antér. aussi longs que larges. Queue *velue*, étranglée à la base. 44 dents (Pl. 25). 8 mamelles.

Espèces semblables : les T. (1) à queue glabre et (2) à queue velue ont le nez glabre sans tentacules.

Habitat : terres basses, humides, près des lacs ou ruisseaux.

Mœurs : taupe active jour et nuit. Fait des monticules de terre noire de 30 cm ou plus de diam. Souvent visible en surface ou dans l'eau; bonne nageuse. Tunnels ne formant hab. pas de crêtes visibles en surface; peut utiliser les mêmes couloirs que la T. à queue glabre. Mange vers et insectes souvent aquatiques. Trouve sa nourriture grâce à ses tentacules sensibles, mais son sens de l'odorat est faible. Nids souterrains sphériques faits d'herbes et de feuilles. Souvent grégaire; populations souvent de 25 indiv. ou plus à l'hectare.

Jeunes : 3-7, nés entre avril et juin; 1 portée par an. Indépendants à 3 semaines, adultes à 10 mois.

Importance économique : neutre. Cause parfois des dommages aux pelouses ou aux terrains de golf; détruit plusieurs insectes; aère le sol. Fourrure parfois recherchée. Carte p. 18

TAUPE À QUEUE GLABRE *Scalopus aquaticus* Pl. 1
(Eastern Mole)

Tête et corps 115-165 mm; queue 25-40 mm; 65-140 g. Pieds antér. *plus larges que longs*, paumes retournées vers l'extérieur; nez pointu, *glabre*, narines *dorsales*; *queue glabre*; pas d'oreille externe; petits yeux couverts d'une mince peau. Pelage à reflets argent; gris ardoise dans le N, brune à dorée dans le S et l'O. 36 dents (Pl. 25). 6 mamelles.

Espèces semblables : (1) la T. à queue velue n'a pas la queue glabre. (2) Le Condylure à nez étoilé porte 22 tentacules nasaux.

Habitat : préfère les terreaux sablonneux humides: pelouses, golfs, jardins, champs, clairières; évite les sols très secs.

Mœurs : active jour et nuit, toute l'année. Mange insectes, vers, quelques plantes, dans des couloirs à crêtes externes qu'elle creuse sous la surface en poussant la terre avec son museau et ses pattes antér. en battoirs. Nid tapissé d'herbes aménagé dans une chambre à 45-60 cm sous la surface.

Jeunes : 4-5, nés en mars dans le S, en mai dans le N; gestation env. 6 semaines; 1 portée par année. Nus à la naissance, indépendants à 1 mois; se reproduisent à 1 an.

Importance économique : endommage pelouses et jardins, mais détruit plusieurs insectes et aère le sol.   Carte ci-dessous

TAUPE À QUEUE VELUE *Parascalops breweri*   **Pl. 1**
(Hairy-tailed Mole)

Tête et corps 115-140 mm; queue 25-40 mm; 40-65 g. Pelage gris ardoise luisant. La plus petite taupe de l'E. Pieds antér. aussi larges que longs; nez pointu; yeux non apparents; *queue bien velue.* 44 dents (Pl. 25). 8 mamelles.

Espèces semblables : (1) la T. à queue glabre est plus grosse, à queue glabre. (2) Le Condylure à nez étoilé a 22 tentacules nasaux.

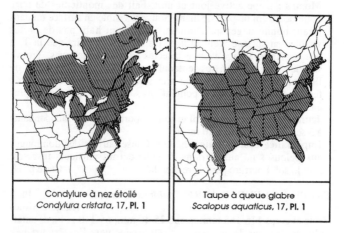

Condylure à nez étoilé
Condylura cristata, 17, **Pl. 1**

Taupe à queue glabre
Scalopus aquaticus, 17, **Pl. 1**

Habitat : terreau sablonneux à végétation abondante; évite les sols compacts et mouillés.

Mœurs : active jour et nuit. Mange surtout des insectes et des vers de terre; peut manger 3 fois sa masse en 24 h. Creuse en surface et en profondeur (45 cm). Nids dans des tunnels profonds qui peuvent être utilisés durant plus de 8 ans par plusieurs générations successives. Domaine vital 0,1 ha env.; jusqu'à 27 indiv. à l'ha, hab. moins. Longévité 4-5 ans.

Jeunes : hab. 4, nés au début de mai; gestation probablement 4 semaines; 1 portée, peut-être 2, par année. Nus; restent au nid env. 1 mois; maturité sexuelle à 10 mois.

Importance économique : utile, sauf sous les pelouses, jardins et terrains de golf; détruit des insectes. Carte p. 20

TAUPE DE TOWNSEND *Scapanus townsendii* **Pl. 1**

(Townsend's Mole)

Tête et corps 150-180 mm; queue env. 50 mm; 110-170 g. Brun noirâtre ou noire. Pieds antér. *plus larges que longs*; nez glabre; narines dorsales; queue peu velue; 44 dents (Pl. 25). 8 mamelles.

Espèces semblables : la T. du Pacifique est plus petite, plus pâle.

Habitat : endroits humides (prairies et plaines d'alluvions) où le sol est meuble: champs, jardins et forêts de conifères.

Mœurs : surtout nocturne; mœurs peu connues. Mange vers de terre, cloportes, insectes, tubercules et certaines racines de culture. Fait des tunnels en profondeur et en surface. Les mâles sont prêts à se reproduire en février.

Jeunes : 2-6, nés en mars-avril; 1 portée par an. En mai, presque aussi gros que les adultes.

Importance économique : peut causer des dommages aux cultures de racines et de tubercules. Utile dans les endroits sauvages.

Carte p. 20

TAUPE DU PACIFIQUE *Scapanus orarius*

(Coast Mole)

Tête et corps 125-135 mm; queue 35 mm; env. 55 g. Pieds antér. *plus larges que longs*, nez glabre; narines dorsales; queue peu velue; brun noirâtre ou noire. 44 dents. 8 mamelles.

Espèces semblables : difficile à distinguer de (1) la T. de Californie; aux endroits où les deux cohabitent, les spécimens doivent être envoyés à un musée pour être identifiés. (2) La T. de Townsend est plus grosse et plus foncée.

Habitat : sols bien drainés, prairies, forêts décidues.

Mœurs : active jour et nuit; presque toujours sous terre. Mange insectes et autres petits invertébrés. Les mâles sont prêts à se reproduire à la fin de janvier.

Jeunes : hab. 4, nés en mars-avril; 1 portée par an.

Importance économique : surtout utile; endommage parfois jardins et autres terrains cultivés. Carte p. 20

TAUPE DE CALIFORNIE *Scapanus latimanus*

(Broad-footed Mole)

Tête et corps 125-150 mm; queue 40 mm; env. 55 g. Pieds antér. *plus larges que longs*; nez glabre; narines dorsales; brun noirâtre ou noire; queue un peu poilue. 44 dents. 8 mamelles.

Espèces semblables : difficile à distinguer de la T. du Pacifique;
où les deux esp. cohabitent, les spécimens doivent être envoyés à
un musée pour être identifiés.
Habitat : sols poreux des vallées ou des prés en montagne.
Mœurs : monte rarement en surface. Mange insectes, vers de terre
et autres petits invertébrés; en captivité, peut manger 63-107 pour-
cent de sa masse en vers de terre chaque jour; doit boire de l'eau.
Jeunes : 2-5, nés en mars-avril; 1 portée par année.
Importance économique : utile la plupart du temps; peut endommager jardins et pelouses.   Carte ci-dessous

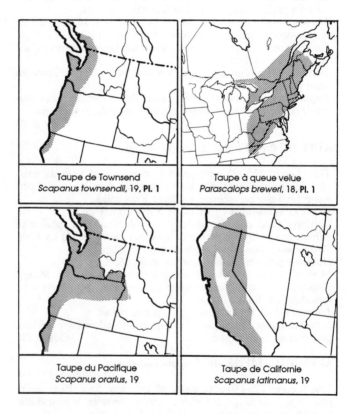

Taupe de Townsend
Scapanus townsendii, 19, **Pl. 1**

Taupe à queue velue
Parascalops breweri, 18, **Pl. 1**

Taupe du Pacifique
Scapanus orarius, 19

Taupe de Californie
Scapanus latimanus, 19

Chauves-souris : Chiroptera

Ce sont les seuls mammifères *vraiment capables de vol*. L'aile est formée d'une double membrane de peau élastique qui recouvre les os de la main et des doigts et se rattache à l'avant-bras, au côté du corps et à la patte postér. Le pouce est libre et porte une griffe. La plupart des chauves-souris ont une *membrane interfémorale* qui réunit les pattes (et la queue). La seule mesure donnée dans les descriptions qui suivent est celle de l'avant-bras (du coude au poignet) qui indique assez exactement la taille relative de l'animal. L'*éperon calcanéen*, cartilage de soutien de la bordure libre de la membrane interfémorale, prend naissance à la base du pied et longe la bordure de la membrane. Lorsqu'une partie de la membrane s'étale au-delà de l'éperon, on dit que l'éperon est caréné. Si l'éperon suit exactement la bordure de la membrane, il n'est pas caréné. Le *tragus* est une structure foliacée située dans l'oreille, à la base. (Voir illustrations au bas de la page légende de la Pl. 2.)

Mœurs : nos espèces sont toutes noctures; la plupart mangent des insectes qu'elles capturent hab. au vol. Leurs petits yeux en billes servent probablement très peu lors des vols nocturnes; leur faible vision est compensée par un système de sonar qui sert à localiser les objets solides. Au cours du vol, les chauves-souris émettent une série de cris supersoniques qui frappent les obstacles et reviennent: c'est l'*écholocation*, phénomène qui leur permet de voler à l'obscurité totale. Certaines chauves-souris (solitaires) passent la journée suspendues dans le feuillage des arbres, d'autres, dans les arbres creux ou sous les corniches, d'autres (coloniales) se réfugient dans les cavernes ou les puits de mines abandonnés. Elles se suspendent toujours la tête en bas. Certaines esp. migrent pour l'hiver, d'autres hibernent.

Jeunes : hab. 1 ou 2, mais parfois 4 à la fois. Les petits s'accrochent à leur mère pour un certain temps, mais lorsqu'ils l'empêchent de voler, la mère les laisse au perchoir pendant qu'elle cherche sa nourriture.

Importance économique : utiles par leurs mœurs insectivores. Ne semblent pas causer de dégâts matériels. S'installent parfois dans les greniers ou aux murs des maisons, ce qui incommode certaines personnes. L'installation de grillages à toutes les ouvertures suffit à les empêcher d'entrer. Les chauves-souris peuvent être porteuses de la rage, particulièrement les vampires, et les cas se sont multipliés au cours des dernières années. Il est donc bien important de ne jamais manipuler une chauve-souris les mains nues. En cas de morsure, il faut capturer l'animal et appeler le médecin. Le guano accumulé dans certaines cavernes est parfois exploité comme engrais; plusieurs tonnes ont été recueillies dans les grottes de Carlsbad au Nouveau-Mexique.

Mormoopidés : Mormoopidae

Ancienne sous-famille des Phyllostomidae érigée au rang de famille. Chauves-souris à lèvres charnues, ornées de nombreux replis garnis de verrues et de crêtes; narines incorporées aux lèvres supér.; petits yeux.

CHAUVE-SOURIS DE PETER *Mormoops megalophylla*
(Peter's Ghost-faced Bat)

Avant-bras 50-55 mm. Chauve-souris brunâtre à *replis de peau foliacés* au menton, d'une oreille à l'autre; le repli central à l'avant de la lèvre infér. est couvert de *petites verrues*; le bout de la queue est visible *sur le dessus de la membrane interfémorale*; face courte, front haut. Seule chauve-souris de ce type aux É.-U. 34 dents (Pl. 25).

Habitat : hab. tunnels ou grottes; se perche parfois dans les bâtiments.

Mœurs : coloniale; mange probablement des insectes.

Jeunes : 1 seul, hab. né en juin ou juillet dans nos régions.

Carte ci-contre

Phyllostomidés : Phyllostomidae

Chauves-souris caractérisées par leur nez orné d'un *triangle* de peau épaisse *pointant vers le haut*. Maintenant une sous-famille de ce groupe, les vampires, surtout tropicaux, ont des incisives supér. spécialisées et tranchantes dont ils se servent pour percer la peau des mammifères plus gros et les saigner.

MACROTUS DE CALIFORNIE *Macrotus californicus*   **Pl. 3**
(California Leaf-nosed Bat)

Avant-bras 50 mm. Chauve-souris *grisâtre*, *à grandes oreilles*, qui porte un *triangle* de peau épaisse *pointant vers le haut* au bout du nez; la queue atteint le bord de la membrane interfémorale. 34 dents (Pl. 25).

Espèces semblables : (1) le Choéronyctère du Mexique a le rostre long, mince, et de petites oreilles; il est brun foncé et sa membrane interfémorale mesure env. 15 mm de largeur au milieu. (2) Le Leptonyctère à long nez a un long rostre, mais pas de queue.

Habitat : cavernes et puits de mines le jour; rentre parfois dans les bâtiments la nuit.

Mœurs : vole tard; retourne se percher quand il est repu. Pour atterrir, se roule à moitié et s'accroche avec ses pieds. Mâles et femelles vivent séparément, sauf pour la reproduction.

Jeunes : 1 seul, né entre mai et juillet.   Carte ci-contre

CHOÉRONYCTÈRE DU MEXIQUE   Pl. 3
Choeronycteris mexicana   (Long-tongued Bat)

Avant-bras 45 mm; 20 g. *Long nez mince* orné d'un *triangle pointant vers le haut*. Petites oreilles, à peine détachées de la tête; brun pâle; la queue ne dépasse pas *la moitié* de la membrane interfémorale, elle-même réduite. 30 dents (Pl. 25).

Espèces semblables : (1) le Leptonyctère à long nez n'a pas de queue. (2) Le Macrotus de Californie a de grandes oreilles; sa queue s'étend jusqu'en bordure de la membrane interfémorale.

Habitat : le jour, cavernes, puits de mines et bâtiments.

Mœurs : le jour, préfère la pénombre, mais pas l'obscurité totale des tunnels. Craintif, il s'envole facilement. Se nourrit de pollen et de nectar, en partie du moins.

Jeunes : 1, né en juin ou juillet.   Carte ci-dessous

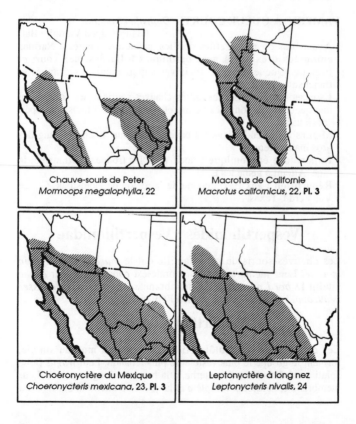

Chauve-souris de Peter
Mormoops megalophylla, 22

Macrotus de Californie
Macrotus californicus, 22, **Pl. 3**

Choéronyctère du Mexique
Choeronycteris mexicana, 23, **Pl. 3**

Leptonyctère à long nez
Leptonycteris nivalis, 24

LEPTONYCTÈRE À LONG NEZ *Leptonycteris nivalis*
(Mexican Long-nosed Bat)
Avant-bras 55 mm; 20 g. Brunâtre, plutôt grand, à *nez très long et mince* orné au bout d'un *triangle* de peau épaisse. Oreilles assez longues. Membrane interfémorale étroite; *queue absente*; 30 dents (Pl. 25).

L. *sanborni* est maintenant reconnu comme une esp. distincte.

Espèces semblables : (1) le Choéronyctère du Mexique et (2) le Macrotus de Californie ont la queue bien développée.

Habitat : se suspend dans les cavernes, les puits de mine et les bâtiments durant le jour.

Mœurs : se nourrit surtout de pollen et de nectar, aussi d'insectes. Les femelles et leurs petits se regroupent en colonies vers le milieu de l'été.

Jeunes : 1-2, nés en avril, mai ou juin.   Carte p. 23

VAMPIRE À QUEUE COURTE *Diphylla ecaudata*
(Hairy-legged Vampire Bat)
Avant-bras 55 mm. Petites oreilles arrondies, séparées. Narines entourées d'excroissances dermiques foliacées; nez court et tronqué. Queue absente. Incisives supér. médianes grandes et tranchantes. 26 dents.

Espèces semblables : les autres chauves-souris à nez foliacé ont une queue ou un long nez pointu et n'ont jamais d'incisives supér. spécialisées.

Mœurs : suspendu dans les cavernes le jour. Lèche le sang des gros mammifères.

Importance économique : nocif pour les troupeaux; transmet la rage. Atteint à peine les É.-U.

Répartition : aux É.-U., connu de la région de Comstock, Co. de Val Verde, Texas.

Vespertilionidés : Vespertilionidae

Les chauves-souris de cette famille ont le *museau simple, non modifié*. Leur membrane interfémorale est *complète* et leur *queue* atteint le *bord postér.* de la membrane *sans jamais le dépasser beaucoup*. Les fossiles remontent à l'Oligocène inférieur.

Vespertilions : *Myotis*

Ces chauves-souris, plutôt petites, brunes, et à museau simple, forment le groupe le plus vaste et le plus répandu. Leur *tragus* (lobe aplati situé dans l'oreille externe, à la base) est long et pointu. Leur membrane est toujours complète et la queue en atteint la bordure. La membrane est parfois recouverte de poils épars, surtout à la base, mais *jamais très velue*. 38 dents. 2 mamelles pectorales.

Plusieurs esp. sont difficiles à distinguer, même en musée. L'utilisation des descriptions suivantes n'est donc pas à toute épreuve. En cas de doute, les spécimens doivent être examinés par des spécialistes.

Espèces semblables: (1) la Sérotine brune, plus grande, a le tragus arrondi. (2) La Ch.-s. vespérale et (3) les pipistrelles ont le tragus arrondi.

VESPERTILION BRUN *Myotis lucifugus*   Pl. 2
(Little Brown Bat)

Avant-bras 40 mm; 7-9 g. Oreilles de taille moyenne atteignant les narines lorsque repliées vers l'avant. Poils du dos *à bout long et luisant*; reflet cuivré assez caractéristique. 38 dents (Pl. 25).

Le Vesp. de l'Arizona, *Myotis occultus*, est maintenant reconnu comme une sous-espèce de *Myotis lucifugus*.

Espèces semblables : (1) le Vesp. de l'Indiana a l'éperon nettement caréné. (2) le Vesp. du Sud-Est est plus grand, plus terne. Les Vesp. (3) gris et (4) des cavernes sont plus gros. Les Vesp. (5) de Keen et (6) à longues oreilles ont les oreilles plus grandes (repliées vers l'avant, elles dépassent le nez). (7) Le Vesp. à longues pattes est plus grand et plus terne. (8) Le Vesp. de Yuma est plus petit. (9) Le Vesp. à queue frangée a une frange de poils en bordure de la membrane interfémorale. Les Vesp. (10) de Californie et (11, 12) pygmées de l'Est et de l'Ouest sont plus petits.

Habitat : grottes, puits de mines, arbres creux ou bâtiments lui servent de perchoirs.

Mœurs : quitte son perchoir de jour au crépuscule, y retourne juste avant l'aube. Colonial. Mange les insectes au vol près de l'eau ou en forêt; vol désordonné. Les populations du N migrent hab. vers le S à l'automne et hibernent dans des grottes ou des gîtes adéquats. Hibernent, mais leur torpeur n'est pas profonde. Des vesp. déportés à 430 km de leur gîte l'ont regagné en 3 semaines. Un individu bagué a vécu pendant plus de 20 ans. Cette esp. peut s'accoupler à la fin de l'automne ou à l'hiver, mais le développement embryonnaire ne commence qu'en février dans le N.

Jeunes : hab. 1, parfois 2, nés entre mai et juillet; gestation env. 80 jours. Nus; yeux ouverts à 2 ou 3 jours. Parfois portés par leur mère, hab. laissés au gîte, suspendus. Peuvent voler et être indépendants à 1 mois.   Carte p. 26

VESPERTILION DE YUMA *Myotis yumanensis*
(Yuma Bat)

Avant-bras 35-40 mm; 6-7 g. *Brun terne*, poils foncés à la base; membrane interfémorale *velue presque jusqu'au genou*. L'un des vespertilions les plus communs de l'O.

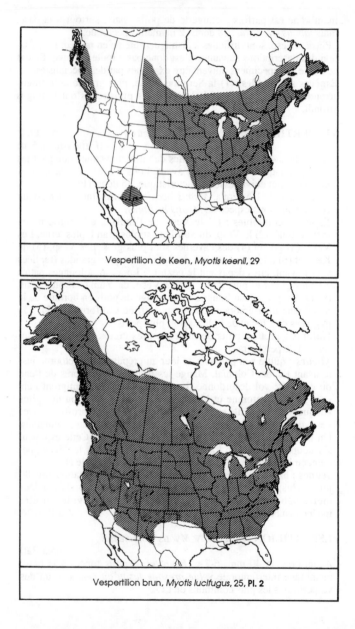

Vespertilion de Keen, *Myotis keenii*, 29

Vespertilion brun, *Myotis lucifugus*, 25, **Pl. 2**

Espèces semblables : (1) le Vesp. des cavernes est plus gros. Les Vesp. (2) brun et (3) à pattes longues sont plus grands et ont le poil luisant. Les Vesp. (4) de Keen et (5) à longues oreilles ont les oreilles longues (repliées vers l'avant, elles dépassent le nez). (6) Le Vesp. à queue frangée a une frange de poils en bordure de la membrane. Les Vesp. (7) de Californie et (8) pygmée de l'Ouest sont plus petits.

Habitat : cavernes, tunnels ou bâtiments; endroits arides.

Mœurs : vole tard, hab. près du sol. Colonies suspendues en groupes compacts.

Jeunes : 1, né en mai ou juin; s'accroche à sa mère pour qqs jours.

Carte p. 32

VESPERTILION DU SUD-EST *Myotis austroriparius*

(Southeastern Bat)

Avant-bras 38-40 mm. Pelage laineux, *brun jaunâtre terne*, foncé à la base.

Espèces semblables : (1) le Vesp. brun est plus petit, à pelage luisant, (2) le Vesp. de l'Indiana est plus petit, (3) le Vesp. gris est plus grand, ses poils ne sont pas foncés à la base. (4) le Vesp. de Keen, a les oreilles longues.

Habitat : surtout les grottes, mais aussi les puits de mines, les arbres creux, les bâtiments, les canaux et sous les ponts.

Mœurs : quitte le gîte à la tombée de la nuit; vole bas, au-dessus de l'eau ou des champs pour se nourrir. Colonial. Forme des groupes nombreux: 1600 indiv. au m², jusqu'à 90 000 dans une grotte. Hiberne dans des grottes dans le N, mais est actif par périodes durant tout l'hiver en Floride. Nécessite la présence d'eau et une hauteur libre d'au moins 180 cm. A déjà regagné son gîte d'une distance de 72 km. Femelles et mâles gagnent les grottes de reproduction à la mi-mars dans le S.

Jeunes : 2, parfois 1, nés en mai dans le S, en juin dans le N. Volent et se nourrissent à 5-6 semaines; adultes à 1 an. Les femelles laissent les petits pour se nourrir. Carte p. 28

VESPERTILION GRIS *Myotis grisescens*

(Gray Bat)

Avant-bras 40-45 mm; 7-9 g. *Pelage brun-grisâtre terne* de teinte uniforme jusqu'à la base.

Espèces semblables : les Vesp. (1) du Sud-Est, (2) pygmée de l'Est et (3) de l'Indiana sont plus petits. (4) Le Vesp. brun est plus petit et a le poil luisant, foncé à la base.

Habitat : grottes, où il se nourrit et où naissent les petits.

Mœurs : colonial. Groupes suspendus aux plafonds des grottes. Peut migrer d'une grotte à une autre. Mâles et femelles se séparent après la naissance des petits.

Jeunes : 1, né en mai dans le S, en juin dans le N. Nu; reste accroché à sa mère pour qqs jours, puis reste à la grotte.

Carte ci-dessous

VESPERTILION DES CAVERNES *Myotis velifer* (Cave Bat)
Avant-bras 40-45 mm. *Brun terne*; oreilles de taille moyenne; la membrane de l'aile prend naissance *à la base des doigts*. Commun dans les *cavernes* du SO.
Espèces semblables : les Vesp. (1) brun, (2) de Yuma, (3) à longue pattes, (4) de Californie et (5) pygmée de l'Ouest sont plus petits. (6) Le Vesp. à longues oreilles est plus petit et a les oreilles plus grandes. (7) Le Vesp. à queue frangée porte une frange de poils en bordure de la membrane caudale.
Habitat : hab. cavernes et puits de mine, parfois les bâtiments.
Mœurs : colonial. Recherche crevasses et murs verticaux; se déplace d'un endroit à l'autre.
Jeunes : 1, né en juin ou en juillet. Carte ci-dessous

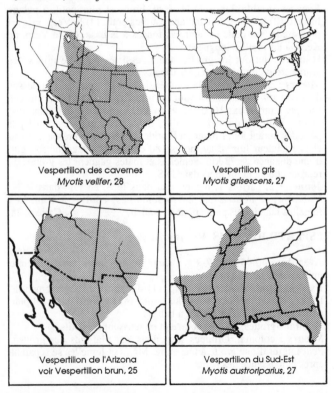

Vespertilion des cavernes
Myotis velifer, 28

Vespertilion gris
Myotis grisescens, 27

Vespertilion de l'Arizona
voir Vespertilion brun, 25

Vespertilion du Sud-Est
Myotis austroriparius, 27

VESPERTILION DE L'ARIZONA *Myotis occultus*
voir Vespertilion brun, p. 25

VESPERTILION DE KEEN *Myotis keenii* (Keen's Bat)
Avant-bras 35-40 mm; 7-9 g. Espèce boréale, distincte des autres
de sa région, sauf le Vesp. à longues oreilles, par la taille de ses
oreilles: repliées vers l'avant, elles *dépassent le nez de 1,5 mm.*
Pelage *brun foncé.*
   Autrefois sous-espèce de *M. keenii,* le Vesp. nordique, *M. septen-
trionalis,* est maintenant reconnu comme espèce distincte.
Espèces semblables : (1) le Vesp. à longues oreilles a les oreilles
plus longues, dépassant le nez de 5 mm lorsque repliées vers
l'avant. (2) Le Vesp. à queue frangée a une frange de poils en
bordure de la membrane. (3) Les autres vesp. ont les oreilles plus
petites.
Habitat : puits de mine, grottes, bâtiments, collecteurs pluviaux,
arbres creux, endroits boisés.
Mœurs : vit probablement en petites colonies dispersées; dans le
N, hiberne probablement. Peut vivre jusqu'à 18-19 ans en nature.
Jeunes : 1, né à la fin de juin ou en juillet. Carte p. 26

VESPERTILION À LONGUES OREILLES *Myotis evotis* **Pl. 2**
(Long-eared Bat)
Avant-bras 35-40 mm. Ses *grandes oreilles noires* (repliées vers
l'avant, elles dépassent le nez de 5 mm) le distinguent des autres
vesp. Coloration de base *brun pâle.*
   Les populations du S du Nouveau-Mexique appartiennent maintenant à une espèce distincte, *Myotis auriculus.*
Espèces semblables : (1) le Vesp. de Keen a les oreilles plus
petites et est brun foncé. Les Vesp. (2) brun et (3) de Yuma ont de
petites oreilles. (4) Le Vesp. des cavernes est plus grand, à oreilles
courtes. Les Vesp. (5) à longues pattes, (6) de Californie et (7)
pygmée de l'Ouest sont plus petits. (8) Le Vesp. à queue frangée a
une frange de poils en bordure de la membrane et des oreilles plus
petites.
Habitat : bois clairsemés, près des bâtiments ou des arbres; parfois
dans les grottes.
Mœurs : vole hab. tard, mais en altitude vole tôt le soir avant la
chute de température. Ne semble pas très colonial.
Jeunes : 1, né fin juin ou en juillet. Carte p. 30

VESPERTILION À QUEUE FRANGÉE *Myotis thysanodes*
(Fringed Bat)
Avant-bras 40-45 mm. De couleur chamois; se sépare de tous les
autres vesp. par la présence d'une nette *frange de poils drus* le long
du bord libre de la *membrane interfémorale.* A aussi les oreilles
plutôt grandes.

Espèces semblables : les vesp. suivants se rencontrent dans les mêmes régions: les Vesp. (1) brun, (2) de Yuma, (3) des cavernes, (4) de Keen, (5) à longues oreilles, (6) à longues pattes, (7) de Californie et (8) pygmée de l'Ouest. Tous, sauf le Vesp. des cavernes sont plus petits et aucun ne porte une frange de poils.

Habitat : grottes, greniers des vieux bâtiments.

Mœurs : colonial. Dans les grottes, colonies suspendues en paquets dans la pénombre. Mâles et femelles se séparent à l'été.

Jeunes : 1, né en juin ou en juillet.   Carte ci-dessous

VESPERTILION DE L'INDIANA *Myotis sodalis*

(Indiana Bat)

Avant-bras 35-40 mm; 7-9 g. Éperon *nettement caréné*. Très difficile à distinguer du Vesp. brun, surtout sur le terrain.

Espèces semblables : (1) le Vesp. brun n'a pas de carène sur l'éperon. (2) Le Vesp. du Sud-Est est plus grand. (3) Le Vesp. gris est plus grand et n'a pas les poils foncés à la base. (4) Le Vesp. de Keen a de grandes oreilles. (5) Le Vesp. pygmée de l'Est est plus petit.

Habitat : grottes en hiver, bâtiments et arbres creux en été.

Mœurs : colonial l'hiver, semble se disperser l'été. Colonies

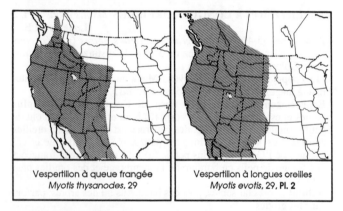

Vespertilion à queue frangée
Myotis thysanodes, 29

Vespertilion à longues oreilles
Myotis evotis, 29, **Pl. 2**

suspendues en paquets. Sexes séparés une partie de l'année.

Jeunes : probablement nés en juin; individus immatures rencontrés en juillet.   Carte ci-contre

VESPERTILION À LONGUES PATTES *Myotis volans*

(Long-legged Bat)

Avant-bras 38-40 mm. Distinct des autres vesp. par ses *oreilles courtes, rondes*, ses *petits pieds*, son *éperon caréné*, sa membrane poilue jusqu'au coude et au genou dessous.

Espèces semblables : (1) le Vesp. des cavernes est plus grand. Les Vesp. (2) brun, (3) pygmée de l'Ouest, (4) de Californie et (5) de Yuma sont plus petits. Les Vesp. (6) de Keen et (7) à longues oreilles ont de grandes oreilles. (8) Le Vesp. à queue frangée, plus gros, a une frange de poils au bord de la membrane.
Habitat : bâtiments; crevasses et cavités dans les corniches rocheuses.

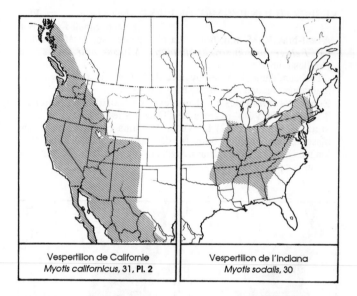

Vespertilion de Californie
Myotis californicus, 31, **Pl. 2**

Vespertilion de l'Indiana
Myotis sodalis, 30

Mœurs : colonial. Vol plus dirigé que chez les autres *Myotis*.
Jeunes : 1, né en juin.   Carte p. 32

VESPERTILION DE CALIFORNIE *Myotis californicus*   **Pl. 2**
(California Bat)
Avant-bras 30-35 mm. Petite espèce. De chamois clair (dans les déserts) à brun roux (dans le NO sur la côte). Poils *beaucoup plus foncés à la base qu'au bout*.
Espèces semblables : parfois difficile à distinguer du (1) Vesp. de Yuma (hab. plus grand, à pieds plus grands) ou (2) du Vesp. pygmée de l'Ouest (*masque noir sur la face*). Les Vesp. (3) brun, (4) des cavernes, (5) de Keen, (6) à longues oreilles, (7) à queue frangée et (8) à longues pattes sont plus grands.
Habitat : puits de mines, arbres creux, rochers, bâtiments, ponts; préfère les crevasses.

Mœurs : quitte le gîte au crépuscule et vole près des arbres, rarement à plus de 4,5 m du sol; se suspend plusieurs fois la nuit. Solitaire ou en petites colonies. Se déplace beaucoup, sauf les femelles en colonies avec leurs petits. Température d'hibernation voisine de celle du milieu. Mâles et femelles séparés presque toute l'année.

Jeunes : 1, né en mai ou en juin, nu.   Carte p. 31

VESPERTILION PYGMÉE DE L'EST *Myotis leibii*   **Pl. 2**
(Eastern Small-footed Bat)

Avant-bras 30-35 mm; 6-9 g. La plus petite esp. de *Myotis* dans l'E. *Pelage long et soyeux, jaunâtre. Masque noir* sur la face. Oreilles noires.

Très semblable, le Vesp. pygmée de l'Ouest, *M. ciliolabrum*, est maintenant reconnu comme une espèce distincte.

Espèces semblables : (1) le Vesp. de Californie (difficile à distinguer du Vesp. pygmée de l'Ouest) a le masque brun et les oreilles brun foncé. (2) Le Vesp. de Yuma est plus grand, sans masque. Les Vesp. (3) brun, (4) des cavernes, (5) de Keen, (6) à longues oreilles, (7) à queue frangée, (8) de l'Indiana, (9) gris, (10) à longues pattes sont plus grands.

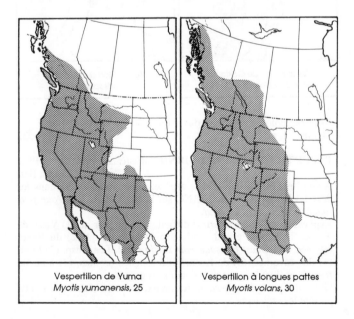

Vespertilion de Yuma
Myotis yumanensis, 25

Vespertilion à longues pattes
Myotis volans, 30

Habitat : grottes, puits de mines, crevasses rocheuses, bâtiments; dans les endroits boisés ou aux abords.
Mœurs : vole assez tôt le soir. Colonial ou solitaire. Se suspend les ailes à demi déployées; peut gagner d'autres grottes l'hiver. Se nourrit dans la strate infér. des forêts ou au-dessus des broussailles.
Jeunes : 1, né entre mai et juillet.   Carte p. 34

Autres Vespertilionidés

Cette section traite des genres de Vespertilionidae autres que *Myotis*. Groupe diversifié d'esp. à nez simple, non modifié, et à membrane interfémorale complète; la queue s'étend jusqu'au bout de la membrane, mais pas au-delà.

CHAUVE-SOURIS ARGENTÉE *Lasionycteris noctivagans* **Pl. 3**
(Silver-haired Bat)

Avant-bras 42 mm; 6-11 g. *Brun noirâtre*; poils du dos à *bout blanc*; des poils recouvrent la moitié basale de la membrane supér. Distincte des autres chauves-souris par sa couleur. 36 dents (Pl. 25). 2 mamelles.
Espèces semblables : (1) la Ch.-s cendrée, plus grande, a la gorge fauve. (2) La Ch.-s rousse est rouge brique ou rousse. (3) La Ch.-s. séminole est brun acajou.
Habitat : lieux boisés; bâtiments; parfois trouvée dans les grottes.
Mœurs : solitaire. Vol haut et assez rectiligne. Se nourrit dans les arbres. Migre probablement vers le S en hiver.
Jeunes : hab. 2, parfois 1, nés en juin ou juillet. Nus, aveugles. S'accrochent à leur mère lors de ses vols pour plusieurs jours.
                                                           Carte p. 34

PIPISTRELLE DE L'OUEST *Pipistrellus hesperus*   **Pl. 2**
(Western Pipistrelle)

Avant-bras 25-30 mm; 5-6 g. Tragus *arrondi*, à bout tourné vers l'avant; *gris cendré* ou *gris jaunâtre*. La *plus petite* des chauves-souris d'Amér. du N. Distincte par sa taille et sa couleur pâle. 34 dents. 2 mamelles.
Espèces semblables : (1) tous les vespertilions sont plus gros, à tragus pointu. (2) Les autres chauves-souris sont plus grandes.
Habitat : grottes, pierres, crevasses des falaises, bâtiments; dans les milieux secs, mais près de sources d'eau.
Mœurs : vole tôt le soir, parfois avant la tombée du jour; vol désordonné. Se nourrit d'insectes.
Jeunes : hab. 2, parfois 1, nés en juin ou juillet. Restent accrochés à la mère pour plusieurs jours.   Carte p. 35

PIPISTRELLE DE L'EST *Pipistrellus subflavus*   **Pl. 2**

(Eastern Pipistrelle)

Avant-bras env. 30 mm; 3-6 g; tragus *arrondi* et droit; de *brun jaunâtre* à *brun terne*. L'une des *plus petites* chauves-souris dans l'E, distincte des autres par sa taille et par son tragus arrondi. 34 dents (Pl. 25). 2 mamelles.

Espèces semblables : (1) Tous les vespertilions ont le tragus pointu. (2) Les autres chauves-souris sont plus grosses.

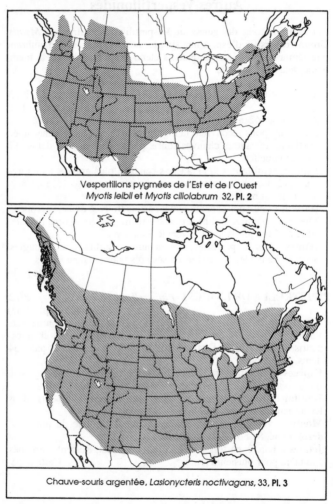

Vespertilions pygmées de l'Est et de l'Ouest
Myotis leibii et *Myotis ciliolabrum* 32, **Pl. 2**

Chauve-souris argentée, *Lasionycteris noctivagans*, 33, **Pl. 3**

Habitat : grottes, puits de mine, crevasses rocheuses, bâtiments, bois, près de l'eau.

Mœurs : vole tôt le soir. Vol lent, désordonné. Vit seule ou en petits groupes. Mange de petits insectes; se repose probablement souvent durant la nuit. Dans le N, hiberne ou migre et revient au même endroit l'année suivante. Des individus ont parcouru 128 km pour retourner à la même colonie. Vit 7 ans en nature.

Jeunes : hab. 2, parfois 1, nés en mai dans le S, en juin ou juillet dans le N. Portés par leur mère en vol pendant env. 1 semaine, puis laissés suspendus au perchoir; volent à 4 semaines.

Carte ci-dessous

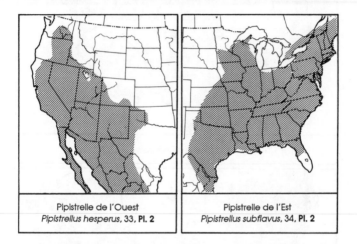

Pipistrelle de l'Ouest
Pipistrellus hesperus, 33, **Pl. 2**

Pipistrelle de l'Est
Pipistrellus subflavus, 34, **Pl. 2**

SÉROTINE BRUNE *Eptesicus fuscus* **Pl. 2**

(Big Brown Bat)

Avant-bras 45-50 mm; 11-17 g. Brun pâle (dans le désert) à brun foncé, membranes noires, *tragus arrondi*. Très commune et très répandue. Distincte par sa grande taille et sa couleur. 32 dents (Pl. 25). 2 mamelles.

Espèces semblables : (1) la Ch.-s. vespérale est plus petite. (2) Tous les vespertilions sont plus petits, à tragus en pointe.

Habitat : cavernes, tunnels, crevasses, arbres creux, bâtiments, bois.

Mœurs : se perche seule ou forme des petits groupes. Mange des insectes, surtout des coléoptères. Migre ou hiberne dans le N. Commune dans les bâtiments en hiver.

Jeunes : hab. 2, parfois 1, nés en mai ou juin. Carte p. 36

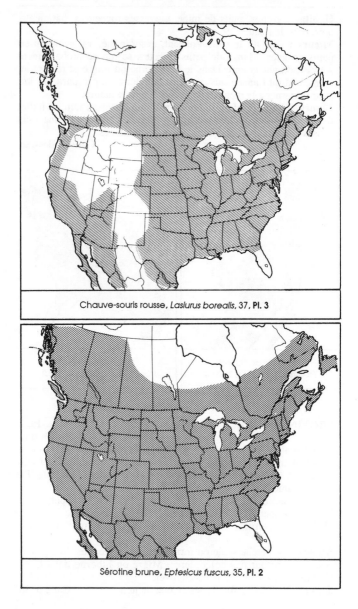

Chauve-souris rousse, *Lasiurus borealis*, 37, **Pl. 3**

Sérotine brune, *Eptesicus fuscus*, 35, **Pl. 2**

CHAUVE-SOURIS ROUSSE *Lasiurus borealis*   Pl. 3
(Red Bat)

Avant-bras env. 40 mm; 7-14 g. Pelage *rougeâtre* et *rouille, bout des poils blanc*; face supér. de la membrane très velue. Femelles plus pâles que les mâles. 32 dents (Pl. 25). 4 mamelles.

Espèces semblables : (1) la Ch.-s. séminole est brun acajou. (2) Les Ch.-s. jaunes n'ont pas la membrane velue jusqu'au bord. (3) La Ch.-s. cendrée est plus grande. (4) La Ch.-s. argentée est brun noirâtre.

Habitat : régions boisées; se perche normalement dans les arbres, parfois dans les grottes.

Mœurs : quitte le perchoir à la nuit tombée. Solitaire. Vol assez direct et rapide. Se nourrit toujours aux mêmes endroits, hab. par paires qui volent et revolent sur les mêmes 100 m. Migre vers le S à l'automne. A déjà été observée loin au-dessus de la mer.

Jeunes: 2-4, nés en juin. S'accrochent à la mère jusqu'à ce qu'ils soient trop lourds pour qu'elle puisse les porter en vol.

Carte ci-contre

CHAUVE-SOURIS SÉMINOLE *Lasiurus seminolus*   Pl. 3
(Seminole Bat)

Avant-bras env. 40 mm; 7-14 g. *Brun acajou* très chaud, poils *blancs au bout*. Semblable à la Chauve-souris rousse.

Espèces semblables: (1) la Ch.-s. rousse est plus rouge. (2) La Ch.-s. jaune de l'Est, brun jaunâtre, a la membrane très velue seulement dans le $1/3$ basal. (3) La Ch.-s. cendrée est plus grande. (4) La Ch.-s. argentée est brun noirâtre.

Habitat : bois; se perche dans les arbres.

Mœurs : semblables à celles de la Ch.-s. rousse. Solitaire.

Jeunes : 2-4, nés en juin. Restent accrochés à la mère pour plusieurs jours.   Carte p. 40

CHAUVE-SOURIS CENDRÉE *Lasiurus cinereus*   Pl. 3
(Hoary Bat)

Avant-bras env. 50 mm; 30 g env. Brun jaunâtre à brun acajou, poils blancs au bout sur presque tout le corps; *gorge* de couleur *fauve*; membrane très velue dessus, jusqu'au bord; oreilles arrondies. Distincte par sa taille et sa couleur. 32 dents (Pl. 25). 4 mamelles.

Espèces semblables : les Ch.-s. (1) argentée, (2) rousse et (3) séminole sont plus petites. (4) Les Ch.-s. jaunes n'ont pas le pelage givré.

Habitat : régions boisées.

Mœurs : vole tard et haut. Solitaire. Se suspend aux arbres. Entre rarement dans les cavernes. Migre au S à l'automne.

Jeunes : 2 nés en juin. Portés par leur mère au cours de ses chasses pour plusieurs jours; peuvent voler à 4 semaines.   Carte p. 38

CHAUVE-SOURIS JAUNE DE L'EST   Pl. 3
Lasiurus intermedius   (Eastern Yellow Bat)
   Avant-bras 50-55 mm. Grande ch.-s. d'un *brun jaunâtre* pâle;
membrane *très velue sur le 1/3 basal seulement*. 30 dents (Pl. 25). 4
mamelles.
Espèces semblables : les Ch.-s. (1) cendrée, (2) rousse et (3)
séminole ont la membrane très velue jusqu'à la bordure.
Habitat : régions boisées.
Mœurs : probablement surtout solitaire; parfois en petites colonies.
                                                        Carte p. 40

CHAUVE-SOURIS JAUNE DE L'OUEST *Lasiurus ega*
                                        (Western Yellow Bat)
Avant-bras 45 mm. Ch.-s. *brun jaunâtre* pâle qui atteint à peine le
S de la Californie. Membrane *très velue sur le 1/3 basal seulement*.
30 dents.
Espèces semblables : les Ch.-s. (1) cendrée et (2) rousse ont la
membrane velue jusqu'au bord.
Habitat : régions boisées.
Mœurs : probablement semblables à celles de la Ch.-s. jaune de
l'Est.   Carte p. 40

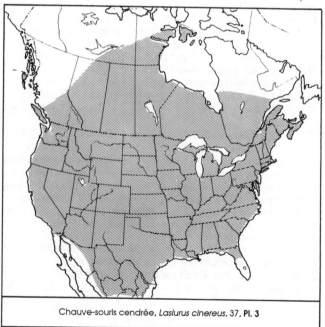

Chauve-souris cendrée, *Lasiurus cinereus*, 37, **Pl. 3**

CHAUVE-SOURIS VESPÉRALE *Nycticeius humeralis*

(Evening Bat)

Avant-bras 35-40 mm; 7-9 g. Brun foncé; membranes noires; *tragus arrondi*. Distincte par la combinaison couleur, taille et tragus arrondi. 30 dents (Pl. 25). 2 mamelles.

Espèces semblables : (1) la Sérotine brune est plus grande. (2) Tous les *Myotis* ont le tragus pointu.

Habitat : bâtiments et arbres creux.

Mœurs : hab. coloniale, parfois solitaire. Vol assez direct et régulier. Mâles et femelles séparés après la naissance des jeunes. Commune dans le S, rare dans le N.

Jeunes : hab. 2, parfois 1, nés en mai ou juin.   Carte p. 40

OREILLARD MACULÉ *Euderma maculatum*   Pl. 3

(Spotted Bat)

Avant-bras 50 mm. Ch.-s. rare et étonnante: *oreilles énormes*, couleur *sépia foncé* avec une *tache blanche* sur la *croupe* et une sur *chaque épaule*. Seule ch.-s. à couleurs aussi contrastantes. 34 dents.

Habitat : régions arides. Parfois dans les bâtiments et les cavernes.

Carte p. 40

OREILLARD DE TOWNSEND *Plecotus townsendii*

(Townsend's Big-Eared Bat)

Avant-bras 40-45 mm; 9-11 g. *Oreilles* très *longues* (plus de 25 mm), *contiguës sur le front*. Museau orné de 2 énormes bosses devant les yeux. Poils ventraux gris ou bruns à la base, bruns ou fauves au bout; membrane glabre. 36 dents (Pl. 25). 2 mamelles.

Autrefois inclus dans le genre *Corynorhinus*.

Espèces semblables : (1) chez l'Oreillard de l'Est, les poils ventraux sont noirs à la base et blancs au bout. (2) L'Oreillard d'Allen porte un petit lobe à la base interne de l'oreille. (3) La Ch.-s. blonde a les oreilles séparées et n'a pas de bosses au museau.

Habitat : cavernes, puits de mines, et bâtiments.

Mœurs : colonial lors de la reproduction et de l'hibernation; peut être solitaire une partie de l'année. Groupes très denses au gîte. Se déplace d'une caverne à l'autre, même en hiver; des spécimens transportés à 45 km de leur gîte y sont revenus en 2 jours. Au repos, cette ch.-s. replie ses oreilles sur son cou ou les enroule en spirale. En léthargie, température voisine de la température ambiante. Accouplements d'octobre à février; ovulation de février à avril. Mâles et femelles séparés en été.

Jeunes : hab. 1, né entre avril et juillet; gestation de 56-100 jours. Nu; yeux ouverts à 8-10 jours; peut voler à 3 semaines; hab., la mère ne le transporte pas.   Carte p. 41

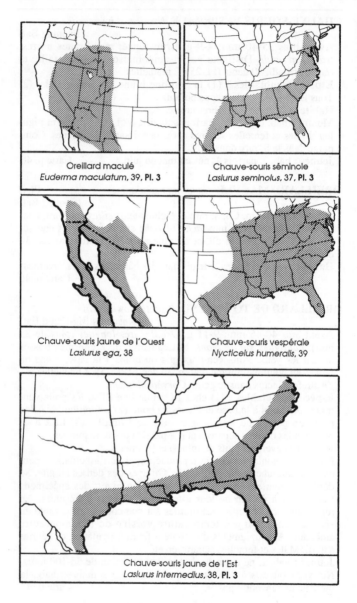

Oreillard maculé
Euderma maculatum, 39, **Pl. 3**

Chauve-souris séminole
Lasiurus seminolus, 37, **Pl. 3**

Chauve-souris jaune de l'Ouest
Lasiurus ega, 38

Chauve-souris vespérale
Nycticeius humeralis, 39

Chauve-souris jaune de l'Est
Lasiurus intermedius, 38, **Pl. 3**

OREILLARD DE L'EST *Plecotus rafinesquii* **Pl. 2**
(Rafinesque's Big-eared Bat)
Avant-bras 40-45 mm; 9-12 g. Ses *oreilles énormes* (plus de 25 mm), *contiguës à la base*, et ses deux bosses au museau le distinguent de toutes les autres ch.-s. des mêmes régions sauf l'Oreillard de Townsend. *Brun* pâle; poils ventraux noirs à la base, blancs au bout. 36 dents. 2 mamelles.
Autrefois du genre *Corynorhinus*.

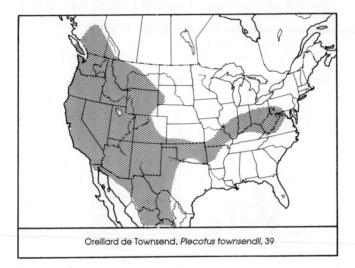
Oreillard de Townsend, *Plecotus townsendii*, 39

Espèces semblables : l'Oreillard de Townsend a les poils ventraux gris ou bruns à bout brun ou fauve.
Habitat : cavernes, puits de mines, bâtiments.
Mœurs : colonial. Peut hiberner, surtout dans le N.
Jeunes : 1, né en mai ou juin. Carte p. 42

OREILLARD D'ALLEN *Idionycteris phyllotis*
(Allen's Big-eared Bat)
Avant-bras 45 mm; 9-14 g. Grandes oreilles munies d'un *petit lobe* à la bordure interne, près de la base; *oreilles réunies* par une membrane sur le front. 36 dents.
Autrefois *Plecotus phyllotis*.
Espèces semblables : chez (1) l'Oreillard de Townsend et (2) la Ch.-s. blonde, il n'y a pas de lobe au bord interne de l'oreille.

Habitat : cavernes, dans les forêts mixtes pins-chênes.
Mœurs : vole tard. Vol rapide; replie ses oreilles sur ses épaules ou les roule en spirale au repos.
Jeunes : probablement nés en juin ou en juillet.   Carte ci-dessous

CHAUVE-SOURIS BLONDE *Antrozous pallidus*   **Pl. 2**
(Pallid Bat)

Avant-bras 50-60 mm; 25-35 g. *Grandes oreilles* (plus de 25 mm), *non contiguës*; museau simple. *Pâle*, brun clair jaunâtre (très pâle dans le désert, plus foncée sur la côte du Pacifique Nord). 28 dents (Pl. 25). 2 mamelles.
Espèces semblables : les Oreillards (1) de Townsend et (2) d'Allen ont les oreilles contiguës.
Habitat : cavernes, puits de mines, crevasses rocheuses, bâtiments, arbres.
Mœurs : vole tard. Coloniale. Gîtes de nuit, où elle chasse, diffé-

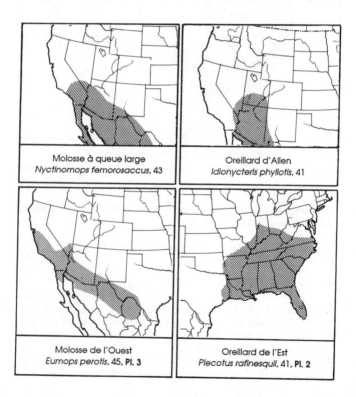

Molosse à queue large
Nyctinomops femorosaccus, 43

Oreillard d'Allen
Idionycteris phyllotis, 41

Molosse de l'Ouest
Eumops perotis, 45, **Pl. 3**

Oreillard de l'Est
Plecotus rafinesquii, 41, **Pl. 2**

rents des refuges de jour. Se nourrit près du sol; se pose souvent pour manger coléoptères, grillons et autres gros insectes; 10-12 battements d'ailes/sec. Hiberne en hiver. Mâles et femelles séparés en été. **Jeunes :** hab. 2, parfois 1 ou 3, nés entre avril et juin. Nus: yeux fermés. Volent à 6 ou 7 semaines.   Carte p. 44

Molosses : Molossidae

Chez les chauves-souris de cette famille, la queue se prolonge *bien au-delà de la membrane*. Toutes ont le pelage court et dru, *brun foncé*; elles dégagent une odeur de *moisi*. Vivent surtout dans les grottes, mais fréquentent parfois les bâtiments. Coloniales. Les cavernes Carlsbad abritent l'une des colonies les plus importantes (Molosses du Brésil) en Amér. du N. Fossiles de l'Oligocène inférieur.

MOLOSSE DU BRÉSIL *Tadarida brasiliensis*   **Pl. 3**
(Brazilian Free-tailed Bat)

Avant-bras 40-45 mm. Molosse le plus commun du S des É.-U. Poil court, *velouté*, hab. *brun chocolat*. Plus petit molosse de sa répartition. Oreilles séparées. 32 dents (Pl. 25).
Espèces semblables : (1) le Molosse à queue large et (2) le Grand Molosse ont les oreilles réunies à la base. Les Molosses (3) de l'Est, (4) d'Underwood et (5) de l'Ouest sont plus gros.
Habitat : gîtent dans les cavernes ou les bâtiments.
Mœurs : hab. en grandes colonies dont certaines, dans les cavernes Carlsbad, Nouveau-Mexique, et Nye, près de Bandera, Texas, contiennent des milliers d'individus. Vole haut et vite. Sort de son gîte au crépuscule et vole vers son territoire de chasse, parfois très loin. Mange surtout des papillons de nuit, mais aussi d'autres insectes. Migre au S pour l'hiver; des individus ont déjà parcouru 1280 km. Des individus en captivité ont vécu 4 ans et 5 mois.
Jeunes : hab. 1, né à la fin de juin. Sevrage en juillet ou en août.
Carte p. 44

MOLOSSE À QUEUE LARGE *Nyctinomops femorosaccus*
(Pocketed Free-tailed Bat)

Avant-bras 45-50 mm. Oreilles réunies à la base. 30 dents. Rare, atteint à peine le SO des É.-U.
Autrefois *Tadarida femorosacca*.
Espèces semblables : (1) le Molosse du Brésil a les oreilles séparées. (2) Le Grand Molosse et les Molosses (3) d'Underwood et (4) de l'Ouest sont plus gros.
Habitat : gîte dans les cavernes et les crevasses rocheuses.
Mœurs : peu connues; probablement semblables à celles des autres molosses.   Carte ci-contre

GRAND MOLOSSE *Nyctinomops macrotis*

(Big Free-tailed Bat)

Avant-bras 60-65 mm. Oreilles réunies à la base. 30 dents.

Autrefois *Tadarida molossa*.

Espèces semblables : (1) le Molosse du Brésil a les oreilles séparées. (2) Le Molosse à queue large est plus petit. Les Molosses (3) d'Underwood et (4) de l'Ouest sont plus gros.

Habitat : cavernes, crevasses des falaises et bâtiments.

Mœurs : quitte le gîte à la tombée de la nuit. Colonial.

Jeunes : 1, né fin de mai ou début de juin.   Carte ci-dessous

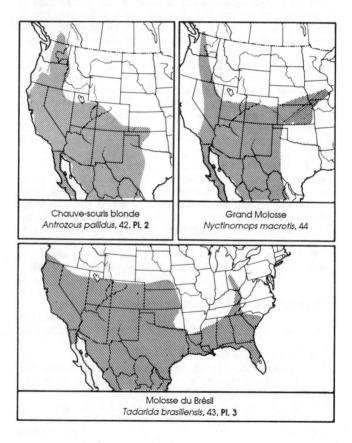

Chauve-souris blonde
Antrozous pallidus, 42, **Pl. 2**

Grand Molosse
Nyctinomops macrotis, 44

Molosse du Brésil
Tadarida brasiliensis, 43, **Pl. 3**

MOLOSSE DE L'OUEST *Eumops perotis* Pl. 3
(Western Mastiff-Bat)

Avant-bras 75-80 mm. La *plus grande* des ch.-s. décrites dans ce guide. Brun chocolat. Distinct par sa *queue libre* qui s'étend bien au-delà de la membrane, et par sa *grande taille*. 30 dents (Pl. 25).
Espèces semblables : les autres molosses sont plus petits.
Habitat : niche sur les bâtiments, dans les crevasses des falaises, dans les arbres et dans les tunnels.
Mœurs : vole à la tombée de la nuit. Hab. colonial, mais peut nicher seul. Mange des insectes, surtout des hyménoptères.
Jeunes : hab. 1, parfois 2, nés entre mai et juillet.   Carte p. 42

MOLOSSE D'UNDERWOOD *Eumops underwoodi*
(Underwood's Mastiff-Bat)

Avant-bras 65-70 mm; 40-70 g. Semblable au Molosse de l'Ouest, mais un peu plus petit. 30 dents.
Espèces semblables : (1) le Molosse de l'Ouest est plus gros. (2) Les autres molosses sont plus petits.
Habitat : gîtes non connus.
Mœurs : vole tard et pousse des cris aigus; vol assez direct.
Jeunes : 1, né en juillet.
Répartition : aux É.-U., n'est connu que du Comté Pima, Arizona.

MOLOSSE DE WAGNER *Eumops glaucinus*
(Wagner's Mastiff-Bat)

Avant-bras 60 mm. Semblable au Molosse de l'Ouest (ci-dessus), mais plus petit. 30 dents.
Espèces semblables : le Molosse du Brésil est plus petit.
Répartition : aux É.-U., n'est connu que de la région de Miami, Floride.

Carnivores : Carnivora

Cet ordre comprend les mammifères qui sont surtout consommateurs de *chair*. La plupart d'entre eux mangent aussi baies, noix et fruits, mais leur alimentation est d'abord carnée. Leur taille varie beaucoup, allant de la Belette pygmée, 45 g, au Grizzli qui peut peser plus de 675 kg. Ils ont tous *5 doigts aux membres antér.*; parfois le doigt interne est posé haut sur le pied et ils n'ont alors que 4 orteils au sol. Les pattes postér. comptent 4 ou 5 orteils. Tous les carnivores ont de grandes *canines*.

Ours : Ursidae

Cette famille contient *les plus grands* carnivores actuels. Ils marchent sur la plante du pied, comme l'homme, et ont 5 orteils à toutes les pattes; leur *queue courte* est cachée dans leur long pelage. Leurs oreilles sont relativement petites et arrondies. Les fossiles datent du Miocène moyen.

OURS NOIR *Ursus americanus*   **Pl. 4**

(Black Bear)

Tête et corps 150-185 cm; hauteur au garrot 60-90 cm; 90-215+ kg. Pelage *noir* dans l'E, *cannelle* ou noir dans l'O, ou *presque blanc* (population de l'île Gribble, C.-B.). L'Ours bleu, en certains points du Yukon et de l'Alaska, est aussi une race de l'Ours noir. L'Ours noir a le museau hab. droit ou busqué, toujours *brun*. Il porte hab. une petite *tache blanche* sur la poitrine. Le plus commun et le plus répandu de nos ours, le plus petit aussi. 42 dents (Pl. 31). 6 mamelles.

Espèces semblables : L'Ours brun, beaucoup plus gros, a des protubérances aux épaules et sa face est concave en profil.

Habitat : dans l'E, forêts et marécages; dans l'O, surtout dans les régions montagneuses.

Mœurs : surtout nocturne, mais parfois actif au milieu du jour. Hab. solitaire, sauf la femelle qui garde ses petits. Mange petits fruits, noix, tubercules, adultes et larves d'insectes, petits mammifères, œufs, miel, charognes et ordures. Fait son terrier sous un arbre mort, dans un tronc ou un arbre creux, sous les racines, ou dans n'importe quel endroit abrité. Entre en semi-torpeur pour l'hiver dans le N. Le domaine vital des mâles est de 24 km ou plus, celui des femelles est moins grand. Sa vitesse peut atteindre 48 kmh sur de courtes distances. Sa vue est faible, son ouïe, assez bonne, son flair, très fin. Il grogne très fort lors d'un combat, il *jappe* pour prévenir ses petits d'un danger et lance un petit cri plaintif pour les appeler. Peut vivre plus de 30 ans.

Jeunes : hab. 2, parfois 1 ou 3, nés dans le terrier d'hiver; maximum connu de 6 petits; gestation de 7-7 1/2 mois; 1 portée tous les 2 ans; 200-350 g à la naissance. Yeux ouverts à 25-30 jours. Sevrés en août, mais peuvent rester avec leur mère 1 an; âge à la maturité sexuelle, 3 1/2 ans.

Importance économique : gibier recherché; s'attaque parfois aux jeunes animaux domestiques et cause des dommages aux ruches et aux arbres fruitiers en bordure des zones sauvages. Habitant commun des parcs, surtout dans l'O.   Carte p. 49

OURS BRUN *Ursus arctos*   **Pl.4**

(Grizzly Bear)

Tête et corps 1m 80-2m 45; hauteur au garrot 90-135 cm; 145-675 kg. L'Ours brun, ou Grizzli, est le *plus grand* de nos ours. Face concave en profil. *Protubérance bien visible* sur chaque épaule. Griffes très longues (jusqu'à 100 mm) et recourbées. Pelage allant du jaune crème au brun foncé, *presque noir*; poils hab. blancs au bout, surtout sur le dos, ce qui donne à l'ours son apparence *givrée*. 42 dents (Pl. 31). 6 mamelles.

Il y a longtemps eu beaucoup de confusion au sujet de l'Ours brun. À un certain moment, on reconnaissait jusqu'à 87 «espèces» d'Ours bruns en Amérique du Nord. Il est maintenant bien établi qu'il ne s'agit là que de variations géographiques dont la plus étonnante est sans doute l'Ours brun d'Alaska, le Kodiak, anciennement *U. middendorffi*, qui n'est en réalité qu'une forme géante de l'Ours brun.

Espèces semblables : l'Ours noir est plus petit, n'a pas la face concave et ne porte pas de protubérances aux épaules.

Habitat : forêts et clairières, hautes montagnes de l'O, haute toundra dans le N; ne fréquente hab. que les régions très sauvages.

Mœurs : actif surtout au crépuscule, mais parfois aussi à tout moment du jour ou de la nuit. Surtout solitaire, parfois aperçu en famille. Consomme chair, fruits, herbes, laîches, vers; fouille dans les terriers des petits mammifères et fait une importante consommation de saumons durant leurs migrations. Hiverne dans une cavité naturelle ou creuse son propre terrier dans un escarpement. Hiverne dans le N et dans les hautes montagnes. Son aire d'activité peut atteindre 80 km, mais a hab. moins de 40 km. Parcourt toujours les mêmes sentiers et marche même dans ses propres traces. Peut vivre plus de 25 ans en captivité. S'accouple pour la première fois à l'âge de 3 ans, puis tous les 2 ou 3 ans. Reproduction de mai à juillet.

Jeunes : hab. 2, parfois 3, rarement 4, nés en janvier; gestation, env. 6 mois; 300-800 g à la naissance. Presque nus; ouvrent les yeux vers 10 jours. Restent avec leur mère un an.

Importance économique : animal magnifique autrefois très chassé, maintenant protégé; n'habite que dans les régions sauvages, notamment dans les parcs nationaux tels Glacier, Yellowstone, Banff, Jasper et Mt. McKinley. Cartes p. 48

OURS BRUN D'ALASKA *Ursus middendorffi*
voir Ours brun, p. 47

OURS BLANC *Ursus maritimus* **Pl. 4**
(Polar Bear)

Tête et corps env. 2m; hauteur au garrot 90-120 cm; 300-500 kg ou plus. Sa grande taille et sa fourrure *blanche* ou *blanc-jaunâtre* pâle le distinguent des autres ours qui fréquentent les mêmes régions. Yeux à reflets bleu argenté. 42 dents.
    Autrefois *Thalarctos maritimus.*

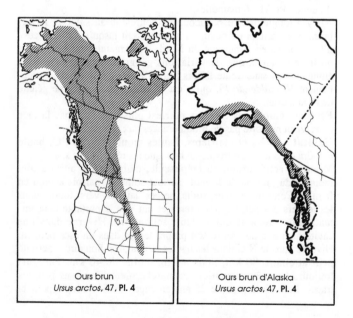

Ours brun
Ursus arctos, 47, **Pl. 4**

Ours brun d'Alaska
Ursus arctos, 47, **Pl. 4**

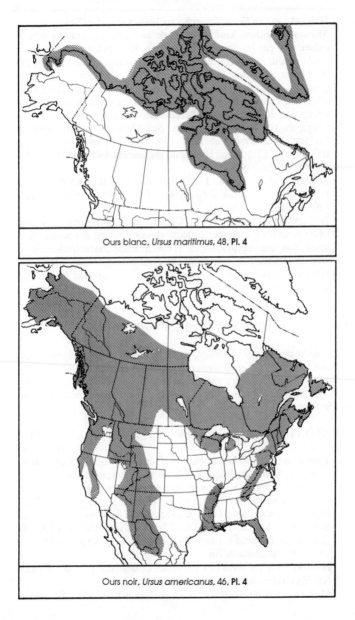

Ours blanc, *Ursus maritimus*, 48, **Pl. 4**

Ours noir, *Ursus americanus*, 46, **Pl. 4**

Habitat : glaces flottantes, rives rocheuses et arides, îles.

Mœurs : solitaire, sauf au cours de la saison des amours vers le milieu de l'été; les femelles restent avec leurs petits. Bon nageur, il garde sa tête et son cou hors de l'eau; se réfugie dans l'eau en cas de danger et flotte s'il est tué dans l'eau. Se nourrit surtout de phoques, mais aussi de baleines égarées ou d'animaux échoués sur les rives; mange aussi des oiseaux et leurs œufs et même de la végétation à l'occasion. Hiberne dans des trous creusés dans la neige; en sort à la fin de mars. Semble avoir un bon sens de l'odorat et une bonne vue. Peut vivre 30 ans et plus en captivité. Se reproduit tous les 2 ans. Un cas de croisement avec un Ours brun a été observé en captivité.

Jeunes : hab. 2, parfois 1, nés dans le refuge d'hiver; période de gestation de 7-8 mois. Restent avec leur mère au moins jusqu'à l'hiver suivant.

Importance économique : au Canada, importante source de nourriture pour les Esquimaux et leurs chiens; protégé des autres chasseurs. Son foie est toxique, car il contient une concentration excessive de vitamine A, autrement, sa chair est appréciée. Les peaux, autrefois utilisées pour faire des vêtements, servent maintenant surtout à faire de la literie.   Carte p. 49

Procyonidés : Procyonidae

Les animaux de cette famille sont de la taille d'un petit chien. Ils ont 5 orteils armés de griffes courtes, recourbées, semi-rétractiles chez *Bassaris*, non rétractiles chez les autres. La queue porte des anneaux *blanc jaunâtre* bien apparents ou diffus. Les fossiles remontent au Miocène.

RATON LAVEUR *Procyon lotor*   Pl. 9
(Raccoon)

Tête et corps 45-70 cm; queue 20-30 cm; 5-16 kg. Souvent victime de son habitude de fréquenter les routes. Corps poivre et sel. Se reconnaît à son *masque noir* qui entoure les yeux et sa queue *annelée* de noir et de blanc jaunâtre. 40 dents (Pl. 29). 6 mamelles.

Espèces semblables : (1) le Bassari rusé a un corps mince et une queue aussi longue que la tête et le corps combinés. (2) Chez le Coati brun, la queue est aussi longue que tête et corps combinés et est ornée d'anneaux diffus.

Habitat : sur les rives des ruisseaux et des lacs, près des régions boisées ou des escarpements rocheux.

Mœurs : surtout nocturne, mais parfois actif le jour. Se nourrit surtout en bordure des ruisseaux et des lacs; omnivore; mange fruits, noix, graines, insectes, grenouilles, écrevisses, œufs d'oiseaux, tout ce qu'il trouve; trempe parfois ses aliments dans l'eau avant de les manger. Se réfugie dans les arbres creux, parfois aussi dans les troncs creux, crevasses, terriers dans le sol par grand froid dans le N, mais il n'hiberne pas. Rayon d'activité d'environ 3 km, mais hab. de moins de 1,5 km; des individus ont été retrouvés à 265 km de leur lieu d'origine, mais hab. la dispersion ne dépasse pas 50 km. Densité variable. Vit jusqu'à 14 ans en captivité. Cri variable. La mère utilise un gazouillis pour rassurer ses petits, mais des grognements sont signes de mauvaise humeur. Certaines femelles s'accouplent la 1ère année, entre février et mars dans le N, plus tôt dans le S.

Jeunes : 2-7, en moyenne 4, nés en avril ou mai; gestation 63 jours; 1 portée par année; 85 g à la naissance. Yeux ouverts à env. 3 semaines. Circulent avec leur mère à 2 mois, la quittent à l'automne.

Importance économique : peut endommager le maïs en épi et piller les poulaillers. Le plaisir de le voir en nature l'emporte sur les dommages causés. Recherché par les trappeurs. Chair comestible.   Carte ci-dessous

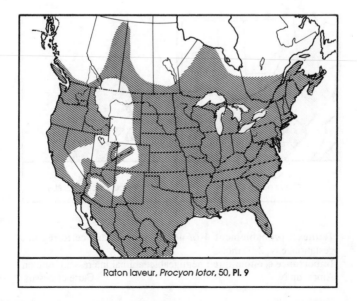

Raton laveur, *Procyon lotor*, 50, **Pl. 9**

COATI BRUN *Nasua nasua*   **Pl. 9**
(Coati)

Tête et corps 50-65 cm; queue 50-65 cm; 7-12 kg. Cet animal *à long nez*, brun grisâtre, est tropical et atteint tout juste le S des É.-U. Sa *longue queue*, qu'il tient souvent droite en l'air, est vaguement annelée. *Taches blanches au-dessus et au-dessous de chaque œil.* 5 orteils à chaque patte; marche sur la plante des pieds. *Nez blanchâtre.* Yeux à reflets bleu-vert ou or. 40 dents (Pl. 29). 6 mamelles.

Espèces semblables : (1) le Raton laveur et (2) le Bassari rusé ont la queue distinctement annelée.

Habitat : forêts clairsemées aux É.-U.

Mœurs : plus actif le jour que la nuit, hab. en petites bandes (jusqu'à 12 individus); vieux mâles parfois solitaires. Excellent grimpeur; utilise sa queue pour se tenir en équilibre dans les branches, ou l'enroule autour des rameaux pour freiner quand il descend tête première; au sol, queue presque verticale. Omnivore; robuste coussin nasal pour fouiller dans la terre à la recherche de larves ou de racines; mange aussi fruits, noix, œufs d'oiseaux, lézards, scorpions et mygales; roule les proies venimeuses ou autres arthropodes sur le sol avec ses pattes antér. pour en enlever écailles, ailes etc. avant de les manger.

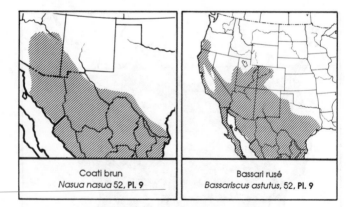

Coati brun
Nasua nasua 52, **Pl. 9**

Bassari rusé
Bassariscus astutus, 52, **Pl. 9**

Jeunes : probablement 4-6, nés en juillet dans cette région; gestation, env. 2 ¹/₂ mois.

Importance économique : négligeable; animal intéressant, rare en Amér. du N.   Carte ci-dessus

BASSARI RUSÉ *Bassariscus astutus* **Pl. 9**
(Ringtail)

Tête et corps 35-40 cm; queue 40 cm; 900-1100 g. *Longue queue* à anneaux blanchâtres et noir-brun. Corps gris jaunâtre pâle. Épaisse fourrure entre les coussinets des pieds. Yeux à reflets rougeâtres ou vert jaunâtre. 40 dents (Pl. 30). 6 mamelles.

Espèces semblables : (1) le Raton laveur a la queue plus courte et porte un masque noir. Les anneaux de la queue du (2) Coati brun ne sont pas très définis.

Habitat : chaparral, falaises, crêtes rocheuses; près de l'eau.

Mœurs : nocturne. Parfois colonial, hab. en couple. Mange surtout des petits mammifères, insectes, oiseaux et fruits, parfois des lézards et divers invertébrés. Niche dans les cavernes et les crevasses le long des escarpements, dans les arbres creux, sous les tas de pierres ou dans les bâtiments abandonnés. Une population de 2-5/km² est considérée dense. A déjà vécu 8 ans en captivité. Menacé, il émet un jappement rauque semblable à celui d'un renard; a aussi un cri plaintif.

Jeunes : 3-4, nés en mai ou juin; 1 portée par année. Recouverts d'un duvet blanc; yeux ouverts à 4-5 semaines. Circulent à 2 mois; quittent leur mère en août ou septembre.

Importance économique : fourrure parfois recherchée; bon chasseur de souris; probablement inoffensif. Carte ci-contre

Mustélidés : Mustelidae

Famille d'animaux de tailles et de couleurs variées. Hab., corps long et mince, pattes courtes, oreilles rondes et courtes, glandes anales à liquide odorant. Chez plusieurs, mâles plus gros que les femelles. Fossiles de l'Oligocène inférieur.

MARTRE D'AMÉRIQUE *Martes americana* **Pl. 5**
(Marten)

Tête et corps: mâles 40-45 cm, femelles 35-40 cm. Queue: mâles 20-25 cm, femelles env. 20 cm. Mâles 750-1250 g, femelles 700-850 g. Animal gracieux à fourrure épaisse et douce; corps *brun jaunâtre*, pattes et queue touffue *brun foncé*. *Tache crème* à la gorge et à la poitrine, ventre plus pâle que le dos. 38 dents (Pl. 29). 8 mamelles.

Espèces semblables : (1) le Vison d'Amérique a une tache blanche au menton. (2) Le Pékan est plus gros, brun foncé, grisâtre sur la tête et le dos. (3) Le Renard roux a le bout de la queue blanc.

Habitat : forêts de sapins, d'épinettes et de pruches dans l'O; marécages à cèdres dans l'E.

Mœurs : surtout nocturne. Passe beaucoup de temps dans les arbres, mais est aussi très active au sol. Mange surtout des Écureuils roux et d'autres petits mammifères, mais aussi des insectes, oiseaux, fruits et noix. Niche dans les arbres creux ou les troncs couchés. Domaine vital hab. de 260 ha chez les mâles, de 65 ha chez les femelles. Peut s'éloigner de son domaine de quelque 24 km. Une densité de 1/km^2 est probablement élevée. A déjà vécu 17 ans en captivité. S'accouple à la fin de juillet ou au début d'août.

Jeunes : 2-4, nés en avril; gestation 8 1/2-9 mois; 28 g à la naissance; couverts d'un fin duvet jaunâtre; yeux ouverts à 5-6 semaines; sevrés à 6-7 semaines. Peuvent se reproduire la 1ère année.

Importance économique : fourrure recherchée; vit loin de l'homme et ne lui nuit donc pas.   Carte ci-contre

PÉKAN *Martes pennanti*   Pl. 5
(Fisher)

Tête et corps 50-65 cm; queue 35-40 cm. Mâles, 2,5-5,5 kg, femelles 1,5-3,0 kg. Animal superbe à pelage *brun foncé, presque noir*, formé presque partout de *poils à bout blanc*, ce qui lui donne une apparence *givrée*. Corps long, mince, queue touffue. 38 dents. 4 mamelles.

Espèces semblables : (1) la Martre est plus petite et porte une tache claire à la gorge et à la poitrine. (2) Le Carcajou porte des rayures jaunâtres sur les flancs et la croupe. (3) Le Renard roux a le bout de la queue blanc.

Habitat : grandes forêts de bois durs mixtes, régions sauvages déboisées.

Mœurs : actif jour et nuit, dans les arbres et au sol. Se nourrit surtout de petits mammifères, d'oiseaux, de charognes, de fruits et de fougères; l'un des rares prédateurs du Porc-épic d'Amérique. Niche dans les troncs creux ou au sol. Domaine vital d'environ 26 km^2; les mâles s'aventurent plus loin que les femelles. A déjà vécu 9 ans en captivité. S'accouple peu après la naissance des jeunes.

Jeunes : 1-4, nés à la fin de mars ou au début d'avril; gestation 11-12 mois.

Importance économique : fourrure recherchée; détruit les Porcs-épics.   Carte ci-contre

HERMINE *Mustela erminea*   Pl. 6
(Short-tailed Weasel)

Tête et corps: mâles 15-25 cm, femelles 13-20 cm. Queue: mâles 6-10 cm, femelles 5-7,5 cm. Mâles 70-170 g, femelles 30-85 g. Plus grande dans l'E et le N, plus petite dans l'O. Mâles beaucoup plus gros que les femelles. Pelage d'été *brun foncé, pattes et ventre blancs*; pelage d'hiver, *blanc*, brun clair sur la côte du Pacifique;

queue toujours *à bout noir*. En été, *ligne blanche le long des pattes arrière*, reliant le blanc du ventre à celui des orteils. 34 dents. 8-10 mamelles.

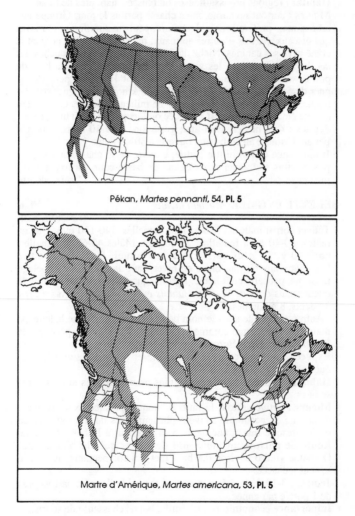

Pékan, *Martes pennanti*, 54, **Pl. 5**

Martre d'Amérique, *Martes americana*, 53, **Pl. 5**

Espèces semblables : (1) la Belette à longue queue est plus grosse (les deux sexes), à queue plus longue, sans ligne blanche aux pattes arrière. (2) La Belette pygmée n'a pas le bout de la queue noir. (3) Le Vison d'Amérique est plus gros et de couleur uniforme.

Habitat : régions broussailleuses ou boisées, hab. près de l'eau.

Mœurs : surtout nocturne, mais chasse parfois le jour. Grimpe aux arbres, mais préfère le sol. Nourriture: petits mammifères (souris) et qqs oiseaux, parfois d'autres animaux; tue sa proie en lui perçant le crâne avec ses canines. Niche dans des terriers, sous les souches, les tas de pierres ou dans les vieux bâtiments; le nid contient hab. du poil de souris. Domaine vital probablement 12-16 ha; peut s'éloigner de 5 km ou plus; a déjà parcouru 3 km pour regagner son domaine. Densité maximum de $8/km^2$ en milieu favorable. Cri strident qu'elle émet quand elle est menacée ou lorsqu'elle saisit une proie.

Jeunes : 4-8, nés en avril-mai; gestation, 8 $1/2$-10 mois; 1 portée par an. Crinière au cou; yeux ouverts à 30-45 jours.

Importance économique : utile; experte de la chasse aux souris; peut parfois s'attaquer aux oiseaux de basse-cour. Sa fourrure est précieuse.   Carte ci-contre

BELETTE PYGMÉE *Mustela nivalis*   Pl. 6
(Least Weasel)

Tête et corps: mâles, 150-165 mm, femelles, 140-150 mm. Queue: mâles, 30-40 mm, femelles, 25-30 mm. Mâles 40-65 g, femelles, env. 40 g. *Le plus petit* carnivore actuel. Dos brun, ventre blanchâtre en été; tout blanc en hiver, sauf dans le S, où le pelage n'est que partiellement blanc. Parfois, qqs poils noirs au bout de la queue, mais *bout de la queue jamais entièrement noir*. Assez rare. 34 dents. 8 mamelles.

Autrefois connue sous le nom de *Mustela rixosa*, cette belette est maintenant reconnue comme appartenant à la même espèce que la Belette commune d'Europe.

Espèces semblables : (1) l'Hermine et (2) la Belette à longue queue ont le bout de la queue noir.

Habitat : clairières, champs, régions broussailleuses et bois clair-semés.

Mœurs : active surtout la nuit. Se nourrit presque exclusivement de souris; en accumule souvent plusieurs près de son nid. Tue sa proie presque instantanément en la mordant à la base du crâne. Réutilise parfois un vieux nid de souris qu'elle réaménage. Domaine vital d'environ 0,8 ha. Émet des cris perçants quand elle se sent menacée.

Jeunes : 3-10, hab. 4-5, nés en tout temps de l'année; parfois plus de 1 portée par année.

Importance économique : très utile, bonne chasseuse de souris.

Carte ci-contre

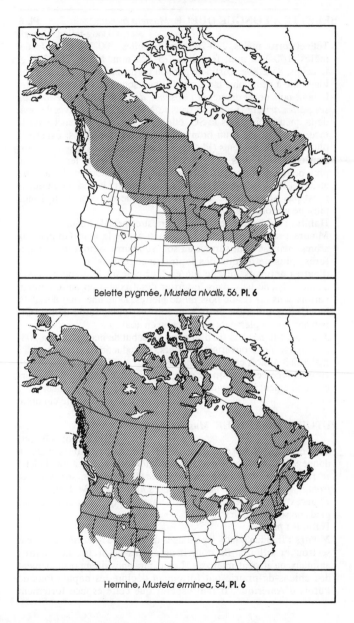

Belette pygmée, *Mustela nivalis*, 56, **Pl. 6**

Hermine, *Mustela erminea*, 54, **Pl. 6**

BELETTE À LONGUE QUEUE *Mustela frenata*   **Pl. 6**

(Long-tailed Weasel)

Tête et corps: mâles, 230-265 mm, femelles, 200-230 mm. Queue: mâles, 100-150 mm, femelles, 75-125 mm. Mâles 200-340 g, femelles, 85-200 g. Distincte par son corps long et élancé, son cou long (tête à peine plus large que le cou), son ventre *blanc jaunâtre*, le bout noir de sa queue, et *l'absence de ligne blanche le long de ses pattes arrière*. En hiver, dans le N, toute blanche avec le bout de la queue noir. Dans le SO, elle porte une rayure blanche sur la face, et sa tête est d'un brun plus foncé que son corps. Espèce la plus répandue. 34 dents (Pl. 29). 8 mamelles.

Espèces semblables : (1) chez l'Hermine, mâles et femelles sont plus petits et portent une ligne blanche à l'intérieur de la patte arrière. (2) La Belette pygmée est plus petite et le bout de sa queue n'est pas noir. (3) Le Vison d'Amérique est d'un brun foncé presque uniforme.

Habitat : habite tous les milieux terrestres près de l'eau.

Mœurs : surtout nocturne, mais aussi active le jour. Grimpe aux arbres, mais se tient surtout au sol. Se nourrit surtout de mammifères plus petits que des lapins; mange aussi des oiseaux et d'autres animaux qu'elle tue en leur perçant le crâne avec ses canines. Niche hab. dans le terrier désaffecté d'un autre animal, parfois sous les tas de bois ou de pierres. Domaine vital de 12-16 ha. Une population de 6-8 au km^2 est considérée dense. Cri perçant. Accouplements en juillet ou en août.

Jeunes : 4-8, nés à la fin d'avril ou au début de mai; gestation 205-337 jours. Yeux ouverts à 35 jours; reproduction à 1 an chez les mâles, à 3-4 mois chez les femelles.

Importance économique : utile; détruit plusieurs petits rongeurs et tue rarement les oiseaux de basse-cour. Fourrure appréciée.

Carte ci-contre

PUTOIS D'AMÉRIQUE *Mustela nigripes*   **Pl. 6**

(Black-footed Ferret)

Tête et corps 40-45 cm; queue 13-15 cm; la pesée de 2 mâles a donné 965 et 1080 g. Ce gros mammifère semblable à une belette se reconnaît à son corps *brun jaunâtre ou beige*, son *masque frontal noir*, sa queue à bout noir et ses *pieds noirs*. 34 dents.

Espèces semblables : le Renard nain a la queue touffue et ses pieds ne sont pas noirs.

Habitat : prairies.

Mœurs : fréquente hab. les villages de chiens-de-prairie, mais peut se trouver ailleurs. Se nourrit de chiens-de-prairie et d'autres animaux qu'il peut maîtriser. Les campagnes d'empoisonnement des chiens-de-prairie ont fortement décimé les populations de Putois d'Amérique. Il faut espérer que cette espèce fortement

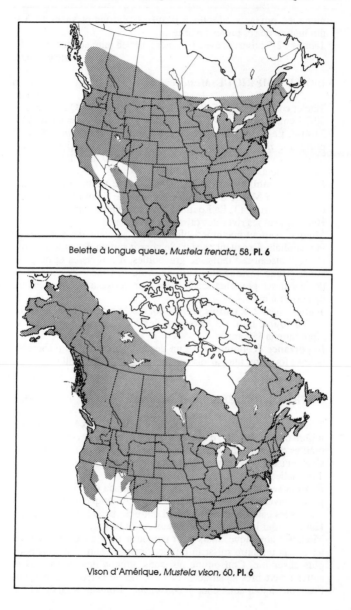

Belette à longue queue, *Mustela frenata*, 58, **Pl. 6**

Vison d'Amérique, *Mustela vison*, 60, **Pl. 6**

menacée puisse s'adapter à d'autres régions et survivre à la diminution de ses proies favorites.

Jeunes : 2-5 observés avec leur mère; nés en juin; adultes en août.

Carte ci-contre

VISON D'AMÉRIQUE *Mustela vison*   Pl. 6
(Mink)

Tête et corps: mâles, 35-45 cm, femelles, 30-35 cm. Queue: mâles, 20-25 cm, femelles, 13-20 cm. Mâles, 700-1350 g, femelles, 550-1100 g. Le Vison d'Amérique est hab. d'un *brun foncé riche*; il porte une *tache blanche au menton* et parfois de petits points blancs au ventre. Queue un peu touffue. Yeux à reflets vert jaunâtre. 34 dents (Pl. 29). 8 mamelles.

Espèces semblables : (1) les belettes ont le ventre blanc ou jaunâtre. (2) La Martre d'Amérique a une tache chamois sur la gorge et sur la poitrine. (3) La Loutre de rivière est plus grande.

Habitat : sur les rives des ruisseaux et des lacs.

Mœurs : surtout nocturne; solitaire, sauf au cours des périodes de vie familiale. Excellent nageur. Se nourrit surtout de petits mammifères, d'oiseaux, d'œufs, de grenouilles, d'écrevisses et de poissons. Niche le long des ruisseaux ou des lacs. Les mâles se déplacent sur plusieurs km le long d'un ruisseau. Accouplements de janvier à mars.

Jeunes : hab. 2-6, parfois jusqu'à 10, nés en avril ou mai; gestation 39-76 jours, hab. 42. Yeux ouverts à 25 jours. Peuvent se reproduire la 1ère année.

Importance économique : l'un des animaux les plus recherchés pour sa fourrure; fait parfois des razzias dans les poulaillers.

Carte p. 59

LOUTRE DE RIVIÈRE *Lutra canadensis*   Pl. 5
(River Otter)

Tête et corps 65-75 cm; queue 30-45 cm; 4-11 kg. Gros mammifère de type belette, *à dos brun foncé* et *ventre argenté*, à petites oreilles et à *museau large*; pattes *palmées*, queue épaisse à la base, s'amenuisant vers le bout. Yeux à reflets ambre. 36 dents (Pl. 29). 4 mamelles.

Espèces semblables : (1) le Castor du Canada (p. 151) a la queue plate, couverte d'écailles. (2) Le Vison d'Amérique est plus petit et n'a pas les pattes palmées. (3) La Loutre de mer a la tête grisâtre.

Habitat : sur les rives des ruisseaux et des lacs.

Mœurs : aquatique, mais peut parcourir de grandes distances à terre vers un autre ruisseau ou lac. Sociable; hab. 2 individus ou plus ensemble. Consomme poissons, grenouilles, écrevisses et autres invertébrés aquatiques. Fait son nid sur la rive, l'entrée sous l'eau, ou en tout autre endroit convenable. Domaine vital de 24 km ou plus. A déjà vécu 14 ¹/2 ans en captivité.

Jeunes : 1-5, hab. 2, nés en avril ou en mai; gestation 9 ¹/2-10 mois. Couverts d'une fourrure brun foncé; aveugles.

Importance économique : recherchée pour sa fourrure. Mange des truites, mais surtout des poissons plus communs.

Carte ci-dessous

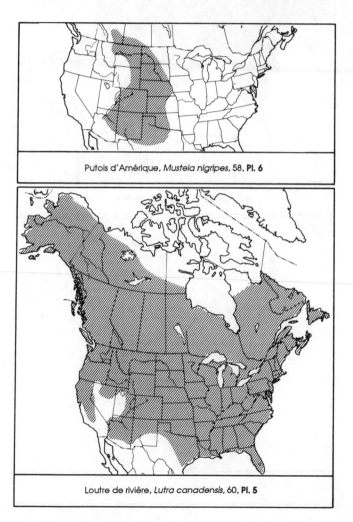

Putois d'Amérique, *Mustela nigripes*, 58, **Pl. 6**

Loutre de rivière, *Lutra canadensis*, 60, **Pl. 5**

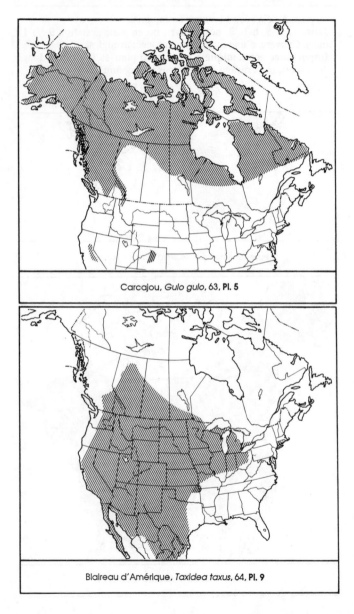

Carcajou, *Gulo gulo*, 63, **Pl. 5**

Blaireau d'Amérique, *Taxidea taxus*, 64, **Pl. 9**

LOUTRE DE MER *Enhydra lutris* **Pl. 5**
(Sea Otter)

Tête et corps 75-90 cm; queue 30-35 cm; 15-40 kg. Pelage *lustré, brun presque noir* à reflets argentés à cause des poils à bout blanc; tête et cou grisâtres ou jaunâtres; pattes *palmées semblables à des nageoires*. 32 dents.

Espèces semblables : (1) les phoques et (2) les otaries ont la queue plus courte, des nageoires bien développées et le poil plus court. (3) La Loutre de rivière a la tête brun foncé.

Habitat : lits de varech et rives rocheuses.

Mœurs : passe presque tout son temps à se reposer et à manger dans le varech. Se retire sur le rivage lors des gros orages. Grégaire. Se repose en surface, se nourrit et nage sur le dos pendant les périodes de repos. Rapporte du fond des ormeaux, des oursins et d'autres animaux marins qu'elle dépose sur sa poitrine; rapporte aussi du fond une pierre dont elle se sert comme enclume pour casser la coquille des oursins.

Jeunes : probablement 1, né en juin; corps couvert de fourrure, yeux ouverts; env. 1,5 kg à la naissance. Bruns, tête et épaules plus pâles que le reste du corps.

Importance économique : espèce maintenant protégée, mais chassée systématiquement autrefois pour sa fourrure très recherchée. Près de disparaître à une époque, l'espèce est maintenant en recrudescence. Les pêcheurs d'ormeaux prennent en mauvaise part l'intérêt que porte ce fascinant animal à l'objet de leur pêche.

Répartition : des Aléoutiennes à la Californie, surtout au large de l'île Amchitka, de l'Alaska et de Pt. Lobos en Californie.

CARCAJOU *Gulo gulo* **Pl. 5**
(Wolverine)

Appelé aussi «glouton». Tête et corps 75-80 cm; queue 20-25 cm; 15-25 kg. Il possède une queue touffue, mais ce détail mis à part, il a l'apparence d'un petit ours. *Brun foncé, plus pâle sur la tête; 2 larges rayures jaunâtres* commencent aux épaules et se rejoignent sur la croupe. Grosses pattes proportionnellement au corps. 38 dents (Pl. 29).

Espèces semblables : le Pékan ne porte pas de rayures jaunâtres.

Habitat : hautes montages de l'O, près de la ligne des arbres et dans la toundra dans le N; animal très sauvage.

Mœurs : actif le jour ou la nuit. Solitaire. Mange n'importe quel type de chair et aussi des larves, des œufs, des petits fruits; a la réputation de piller les pièges et de détruire les caches de nourriture des trappeurs; peut parcourir de longues distances pour trouver sa nourriture. Niche dans tout endroit protégé. A déjà vécu plus de 15 ans en captivité. Probablement territorial. S'accouple entre avril et août.

Jeunes : 2-3, nés entre février et avril; probablement 1 portée tous les 2-3 ans. Blanc jaunâtre, aveugles.

Importance économique : a la réputation d'endommager les pièges; sa fourrure est utilisée surtout pour garnir les anoraks. Un animal très sauvage qu'il faut protéger.   Carte p. 62

BLAIREAU D'AMÉRIQUE *Taxidea taxus*   **Pl. 9**
(Badger)

Tête et corps 45-55 cm; queue 10-15 cm; 5-10 kg. Se voit parfois le long des routes au petit matin. Animal trapu à pattes courtes, *gris jaunâtre*, portant une *bande médiane blanche* du museau à l'arrière de la tête; joues *blanches*, *tache noire* devant chaque oreille. Pattes *noires*, griffes antér. très longues. Ventre et courte queue jaunâtres. Ne ressemble à aucun autre mammifère nord-amér. 34 dents (Pl. 29). 8 mamelles.

Habitat : prairies dégagées et déserts.

Mœurs : surtout nocturne, mais souvent actif le jour, surtout au petit matin. Surtout fouisseur, il déterre les petits mammifères, sa principale nourriture; niche dans des terriers qu'il creuse lui-même. A déjà vécu 12 ans en captivité.

Jeunes : 2-5, nés entre février et mai, selon l'altitude et la latitude.

Importance économique : détruit beaucoup de rongeurs; fourrure de peu de valeur; ses terriers ouverts sont dangereux pour le bétail.
                    Carte p. 62

MOUFFETTE TACHETÉE *Spilogale putorius*   **p. 68**
(Spotted Skunk)

Tête et corps 25-35 cm; queue 10-25 cm. Mâles, 450-1000 g, femelles, 365-565 g. Plus petite dans l'O, plus grande dans le Midwest et dans l'E. Joli petit animal *noir*, qui porte une *tache blanche* au front, *une sous chaque oreille*, et *quatre lignes blanches interrompues sur le cou*, *le dos* et *les flancs*. Queue à bout blanc. L'importance des taches est variable, mais aucun autre mammifère n'a ce genre de coloration. Yeux à reflets ambre clair. 34 dents (Pl. 29). 8 mamelles.

Habitat : régions boisées denses ou clairsemées, le long des ruisseaux, parmi les pierres; prairies.

Mœurs : nocturne. Grimpe aux arbres en cas de danger, mais vit hab. au sol. Pour se défendre, se dresse sur ses pattes avant et projette un liquide nauséabond directement au-dessus de sa tête. Mange souris, oiseaux, œufs, insectes, charognes et matières végétales. Niche dans des terriers, sous les édifices ou les tas de pierres. Plusieurs individus peuvent se terrer dans le même gîte en hiver. Domaine vital de 64 ha ou moins; les mâles peuvent s'aventurer plus loin. Populations de 5 ou plus au km^2.

Jeunes : 4-7, nés en mai ou juin; gestation 120+ jours. Sevrés à 50 jours.

Importance économique : détruit rats et souris, surtout autour des bâtiments de fermes; peut s'attaquer aux oiseaux de basse-cour. Parfois chassée pour sa fourrure. Cette mouffette peut être porteuse de la rage.   Carte p. 66

MOUFFETTE RAYÉE *Mephitis mephitis*   **p. 68**
(Striped Skunk)

Tête et corps 35-45 cm; queue 20-25 cm; 3-6 kg. Souvent victime de la route. Probablement le mammifère le mieux connu de ce *Guide*. De la taille d'un chat, la mouffette rayée se reconnaît à son *corps noir* orné d'une *étroite rayure blanche* sur le nez et d'une *autre rayure blanche plus large* sur la nuque, rayure qui se divise en un V au niveau des épaules. Les 2 lignes blanches ainsi formées se prolongent jusqu'à la base de la queue touffue qui a parfois le bout blanc. La longueur et la largeur des rayures varient. Glandes anales bien développées. Souvent sa présence est d'abord signalée par son *odeur*. Yeux à reflets ambre foncé. 34 dents (Pl. 29). 10-14 mamelles.

Espèces semblables : (1) la Mouffette à capuchon a la queue plus longue; porte rarement un V blanc sur le dos; (2) chez la Mouffette à dos blanc, la rayure blanche dorsale n'est pas divisée.

Habitat : terrains semi-boisés; bois mixtes, broussailles, prairies; hab. à moins de 3 km d'un point d'eau.

Mœurs : surtout nocturne; se met à chasser après le coucher du soleil et se retire au lever du soleil. Omnivore; mange souris, œufs, insectes, larves, petits fruits et charognes. Son gîte est un terrier dans le sol, sous un bâtiment abandonné, un rocher, un tas de bois ou de pierres. Plusieurs femelles peuvent se réfugier dans le même nid en hiver; les mâles sont plutôt solitaires. Active tout l'hiver dans le S, s'aventure parfois hors de son terrier par temps doux dans le N. Une population importante compte 1 individu/4 ha. Accouplement en février-mars.

Jeunes : jusqu'à 10, hab. 5 ou 6, nés au début de mai; gestation 63 jours. Aveugles. Accompagnent leur mère à la fin de juin ou en juillet. Circulent à la queue leu leu.

Importance économique : autrefois recherchée pour sa fourrure, très peu maintenant. S'attaque parfois aux poulaillers; détruit plusieurs petits rongeurs et insectes. Parfois utilisée comme animal de maison après ablation des glandes. Peut transmettre la rage.

Carte p. 66

MOUFFETTE À CAPUCHON *Mephitis macroura*   **p. 68**
(Hooded Skunk)

Tête et corps 30-40 cm; queue 35-40 cm. Atteint tout juste le S des É.-U. Deux types généraux de coloration avec des intermédiaires:

chez les unes, le *blanc* domine sur le dos, y compris la queue; chez les autres, le dos est presque tout *noir* avec deux rayures latérales blanches et le ventre est *noir*. Poils du cou hab. étalés en *rosette*.

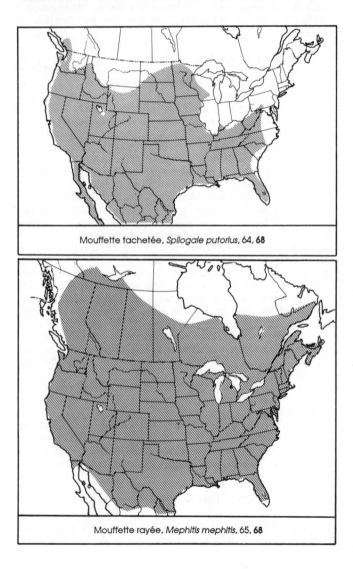

Mouffette tachetée, *Spilogale putorius*, 64, **68**

Mouffette rayée, *Mephitis mephitis*, 65, **68**

Queue *aussi longue que tête et corps réunis*. 34 dents.

Espèces semblables : (1) la Mouffette rayée porte un V blanc sur le dos et sa queue est plus courte. (2) La Mouffette à dos blanc a le museau long et nu; son dos et sa queue sont tout blancs, sans poils noirs; sa queue est plus courte.

Habitat : le long des ruisseaux, sur les bordures rocheuses.

Mœurs : probablement semblables à celles de la Mouffette rayée.

Jeunes : mai-juin; 5 embryons trouvés chez une femelle.

Importance économique : probablement utile; fourrure de peu de valeur; détruit insectes et petits rongeurs.   Carte ci-dessous

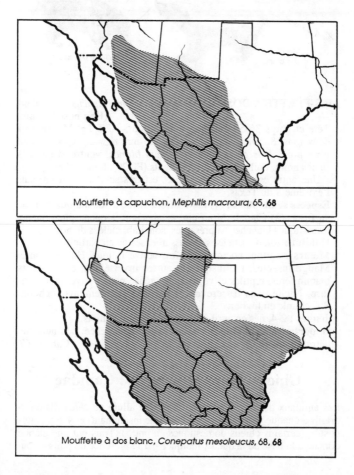

Mouffette à capuchon, *Mephitis macroura*, 65, **68**

Mouffette à dos blanc, *Conepatus mesoleucus*, 68, **68**

Mouffette rayée

Mouffette tachetée

Mouffette à dos blanc

Mouffette à capuchon

MOUFFETTE À DOS BLANC *Conepatus mesoleucus*   **p. 68**
(Hog-nosed Skunk)
Tête et corps 35-50 cm; queue 20-30 cm; 1-2,5 kg. Mouffette à
deux tons. Son *museau*, nu sur env. 25 mm *dessus*, rappelle celui
d'un *porc. Dos et queue entièrement blancs*, ventre et bas des
flancs noirs. Poil court et dru. 32 dents (Pl. 29). 6 mamelles.
    Une autre espèce, *C. leuconotus*, est très semblable et vit dans
l'extrême S du Texas.
Espèces semblables : (1) la Mouffette rayée a une marque blanche
au front. (2) Chez la Mouffette à capuchon, à queue plus longue,
les marques blanches, si présentes, sont hab. mêlées de noir.
Habitat : zones rocheuses, broussailleuses ou en partie boisées.
Mœurs : surtout nocturne, parfois active le jour. Hab. solitaire.
Mange insectes, mollusques et autres invertébrés; aussi, petits
mammifères, reptiles et végétation; creuse pour trouver sa nourri-
ture. Niche dans les crevasses sur les escarpements rocheux.
S'accouple en février.
Jeunes : 2-4, nés en avril-mai; gestation, env. 2 mois.
Importance économique : fourrure peu recherchée; peu nuisible;
détruit petits rongeurs et insectes.   Carte p. 67

Chiens, loups et renards : Canidae

Les animaux de cette famille ont tous une allure *de chien*. Ils ont 5
orteils à chaque patte antér. (orteil interne inséré haut) et 4 aux pattes
postér. (certains chiens domestiques en ont 5). Tous ont une glande
dorsale à la base de la queue, indiquée par la présence de poils à bout

noir non entourés de duvet. Tous les Canidae peuvent être porteurs de la rage. Les fossiles connus remontent à l'Eocène supérieur.

COYOTE *Canis latrans* Pl. 7
(Coyote)

Tête et corps 80-95 cm; queue 30-40 cm; 9-22 kg. A l'allure d'un chien moyen; *gris* ou *gris fauve*, à *pattes et oreilles fauves*; gorge et ventre blanchâtres. Nez plus pointu et queue plus touffue que chez les chiens; *court la queue entre les jambes*. Pupille ronde; bout du museau de moins de 25 mm de largeur. Son cri, une série de *jappements* aigus, s'entend souvent le soir, surtout dans le désert. Yeux à reflets dorés. 42 dents (Pl. 30). 8 mamelles.

Espèces semblables : (1) le Loup roux est hab. plus gros et plus foncé. (2) Le Loup gris est plus gros et court la queue dressée; son

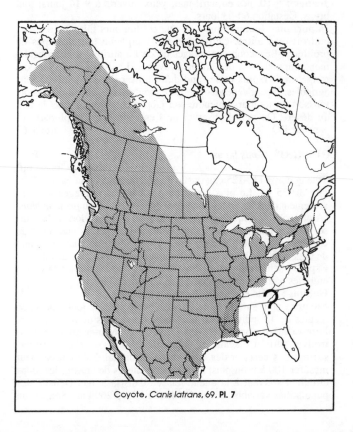

Coyote, *Canis latrans*, 69, **Pl. 7**

nez a plus de 25 mm de largeur. (3) Les renards sont plus petits et courent la queue dressée.

Habitat : prairies, bois clairsemés, régions broussailleuses ou rocailleuses.

Mœurs : surtout nocturne, mais peut être actif en tout temps. Omnivore; se nourrit surtout de petits rongeurs et de lapins; 2 individus chassent parfois ensemble; fait des réserves; sentier de chasse hab. de 15 km, mais peut atteindre 160 km; tue les gros animaux en leur sautant à la gorge. Niche hab. dans le sol, mais utilise souvent d'autres abris, hab. à moins de 10 km d'un point d'eau. Peut vivre 18 ans en captivité; sa vitesse peut atteindre 65 km/h sur de courtes distances. Accouplements en janvier-février; peut s'accoupler avec des chiens domestiques; les femelles peuvent se reproduire à 1 an.

Jeunes : 5-10, nés en avril-mai; yeux ouverts à 9-14 jours; tout bruns. Gestation 60-63 jours.

Importance économique : sa tête est toujours mise à prix à un endroit ou l'autre. Cette lutte ne l'empêche toutefois pas de proliférer. Beaucoup des ravages qu'on lui attribue sont probablement imputables à des chiens sauvages. Le coyote tue plusieurs rongeurs et lapins et se rend donc utile près des exploitations agricoles. Il peut cependant détruire moutons et veaux à l'occasion. Puisse-t-on toujours entendre son jappement lugubre dans la nuit du désert! On peut l'observer ou l'entendre dans la plupart des parcs de l'O.   Carte p. 69

LOUP GRIS *Canis lupus*   **Pl. 7**
(Gray Wolf)

Tête et corps 110-125 cm; queue 30-50 cm; hauteur au garrot 65-70 cm; 30-55 kg. Le plus grand de nos canidés sauvages; présent seulement dans les zones inhabitées. Sa couleur va du *presque blanc* (Arctique) au *presque noir*; hab. gris. *Queue dressée* lors de la course; oreilles plus arrondies et relativement plus petites que celles du Coyote; ressemble plus à un chien. Bout du nez de plus de 25 mm de largeur. Yeux à reflets orange verdâtre. 42 dents. 10 mamelles.

Espèces semblables : le Coyote est plus petit et court la queue entre les pattes; son nez a moins de 25 mm de largeur.

Habitat : forêts et toundra des zones sauvages.

Mœurs : actif surtout la nuit, mais circule aussi le jour; chasse en meutes de 12 individus ou plus entre les saisons de reproduction. Père et mère nourrissent les louveteaux. Mange tout ce qu'il trouve, surtout oiseaux et mammifères; chasse le gros gibier, surtout des cerfs et des caribous. Son domaine de chasse peut mesurer 100 km ou plus; marque ses sentiers de chasse; les loups circulent souvent à la queue leu leu dans la neige. Densité des populations variable: 1 loup/105 km^2 à 1 loup/260 km^2. Son cri: un

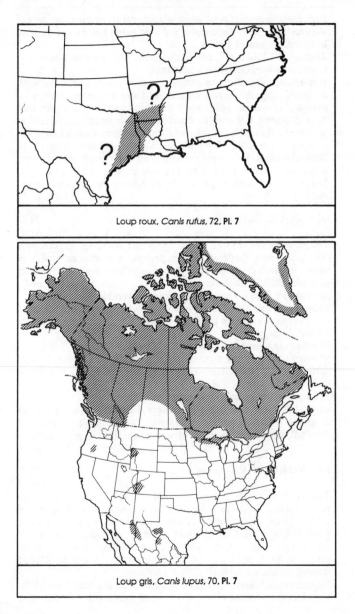

Loup roux, *Canis rufus*, 72, **Pl. 7**

Loup gris, *Canis lupus*, 70, **Pl. 7**

hurlement guttural; peut aussi glapir, gémir et grogner, ce qui s'entend peu. Peut s'accoupler à 2 ans; garde son partenaire pour la saison, de janvier à mars.

Jeunes : 3-14, hab. 6-7, nés en avril-mai; noirs avec un peu de gris terne sur la tête. Gestation 9 semaines.

Importance économique : chasse le gros gibier (cerfs, caribous, moutons, orignaux), mais surtout les individus vieux, faibles ou malades, ce qui est bénéfique à l'espèce chassée; durant des millions d'années, il y avait un équilibre naturel entre ce prédateur et ses proies. Sa survie est maintenant menacée en certains endroits. L'homme a tendance à penser que tous les prédateurs devraient être exterminés. Un certain contrôle s'impose parfois, mais l'extermination, à aucun prix! Il est possible de voir et d'entendre des Loups gris en certains parcs (Mt. McKinley, Île Royale, Algonquin...)   Carte p. 71

LOUP ROUX *Canis rufus*   **Pl. 7**
                                                                   (Red Wolf)

Tête et corps 80-125 cm; queue 35-45 cm; 20-32 kg. Espèce du S dont la couleur varie de *gris fauve* à *presque noir*; museau, oreilles et parties externes des pattes roussâtres. Les petits individus de couleur pâle sont difficiles à distinguer du Coyote. Court *la queue dressée*, pas entre les pattes. Yeux à reflets dorés ou vert bleuâtre. 42 dents.

Espèces semblables : le Coyote est hab. plus petit, gris fauve et court la queue entre les pattes; le bout de son nez mesure moins de 25 mm de largeur.

Habitat : régions broussailleuses et boisées, vallées.

Mœurs : probablement semblables à celles du Coyote. Mange surtout petits mammifères et oiseaux, des crabes sur la côte du Golfe du Mexique.

Jeunes : 4-7, nés en avril ou en mai.

Importance économique : prédateur d'animaux domestiques et de gibier, il détruit aussi de petits rongeurs et des lapins qui nuisent au bétail.Espèce généralement menacée dans toute sa répartition.
                                                                   Carte p. 71

RENARD ROUX *Vulpes vulpes*   **Pl. 7**
                                                                   (Red Fox)

Tête et corps 55-65 cm; queue 35-40 cm; 4-7 kg. Semblable à un petit chien; hab. *jaune rougeâtre*, plus foncé sur le dos; ventre blanc; *queue touffue* mêlée de poils noirs, à *bout blanc*; pattes et pieds *noirs*. Variations dans la couleur: variété croisée: croix foncée partant des épaules vers le milieu du dos; variété argentée: poils noirs à pointe blanche et bout de la queue blanc; intermédiaires. 42 dents (Pl. 30). 8 mamelles.

Espèces semblables: le bout de la queue n'est pas blanc chez (1) le Coyote, (2) le Renard véloce, (3) le Renard nain, (4) le Renard gris,

(5) la Martre d'Amérique (p. 53) ou (6) le Pékan (p. 54). (7) Le Renard arctique est tout blanc ou n'a pas le bout de la queue blanc.

Habitat : préfère un mélange de forêt et de terrain découvert.

Mœurs : actif surtout la nuit, au petit matin et avant la nuit; souvent actif le jour. Se nourrit des proies disponibles, des insectes aux lièvres, et complète son régime par des baies et d'autres fruits; enfouit souvent des lapins, souris ou autres proies le long de ses sentiers, surtout lorsqu'il y a de la neige. Le mâle nourrit la femelle pour qqs jours après la mise bas; plus tard, les deux parents nourrissent les petits; aménage hab. plus d'un terrier de façon à changer les petits de place rapidement en cas de danger; creuse hab. son terrier sur les pentes à sol poreux. Domaine vital de 250-500 ha, mais peut se déplacer très loin, surtout en hiver. Un indiv. a été retrouvé à 200 km de son terrier natal. Le couple semble uni pour l'année.

Jeunes : 4-9, nés en mars ou avril selon la latitude; bruns foncés, queue à bout blanc; yeux fermés. Restent au terrier pour env. 1 mois, puis jouent et mangent près de l'entrée; quittent les parents à l'automne et doivent se débrouiller. Gestation env. 51 jours; 1 portée par an.

Importance économique : sa tête est mise à prix à peu près partout. Ses propriétés utiles ou nuisibles dépendent des circonstances: nuisible aux chasseurs quand il tue le petit gibier, utile au fermier quand il tue souris et rats. Les chasseurs s'en prennent à lui en dehors de la saison de chasse. Les Renards roux sont plus utiles que nuisibles, d'après les études sur leur alimentation, mais ils sont parfois porteurs de la rage. La plupart des parcs abritent des Renards roux.   Carte p. 74

RENARD VÉLOCE *Vulpes velox*   Pl. 7
(Swift Fox)

Tête et corps 35-50 cm; queue 25-30 cm; 2-3 kg. Petit renard à grandes oreilles, *jaune fauve*, qui porte une tache noire de chaque côté du museau; *queue touffue* à *bout noir*; très rare maintenant. 42 dents.

Espèces semblables: (1) le Renard roux a le bout de la queue blanc. (2) Le Renard gris a une marque noire dorsale le long de la queue. (3) Le Coyote est plus gros.

Habitat : déserts et plaines.

Mœurs : mange petits mammifères et insectes; niche dans le sol. Moins farouche que les autres renards, facile à capturer.

Jeunes : 4-7, nés entre février et avril.

Importance économique : n'a aucune habitude nuisible; a souffert des campagnes d'empoisonnement d'autres prédateurs; à protéger.
                                                          Carte p. 74

RENARD NAIN *Vulpes macrotis*   (Kit Fox)

Tête et corps 40-50 cm; queue 25-30 cm; 1,5-2,5 kg. Petit renard mince à *oreilles* particulièrement *grandes*; corps gris clair à reflets roux; ventre blanchâtre; queue à *bout noir*. 42 dents.

Considéré par certains comme une sous-espèce de *V. velox*.
Espèces semblables : (1) le Renard roux est plus grand et a le bout de la queue blanc. (2) le Renard gris est plus grand et porte une marque noire le long de la queue. (3) Le Coyote est plus grand. (4) Le Putois d'Amérique (p. 58) a les pieds noirs et sa queue n'est pas touffue.

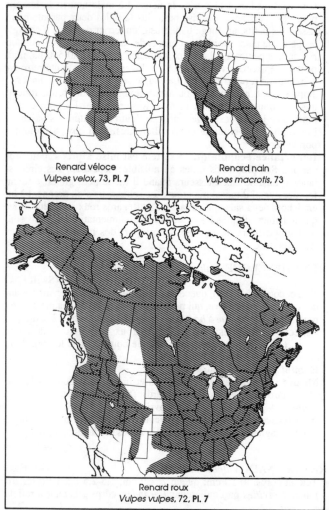

Renard véloce
Vulpes velox, 73, **Pl. 7**

Renard nain
Vulpes macrotis, 73

Renard roux
Vulpes vulpes, 72, **Pl. 7**

Habitat : sols sablonneux, plats, découverts; aime la végétation basse désertique, les genévriers.

Mœurs : reste au terrier le jour et rôde la nuit; mange des petits rongeurs du désert.

Jeunes : 4-7, nés entre février et avril.

Importance économique : utile; détruit beaucoup de rongeurs; rare maintenant à cause des campagnes de destruction.

Carte ci-contre

RENARD ARCTIQUE *Alopex lagopus* Pl. 7
(Arctic Fox)

Tête et corps env. 50 cm; queue env. 30 cm; 3-7 kg. Renard du N à *oreilles courtes, rondes*, et à pattes très velues; répartition arctique. Deux livrées: *blanche* et *bleue*. Les deux formes sont semblables en été: *brun* terne à gris foncé, ventre, flancs et côtés du cou blanc jaunâtre. En hiver, la forme blanche est *toute blanche*; la forme bleue est *gris-bleu*, parfois ornée de brun sur la tête et les pieds. Pas de blanc au bout de la queue. Tous les indiv. des îles Pribilof sont bleus. 42 dents.

Espèces semblables: (1) le Renard roux est jaune rougeâtre et a le bout de la queue blanc. (2) Le Coyote est plus grand.

Habitat: la toundra du Grand Nord, surtout sur les côtes.

Mœurs: véritable charognard; suit les Ours blancs en hiver et mange les restes de leurs repas; mange des carcasses de mammifères marins, poissons ou autres animaux des côtes; aussi des lemmings, lièvres, oiseaux, œufs et petits fruits en saison. Fait son terrier sur les pentes bien drainées. Reste à proximité du terrier jusqu'à ce que les petits soient indépendants; se déplace beaucoup en hiver. Les populations fluctuent et suivent les variations des populations de lemmings d'env. 1 an. A déjà vécu 14 ans en captivité. Moins farouche que les autres renards. Son jappement sec s'entend surtout à la saison des amours.

Jeunes : 1-14 (hab. 5-6), nés entre avril et juin; brun foncé, aveugles. Gestation 51-54 jours.

Importance économique : la vie économique des Esquimaux est étroitement reliée à son abondance; ce petit renard a joué un grand rôle dans la fondation de la Compagnie de la Baie d'Hudson; importante ressource des régions nordiques; on en fait l'élevage sur certaines îles. Sa chair est comestible. Carte p. 76

RENARD GRIS *Urocyon cinereoargenteus* Pl. 7
(Gray Fox)

Tête et corps 55-75 cm; queue 30-40 cm; 3-6 kg. Distinct par sa fourrure *poivre et sel* et son duvet fauve, sa *queue* longue et *touffue* à *bout noir* ornée d'une *rayure médiane noire* sur toute sa longueur, et par la couleur ocre des côtés de son cou, de l'arrière de ses oreilles et de ses pattes. 42 dents (Pl. 30). 6 mamelles.

On reconnaît généralement comme une autre espèce (*U. littoralis*) les Renards gris de l'île Santa Barbara, Californie. Une observation au lac Athabasca ne paraît pas sur la carte.

Espèces semblables : (1) le Renard roux a le bout de la queue blanc. (2) Le Renard véloce et (3) le Renard nain n'ont que le bout de la queue noir. (4) Le Coyote est plus grand.

Habitat : chaparral, forêts clairsemées, escarpements rocheux.

Mœurs : surtout nocturne, très timide. Peut grimper aux arbres en cas de danger. Omnivore: petits mammifères surtout, insectes, fruits, glands, oiseaux et œufs. Se réfugie dans les troncs creux, sous les grosses pierres et se terre parfois. A déjà été retrouvé à 80 km de son point d'origine. Peut vivre 10 ans en captivité. Peut courir à 45 kmh sur de petites distances. S'accouple en février ou en mars.

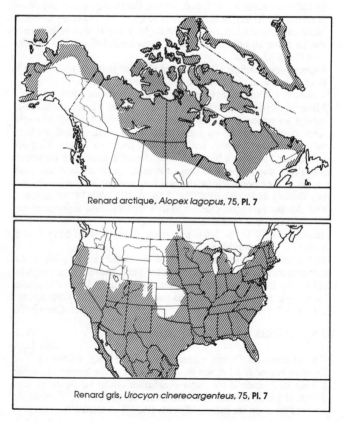

Renard arctique, *Alopex lagopus*, 75, **Pl. 7**

Renard gris, *Urocyon cinereoargenteus*, 75, **Pl. 7**

Jeunes : 3-7, nés en avril-mai; brun foncé, aveugles. Gestation env. 51 jours.
Importance économique : fourrure parfois recherchée. Excellent chasseur de souris; envahit rarement les basses-cours; plutôt utile. Se rencontre dans la plupart des parcs de l'O.   Carte ci-contre

Chats : Felidae

Cette famille, à laquelle appartient le Chat domestique, est bien connue. Les chats varient par leur taille et leur couleur, mais se ressemblent tous: *tête courte*, petites oreilles rondes, *griffes rétractiles*. Ils ont 5 orteils aux pattes avant, 4 aux pattes arrière. Les fossiles remontent au Pliocène inférieur.

JAGUAR *Panthera onca*   Pl. 8
(Jaguar)

Tête et corps 1m10-1m 45; queue 55-65 cm; hauteur au garrot, 70-75 cm; 70-100 kg. Grand chat fauve tout moucheté de noir. Les *taches* des flancs et du dos forment *des rosettes*, anneaux noirs avec petite tache noire au centre; ventre blanc à taches noires. Yeux à reflets dorés. 30 dents. Rare, dans le S des É.-U.
   Auparavant dans le genre *Felis*.
Espèces semblables : (1) l'Ocelot et (2) le Margay sont petits et leurs taches ne sont pas en rosettes. (3) le Couguar est de couleur uniforme.
Habitat : montagnes basses, chaparral, forêts clairsemées.
Mœurs : peu connues. Se nourrit de pécaris et autres mammifères, aussi de tortues et de poissons; s'attaque aussi au bétail. Se reproduit en janvier.
Jeunes : 2-4, nés en avril-mai; gestation de 99-105 jours.
Importance économique : animal de peu d'importance économique dans nos régions à cause de sa rareté; peut s'attaquer aux troupeaux. Menacé en certains endroits.   Carte p. 79

COUGUAR *Felis concolor*   Pl. 8
(Mountain Lion)

Tête et corps 1m-1m35; queue 75-90 cm; hauteur au garrot 65-80 cm; 35-90 kg. Appelé aussi puma, ou lion de montagne. Grand chat *fauve ou grisâtre* menacé d'extinction; *pelage brun foncé* au *bout de la queue*, à l'arrière des oreilles et sur les côtés du nez. Yeux à reflets or verdâtre. 30 dents (Pl. 30). 8 mamelles (6 fonctionnelles).
Espèces semblables : (1) le Jaguarondi est plus petit. (2) Le Jaguar est tacheté.
Habitat : montagnes dénudées, forêts, marécages.

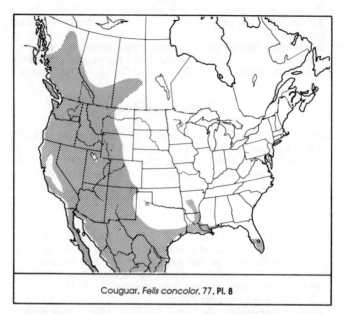

Couguar, *Felis concolor*, 77, **Pl. 8**

Mœurs : surtout nocturne, mais parfois actif le jour. Timide, rarement aperçu. Essentiellement terrestre, il peut grimper aux arbres,
surtout pour échapper aux chiens. Se nourrit hab. de cerfs, mais aussi
de lièvres, de rongeurs et parfois d'animaux domestiques; enfouit les
portions non mangées de ses proies; ne mange pas de chair avariée.
Se réfugie dans tout endroit retiré bien protégé. Rôde sur de grandes
distances, sauf lorsque les jeunes sont encore petits; peut se retrouver
jusqu'à 120-160 km de son lieu d'origine. Peut vivre 18 ans en
captivité. Son cri est un miaulement puissant. Se reproduit à l'âge de
2 ou 3 ans, puis tous les 2 ou 3 ans; se lie pour la saison.
Jeunes : en tout temps de l'année; 1-6, hab. 2; tachetés; yeux
ouverts à env. 10 jours. Gestation 88-97 jours.
Importance économique : maintenant confiné aux régions sauvages; tue parfois des animaux domestiques, mais surtout des cerfs;
un petit nombre est utile pour contrôler les troupeaux de cerfs,
mais peu de chasseurs le conçoivent ainsi.   Carte ci-dessus

OCELOT *Felis pardalis*   **Pl. 8**
                                                    (Ocelot)
Tête et corps 70-90 cm; queue 35-40 cm; 10-20 kg. Petit chat
tacheté à longue queue qui ne porte pas de rosettes comme le
Jaguar. Certaines des *taches* sont *allongées* et ressemblent plus à

des lignes qu'à des points. Yeux à reflets dorés. 30 dents. 4 mamelles.

Espèces semblables : (1) le Margay est plus petit. (2) Le Jaguar est plus grand, orné de rosettes. (3) Le Jaguarondi n'est pas tacheté.

Habitat : broussailles épaisses et épineuses, régions rocheuses.

Mœurs : probablement semblables à celles des autres chats; animal peu connu; a la réputation de s'attaquer au bétail.

Jeunes : hab 2, nés à l'automne.

Importance économique : les peaux sont utilisées comme trophées; proie des chasseurs; peu nuisible vu sa rareté. Très menacé.

Carte ci-dessous

MARGAY *Felis wiedii* (Margay)

Tête et corps 50-60 cm; queue 35-40 cm; 2-3 kg. *Petit chat tacheté* qui atteint à peine le S des É.-U. Miniature de l'Ocelot, le Margay

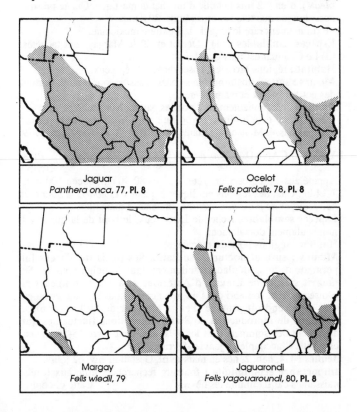

Jaguar
Panthera onca, 77, **Pl. 8**

Ocelot
Felis pardalis, 78, **Pl. 8**

Margay
Felis wiedii, 79

Jaguarondi
Felis yagouaroundi, 80, **Pl. 8**

s'en distingue par sa taille. Couleur de base fauve. Quatre rayures discontinues brun foncé sur le cou et une sur le dos; taches brunes de forme irrégulière sur les flancs, certaines comportant un point central foncé, ce qui leur donne l'apparence de rosettes. Ventre blanc à taches brun foncé. 30 dents.

Espèces semblables : (1) l'Ocelot est plus gros, de couleur semblable. (2) Le Jaguar est plus gros et porte des rosettes. (3) Le Jaguarondi n'est pas tacheté.

Habitat : régions boisées.

Importance économique : inexistante, vu sa rareté. Menacé.

Carte p. 79

JAGUARONDI *Felis yagouaroundi* Pl. 8
(Jaguarundi)

Tête et corps 50-75 cm; queue 30-60 cm; 7-8 kg. Chat à corps long, à pattes courtes, de couleur uniforme (*roussâtre* ou *gris bleuté*), d'env. 2 fois la taille d'un chat domestique. Queue presque aussi longue que tête et corps réunis. 30 dents.

Extrêmement rare le long de la frontière mexicaine.

Espèces semblables : (1) l'Ocelot et (2) le Margay sont tachetés. (3) Le Couguar est plus grand.

Habitat : régions broussailleuses, bosquets épineux.

Mœurs : surtout nocturne, mais chasse aussi le jour. Mange surtout des petits oiseaux et mammifères.

Jeunes : 2-3; probablement 2 portées par an. Non tachetés.

Importance économique : trop rare pour avoir de l'importance; parfois chassé. Menacé à certains endroits. Carte p. 79

LYNX DU CANADA *Lynx canadensis* Pl. 8
(Lynx)

Appelé aussi loup-cervier. Tête et corps 80-90 cm; queue 100 mm; 7-14 kg. Chat des régions nordiques à queue *très courte*, à *bout tout noir*; *touffes de poils aux oreilles*. 28 dents. 4 mamelles.

Espèces semblables : chez le Lynx roux, le bout de la queue est noir seulement dorsalement.

Habitat : régions boisées, marécages.

Mœurs : surtout nocturne, solitaire. Ses pieds très larges lui permettent de se déplacer facilement dans la neige épaisse. Se nourrit surtout de Lièvres d'Amérique et aussi de rongeurs et d'oiseaux. Fait son abri dans un tronc creux, sous les racines ou en tout autre endroit protégé. Peut s'éloigner de 80 km ou plus. Domaine de reproduction de 8 km. Populations fluctuantes qui atteignent des sommets tous les 9-10 ans. Peut vivre 15-18 ans en captivité. S'accouple en janvier-février.

Jeunes : 1-4, hab. 2, nés en mars-avril. Gestation env. 62 jours.

Importance économique : fourrure recherchée; utile aux forêts naissantes car il élimine les lièvres. Carte ci-contre

LYNX ROUX *Lynx rufus* **Pl. 8**
(Bobcat)

Tête et corps 65-75 cm; queue 125 mm; 7-16 kg. Queue courte à *bout noir seulement dorsalement*. Touffes de poils aux oreilles, courtes, peu apparentes. 28 dents (Pl. 30). 6 mamelles.

Espèces semblables: (1) le Lynx du Canada a le bout de la queue noir même dessous. (2) Les autres chats ont une longue queue.

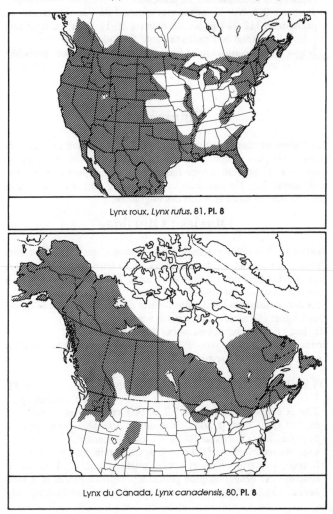

Lynx roux, *Lynx rufus*, 81, **Pl. 8**

Lynx du Canada, *Lynx canadensis*, 80, **Pl. 8**

Habitat : escarpements rocheux et chaparral dans l'O, marécages et forêts dans l'E.

Mœurs : surtout nocturne, solitaire. Mange petits mammifères et oiseaux; s'attaque aussi aux carcasses fraîches. Se réfugie dans les crevasses, les troncs creux, les éboulis. Peut parcourir 40-80 km, mais hab. se tient dans un rayon de 3 km. Peut vivre 15-25 ans en captivité. S'accouple hab. au printemps.

Jeunes : 2-4, hab. 2, nés à tout moment de l'année, surtout au printemps; 112-224 g, yeux ouverts à 10-11 jours; quittent leur mère à l'automne ou l'année suivante. Gestation 50-60 jours;

Importance économique : fourrure parfois recherchée; probablement utile, mais cible des chasseurs.   Carte p. 81

Pinnipèdes

Généralement classifiés maintenant parmi les Carnivores. Mammifères avant tout marins, à membres antér. et postér. modifiés en *nageoires*. Ils gagnent la terre ferme ou les glaces pour se reposer et pour mettre bas. Ne sont hab. visibles que *le long des côtes*, mais certains vont en haute mer lors des migrations.

Otaries : Otariidae

Pinnipèdes à oreilles externes, à pattes postér. qui s'orientent vers l'avant, leur permettant de «marcher» sur la terre ferme. Mâles plus gros que les femelles (parfois 4 1/2 fois). 34-38 dents (variable). 4 mamelles. Fossiles du Miocène inférieur.

Espèces semblables : la Loutre de mer est plus petite et a la queue plus longue; elle se tient hab. dans le varech.

Habitat : rives rocheuses ou autour d'îlots rocheux.

Jeunes : hab. 1, né en juin-juillet, sur la terre ferme. Ne va pas dans l'eau avant l'âge de 2 semaines.

OTARIE DE STELLER *Eumetopias jubatus*   **p. 86**
(Northern Sea Lion)

Tête et corps: mâles jusqu'à 3,2 m, 900 kg, femelles, jusqu'à 2,1 m, 270 kg. (Crâne, p. 265). Gros animal *brun jaunâtre* ou brun, à *front bas*, assez *pacifique* lorsqu'il n'est pas menacé.

Espèces semblables : (1) l'Otarie de Californie, plus petite et plus foncée, a le front haut et aboie constamment. (2) L'Otarie à fourrure est beaucoup plus petite, à pelage rougeâtre et à face brune. (3) Le Phoque commun est plus petit et tacheté. (4)

L'Éléphant-de-mer boréal est beaucoup plus gros et le mâle porte un proboscis.

Mœurs : grégaire; surtout marine, mais remonte parfois les rivières; peut plonger jusqu'à 145 m. Mange surtout poissons et calmars. Polygame; harems de 10-15 femelles. Peut se reproduire peu après la naissance des petits. Gestation, env. 1 an.

Importance économique : vole des poissons aux pêcheurs; les Esquimaux utilisent les peaux pour recouvrir des bateaux.

Répartition : côte du Pacifique, jusqu'à l'île Santa Rosa au S; peut se voir au large de San Francisco.

OTARIE DE CALIFORNIE *Zalophus californianus*   **p. 86**
(California Sea Lion)

Tête et corps: mâles, jusqu'à 2,4 m, 270 kg, femelles, jusqu'à 1,8 m, 90 kg. *Petite* otarie *brune* (noirâtre si mouillée) à *front haut*. Petites oreilles pointues et grands yeux. *Aboiement claironnant continuel*. C'est le «phoque» des cirques.

Espèces semblables : (1) l'Otarie de Steller, plus grosse, plus pâle à front bas, jappe peu sauf en cas de danger. (2) L'Otarie de Townsend a le front bas, le nez pointu et une teinte argent sur la tête et le cou. (3) L'Éléphant-de-mer boréal, beaucoup plus gros, n'a pas d'oreilles externes; hab. calme. (4) Le Phoque commun est tacheté.

Mœurs : grégaire; marine, parfois vue sur les rives rocheuses. Atteint 40 kmh en chasse. Mange surtout poissons et calmars. Peut vivre 23 ans en captivité. Polygame; les femelles se reproduisent à 3 ans, les mâles à 5. Peut se reproduire peu après la naissance des petits.

Importance économique : peut endommager les filets de pêche; mange des poissons. Utilisée comme animal de cirque.

Répartition : côte du Pacifique, de la Colombie-Britannique à la Californie et au Mexique.

OTARIE DE TOWNSEND *Arctocephalus townsendi*
(Guadalupe Fur Seal)

Tête et corps: mâles jusqu'à 1,7 m, env. 135 kg, femelles jusqu'à 1,3 m. Otarie rare à *nez pointu* et à pelage brun foncé *orné de reflets argentés sur la tête et le cou*. Côtés du museau roux.

Espèces semblables : (1) l'Otarie de Californie est plus grosse, à front haut. (2) L'Éléphant-de-mer boréal est beaucoup plus gros et le mâle a un proboscis. (3) Le Phoque commun est tacheté.

Mœurs : marine; déjà crue disparue, elle est maintenant protégée et on la retrouve près des îles, au large; population actuelle au large de la côte mexicaine estimée à quelques centaines d'individus .

Répartition : côte du Pacifique, au sud de l'île San Nicolas, Californie.

OTARIE À FOURRURE *Callorhinus ursinus*   **p. 86**
(Northern Fur Seal)

Tête et corps: mâles, jusqu'à 1,8 m, 270 kg, femelles, jusqu'à 1,4 m, 60 kg. Mâles *presque noirs dessus, rougeâtres dessous*; face *brunâtre*, épaules et devant du cou gris. Femelles: dos gris, ventre rougeâtre.

Espèces semblables : (1) l'Otarie de Steller est plus grosse et n'est pas rougeâtre dessous. (2) Le Phoque commun est tacheté.

Mœurs : grégaire; passe 6-8 mois de l'année en mer. Vitesse maximum de nage de 27 kmh; peut atteindre 55 m de profondeur. Se nourrit d'une trentaine d'animaux marins, surtout poissons et calmars; les mâles peuvent jeûner 2 mois. Polygame: harems de 40 femelles ou plus. Les femelles se reproduisent à 3 ans. Accouplements sur la terre ferme, peu après la naissance des petits. Gestation 11-12 mois.

Importance économique : la peau et la chair fournissent fourrure, huile et moulée pour animaux. Exploitation maintenant contrôlée, interdite dans une partie de la répartition; seuls les mâles célibataires en excès peuvent être capturés. Le prix d'achat de l'Alaska ($7 200 000) a été remboursé plusieurs fois au Trésor américain grâce au commerce des peaux d'Otaries à fourrure.

Répartition : côte du Pacifique Nord jusqu'en Californie. Surtout autour des îles Pribilof et ailleurs dans la mer de Béring. En hiver, peut se rendre jusqu'à San Diego, Californie.

Morse : Odobenidae

Membres postér. (nageoires) retournables vers l'avant; pas d'oreilles externes; mâles et femelles portent de longues défenses orientées vers le bas; mâles plus gros que les femelles; presque glabres; 18-24 dents; 4 mamelles. Les fossiles remontent au Miocène supérieur.

MORSE *Odobenus rosmarus*   **p. 86**
(Walrus)

Tête et corps: mâles jusqu'à 3,6 m, 1215 kg, femelles, jusqu'à 2,7 m, 810 kg. Animal énorme à *2 longues défenses blanches*; peau brun beige, noirâtre lorsque mouillée. Aucun autre mammifère marin n'a ces caractéristiques.

Habitat : glaces flottantes et îles de l'Arctique.

Mœurs : hab. grégaire. Se nourrit au fond, en eau peu profonde, à 90 m ou moins; déloge mollusques et autres organismes marins au moyen de ses défenses; mange rarement les coquilles; mange parfois des phoques. Coule à pic s'il est tué. Les femelles se reproduisent à l'âge de 5-6 ans, tous les 2-3 ans.

Jeunes : 1, né entre avril et juin; jusqu'à 60 kg; 120 cm. Reste avec sa mère 2 ans. Gestation 11-12 mois.

Importance économique : grande importance dans l'économie des Esquimaux: la peau sert à la fabrication des lanières, des bateaux, la chair nourrit chiens et hommes; la chair est parfois parasitée par *Trichinella* et doit être cuite. La sculpture des défenses rapporte un revenu supplémentaire.

Répartition : eaux de l'Arctique, jusqu'à la Baie d'Hudson et la côte NE de l'Ungava, et la mer de Béring, Alaska.

Phoques : Phocidae

Nageoires postér. non retournables vers l'avant; se déplacent sur terre par contorsions; mâles et femelles à peu près de même taille; oreilles sans pavillon externe, indiquées par des orifices sur la peau. Fossiles du Miocène Moyen.

PHOQUE COMMUN *Phoca vitulina*   **p. 86**
                                                              (Harbor Seal)
Tête et corps jusqu'à 1,5 m, 115 kg. Petit phoque à pelage gris roussâtre à taches brunes, brun à taches grises, ou uniforme, argent ou brun noir. 34-36 dents (variable). 2 mamelles.

Très apparenté, *Phoca largha*, le Phoque tacheté, se reproduit dans le N du Pacifique.

Espèces semblables : (1) Les Otaries ne sont pas tachetées, ont des oreilles externes, leurs nageoires s'orientent vers l'avant. (2) L'Éléphant-de-mer boréal, plus gros, n'est pas tacheté. (3) Le Phoque annelé a des taches et des rayures sur le dos.

Habitat : eaux côtières, embouchure des rivières et des lacs continentaux; passe beaucoup de temps hors de l'eau.

Mœurs : se tient souvent à l'embouchure des rivières ou dans les zones portuaires peu profondes. Assez sédentaire. Peut rester jusqu'à 20 min sous l'eau. Mange poissons, fruits de mer et calmars. La femelle a son premier petit à 2 ans.

Jeunes : 1, parfois 2, nés sur la terre ferme, en début d'été; gris bleuâtre dessus, blancs dessous; premier pelage blanchâtre hab. rejeté avant la naissance, sauf à l'extrême N. Gestation de plus de 9 mois.

Importance économique : se nourrit de poissons commerciaux et endommage les engins de pêche; sert de nourriture dans l'extrême N; peaux de peu de valeur.

OTARIES ET PHOQUES

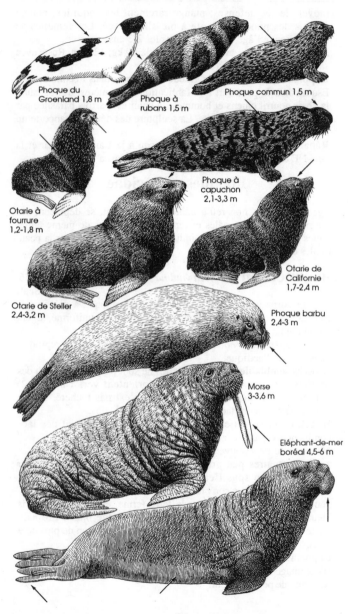

Phoque du Groenland 1,8 m

Phoque à rubans 1,5 m

Phoque commun 1,5 m

Otarie à fourrure 1,2-1,8 m

Phoque à capuchon 2,1-3,3 m

Otarie de Californie 1,7-2,4 m

Otarie de Steller 2,4-3,2 m

Phoque barbu 2,4-3 m

Morse 3-3,6 m

Eléphant-de-mer boréal 4,5-6 m

Répartition : arctique, jusqu'à la Baie d'Hudson et certains lacs (eau douce) de l'Ungava; descend le long de la côte Atlantique jusqu'aux Carolines et le long de la côte O.

PHOQUE ANNELÉ *Phoca hispida* (Ringed Seal)

Tête et corps jusqu'à 1,5 m, 90 kg. Petit phoque *jaunâtre* ou *brunâtre* terne à *taches* et *rayures* foncées, continues *sur tout le dos*. Anneaux pâles de couleur fauve sur les flancs. Ventre jaunâtre, parfois tacheté. 34-36 dents. 2 mamelles.

Autrefois *Pusa hispida*.

Espèces semblables : le Phoque commun ne porte pas de rayures.

Habitat : eaux froides, hab. au voisinage des glaces, près des rives.

Mœurs : solitaire, mais parfois en petits groupes. Se trouve un chenal ouvert dans la glace ou creuse un trou et le garde ouvert en hiver. Peut rester sous l'eau 20 min; monte hab. sur la glace pour se reposer ou dormir. Mange surtout des invertébrés marins. Les femelles se reproduisent à 5 ans.

Jeunes : 1, né sur la glace; pelage blanc et laineux pour 2 semaines; second pelage foncé. Gestation env. 9 mois.

Importance économique : peau et chair constituent des ressources importantes pour les Esquimaux. Parfois porteur de *Trichinella*; la viande doit être cuite.

Répartition : océan Arctique jusqu'au Labrador, à la Baie d'Hudson et à la baie de Bristol en Alaska; fréquente aussi le lac Nettiling (île de Baffin).

PHOQUE À RUBANS *Phoca fasciata* **p. 86**
(Ribbon Seal)

Tête et corps jusqu'à 1,5 m; mâles jusqu'à 90 kg, femelles, jusqu'à 75 kg. Petit phoque brun à *rayures blanc jaunâtre* autour du *cou*, autour des *nageoires antér.* et autour de la *croupe*. Femelles moins colorées que les mâles. Seul phoque ainsi tacheté. 34-36 dents. 2 mamelles.

Autrefois *Histriophoca fasciata*.

Habitat : banquises de l'Arctique.

Mœurs : solitaire ou en petits groupes; rare, peu connu. Mange poissons et calmars.

Jeunes : 1, né sur la glace au printemps; pelage blanc; yeux ouverts. Gestation d'environ 280 jours.

Importance économique : faible, à cause de sa rareté.

Répartition : Arctique-Pacifique, jusqu'à la péninsule d'Alaska.

PHOQUE DU GROENLAND *Phoca groenlandica* **p. 86**
(Harp Seal)

Tête et corps jusqu'à 1,8 m, 180 kg. Phoque nordique, grisâtre ou jaunâtre, à *face brun foncé ou noire*; une bande foncée irrégulière traverse le dos à hauteur des épaules et se prolonge de chaque côté vers l'arrière, parfois sur la croupe. Parfois, taches plus petites sur les nageoires et le cou. Femelles à taches moins distinctes ou absentes; jeunes, *blanc jaunâtre*. Seul phoque à posséder ces taches. 34-36 dents. 2 mamelles.

Anciennement *Pagophilus groenlandicus*.

Habitat : eaux profondes à glaces flottantes à la dérive.

Mœurs : migrations très importantes; peut plonger jusqu'à 180 m. Se nourrit de macroplancton et de poissons. Vit 30 ans ou plus. Les femelles se reproduisent à 5 ans.

Jeunes : 1, parfois 2, nés sur la banquise. Nouveau-nés (appelés blanchons) à pelage blanc; yeux ouverts.

Importance économique : exploitation maintenant contrôlée dans l'O de l'Atlantique Nord. Les blanchons sont capturés pour leur fourrure, les adultes pour le cuir. L'huile est extraite des carcasses.

Répartition : Arctique-Atlantique; atteint l'embouchure du Mackenzie à l'O, la Baie d'Hudson et le Golfe du Saint-Laurent, parfois les côtes de la Virginie, au S.

PHOQUE GRIS *Halichoerus grypus*

(Gray Seal)

Tête et corps: mâles jusqu'à 3 m, 290 kg, femelles jusqu'à 2,3 m, 250 kg. *Gros* phoque noir ou grisâtre à nez aquilin; sa *taille* et sa *couleur terne* le caractérisent. 34-36 dents. 2 mamelles.

Habitat : rives rocheuses, eaux tempérées, courants forts.

Mœurs : plonge jusqu'à 145 m; peut rester sous l'eau 20 minutes. Se nourrit de poissons et calmars; assez rare. Vit 40 ans ou plus. Polygame: harems d'env. 10 femelles.

Jeunes : 1, né sur la terre ferme, au début de l'hiver. Nouveau-nés à pelage blanc; yeux ouverts.

Importance économique : faible, à cause de sa rareté.

Répartition : côte du Labrador, jusqu'au St-Laurent, parfois jusqu'au New Jersey.

PHOQUE BARBU *Erignathus barbatus*   **p. 86**

(Bearded Seal)

Tête et corps: mâles jusqu'à 3 m, femelles jusqu'à 2,4 m; mâles jusqu'à 375 kg. Phoque de couleur uniforme, *grisâtre à jaunâtre* foncé. Grosse *touffe* de *vibrisses* longues et aplaties *de chaque côté du museau*, caractéristique de ce phoque. Le *3e doigt* de la nageoire antér. est *plus long que les autres doigts*. 34-36 dents. 4 mamelles.

Habitat : eaux peu profondes (25-45 m) en bordure des glaces; embouchures des ruisseaux, petites baies.

Mœurs : solitaire, sauf au cours de la reproduction où les individus se regroupent (jusqu'à 50) sur la glace; peut remonter les rivières assez loin. Nage la tête hors de l'eau; tout son corps remonte en surface avant une plongée. Se nourrit au fond.

Jeunes : 1, né sur la glace, en avril ou en mai. Nouveau-nés à pelage foncé; yeux ouverts. Gestation de 11 mois.

Importance économique : très utilisé par les Esquimaux. Sa peau épaisse permet de faire des semelles solides pour les bottes et de bonnes lanières de harpons. La viande devrait être cuite à cause des infections de *Trichinella*.

Répartition : Arctique, jusqu'à la mer de Béring, la Baie d'Hudson et la Baie d'Ungava au S.

PHOQUE-MOINE DES CARAÏBES *Monachus tropicalis*
                                       (West Indian Monk Seal)

Seul phoque des Caraïbes, il est maintenant disparu.

PHOQUE À CAPUCHON *Cystophora cristata*   **p. 86**
                                       (Hooded Seal)

Tête et corps jusqu'à 3,3 m, 400 kg. Phoque *gris foncé ou noirâtre* à *flancs plus clairs* et *tachetés de blanc*. Mâle à trompe gonflable sur le dessus de la tête; quand l'animal est fâché, sa trompe «se gonfle», ce qui lui donne un aspect redoutable. 26-34 dents. Seul phoque à posséder ces caractéristiques.

Habitat : eaux profondes à glaces épaisses.

Mœurs : nomade. Se tient en petits groupes, sauf durant la reproduction et les périodes de mue. Se nourrit de poissons et de calmars. Monogame.

Jeunes : 1, né sur la glace, en fin de février; nouveau-nés à pelage blanc ou foncé (pelage blanc parfois rejeté avant la naissance); yeux ouverts.

Importance économique : les populations ont été tellement réduites que l'espèce a peu d'importance maintenant.

Répartition : Arctique-Atlantique jusqu'au Saint-Laurent; exceptionnellement, quelques individus égarés jusqu'en Floride.

ÉLÉPHANT-DE-MER BORÉAL *Mirounga angustirostris*   **p. 86**
                                       (Northern Elephant Seal)

Tête et corps: mâles jusqu'à 6 m, 3600 kg, femelles jusqu'à 3,3 m, 900 kg. Gros phoque *brun* pâle ou *grisâtre*, plus clair sur le ventre; presque glabre. Les vieux mâles possèdent un *proboscis en trompe* très gros et retombant. Le plus gros des phoques dans les milieux qu'il fréquente. 26-34 dents.

Espèces semblables : (1) les otaries, plus petites, ont des oreilles externes et peuvent tourner leurs nageoires postér. vers l'avant. (2)

Le Phoque commun est plus petit, hab. tacheté.
Habitat : eaux chaudes, rives sablonneuses.
Mœurs : grégaire; les individus se tiennent serrés les uns contre les autres sur les plages sablonneuses. Dort le jour. Se nourrit la nuit, de petits requins, de calmars et de raies; peut jeûner 3 mois. Polygame.
Jeunes : 1, né sur la terre ferme. Nouveau-nés à pelage brun foncé; yeux ouverts. Gestation d'environ 350 jours.
Importance économique : presque disparu à un moment, maintenant protégé.
Répartition : le long de la côte du Pacifique, au S de la C.-B.

Rongeurs : Rodentia

Ordre composé de mammifères de petite ou de moyenne taille. 4 incisives (dents rongeuses) caractéristiques, *2 en haut, 2 en bas. Espace* important entre ces dents et les dents masticatrices (postér.). La plupart ont 4 doigts aux pattes antér. et 5 aux pattes postér. Les fossiles les plus anciens datent de la fin du Paléocène.
Animaux semblables : lapins et lièvres, qui possèdent 2 petites incisives, non visibles de l'extérieur, juste derrière les grosses incisives supér., et une queue courte et touffue.

Aplodonte : Aplodontiidae

Famille qui n'occupe qu'une petite bande de terre le long de la côte O de l'Amér. du N. Une seule espèce que l'on croit être le plus primitif des rongeurs actuels. 5 doigts sur chaque pied, mais pouce très réduit et sans griffe. 22 dents (Pl. 28). 6 mamelles. Fossiles de l'Éocène supérieur.

APLODONTE *Aplodontia rufa*   **Pl. 19**
                                                  (Mountain Beaver)
Tête et corps 30-45 cm; queue 25-30 mm; 900-1350 g. Brun foncé, de la taille d'un petit chat, mais plus trapu; petites oreilles rondes et petits yeux. Distinct par sa taille, sa couleur et sa queue tellement courte qu'elle semble absente. Ressemble à un Rat-musqué sans queue. Malencontreusement appelé «castor de montagne» puisqu'il n'est pas apparenté au castor. Crâne, Pl. 28.
Habitat : forêts et bosquets denses, hab. en zone humide.
Mœurs : plutôt nocturne. Trace d'importants réseaux de galeries, sentiers et terriers (15-25 cm de diam.) sous la végétation dense des rives. Grimpe rarement aux arbres. Se nourrit de plusieurs plantes herbacées et arbrisseaux; fait des bottes de foin le long des sentiers

à la fin de l'été et au début de l'automne. Domaine vital pas connu, probablement moins de 360 m. Les femelles se reproduisent à 2 ans.

Jeunes : hab. 2-3, nés en mars-avril; jeunes gris-brun; gestation de 28-30 jours. Une portée par année.

Importance économique : peu d'impact dans les régions sauvages, mais peut nuire aux plantations de jeunes arbres et dévaster les jardins; habitudes fouisseuses parfois incommodantes. Chair à goût fort, fourrure sans valeur. Animal très intéressant.

Carte ci-dessous

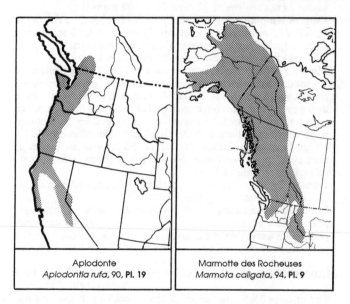

Aplodonte
Aplodontia rufa, 90, **Pl. 19**

Marmotte des Rocheuses
Marmota caligata, 94, **Pl. 9**

Écureuils : Sciuridae

Famille très variée qui englobe marmottes, chiens-de-prairie, spermophiles, tamias et écureuils arboricoles. 4 orteils aux pattes antér., 5 aux pattes postér. Queue plus ou moins touffue. Tous *diurnes*, sauf les polatouches, exclusivement nocturnes. Marmottes, chiens-de-prairie et tamias nichent dans des terriers ou sous les pierres ou les troncs morts. Les écureuils arboricoles, y compris les polatouches, nichent dans les arbres. La plupart des espèces qui vivent dans le sol ont une attitude caractéristique, assis sur les hanches, droits comme des piquets, ce qui leur permet de voir par dessus la végétation et d'éviter les dangers. Spermophiles et tamias ont des abajoues (poches internes des joues) et la plupart font des réserves de nourriture. Fossiles du Miocène.

MARMOTTE COMMUNE *Marmota monax* Pl. 9
(Woodchuck)

Tête et corps 40-50 cm; queue 10-20 cm; 2-4,5 kg. *Brun* plus ou moins foncé, au corps trapu, aux pattes courtes, connue surtout dans la partie E de sa répartition. Ventre plus pâle que le dos; pelage légèrement *givré*; pieds *brun foncé* ou *noirs*; poils blancs autour du nez seulement. 22 dents (Pl. 28). 8 mamelles.

Espèces semblables : (1) la Marmotte des Rocheuses a des taches blanches et noires à la tête et aux épaules. (2) Le Spermophile arctique (p. 100) est plus petit et n'a pas les pieds noirs.

Habitat : bois clairsemés; ravins boisés et rocheux.

Mœurs : surtout diurne; peut s'aventurer la nuit au printemps. Se nourrit de plantes tendres et charnues. Creuse de grands terriers à 2 ouvertures au moins, jusqu'à 120-150 cm de profondeur et 8-10 m de longueur; l'une des ouvertures est hab. marquée par un amas de terre fraîche à l'entrée; les autres ouvertures, creusées par-dessous, ne se voient pas. Hiberne d'octobre à février. Domaine vital de 15-65 ha. Émet un sifflement strident, ce qui lui vaut au Québec le nom populaire de «siffleux». Vit 4-5 ans. S'accouple en mars ou en avril; se reproduit à 1 an.

Jeunes : 2-6, nés en avril-mai, glabres, aveugles; gestation de 31-32 jours. Une portée par année.

Importance économique : peut causer d'importants dommages aux récoltes en zone agricole; ailleurs, est probablement utile, puisque les terriers qu'elle creuse servent de refuges et de terriers à plusieurs autres mammifères. Carte ci-contre

MARMOTTE À VENTRE JAUNE *Marmota flaviventris* Pl. 9
(Yellow-bellied Marmot)

Tête et corps 35-50 cm; queue 10-25 cm; 2-4,5 kg. Trapue, à corps *brun jaunâtre* et à *ventre jaune*; hab., *tache blanche entre les yeux*. Taches chamois bien marquées sur les côtés du cou. Pieds, de chamois clair à brun foncé, *jamais noirs*. 22 dents. 10 mamelles.

Espèces semblables : la Marmotte des Rocheuses a les épaules et la tête noir et blanc.

Habitat : endroits rocheux, talus, vallées et contreforts des montagnes; jusqu'à 3700 m.

Mœurs : surtout diurne. Se nourrit d'herbages et se régale de luzerne. Creuse hab. son terrier près de grosses pierres qu'elle utilise comme postes d'observation. Estivation à la fin de juin. Hiberne d'août à la fin de février ou mars. Émet un sifflement strident en cas de danger.

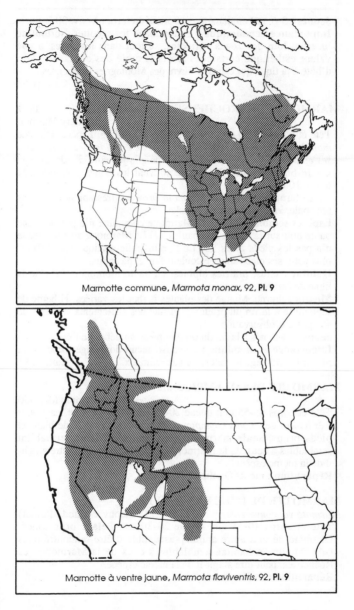

Marmotte commune, *Marmota monax*, 92, **Pl. 9**

Marmotte à ventre jaune, *Marmota flaviventris*, 92, **Pl. 9**

Jeunes : 3-6, nés en mars-avril. Sortent du terrier à env. 30 jours.

Importance économique : endommage les récoltes, surtout de luzerne; loin des zones agricoles, surtout dans les parcs, a une valeur esthétique certaine. Parfois la cible des chasseurs. Sert d'hôte à la tique qui cause la fièvre des Montagnes Rocheuses.

Carte p. 93

MARMOTTE DES ROCHEUSES *Marmota caligata* **Pl. 9**
(Hoary Marmot)

Tête et corps 45-55 cm; queue 20-25 cm; 4-9 kg. Espèce de *haute montagne* qui se reconnaît à *son sifflement strident*, à sa *tête et à ses épaules noir et blanc*, à son corps gris jaunâtre. Pieds *noirs* et ventre blanc grisâtre. Fréquente souvent les zones d'*éboulis*. 22 dents. 10 mamelles.

La Marmotte d'Alaska, *Marmota broweri*, très apparentée mais plus pâle, vit dans le N de l'Alaska.

Espèces semblables : (1) la Marmotte commune n'a pas de blanc ou de noir sur la tête et les épaules. (2) La Marmotte à ventre jaune n'a pas les pieds noirs. (3) Le Spermophile arctique (p. 100) est plus petit, ses pieds sont de couleur fauve, pas noirs.

Habitat : talus, prairies alpines, en haute montagne, près de la ligne des arbres.

Mœurs : diurne. Mange des plantes herbacées variées. Hiberne de septembre à la fin du printemps. Émet des sifflements stridents de son poste d'observation.

Jeunes : 4-5, nés à la fin du printemps ou au début de l'été.

Importance économique : ne cause aucun dommage; procure du plaisir au montagnard intéressé aux animaux. Carte p. 91

MARMOTTE DES OLYMPICS *Marmota olympus*
(Olympic Marmot)

Tête et corps 45-55 cm; queue 20-25 cm. N'habite que les *pentes très hautes* des *monts Olympic*; pelage brun terne mêlé de blanc et pieds bruns; seule marmotte à cet endroit. Mœurs et habitat semblables à ceux de la Marmotte des Rocheuses; peut-être s'agit-il de la même espèce.

Répartition : monts Olympic.

MARMOTTE DE L'ÎLE VANCOUVER
Marmota vancouverensis (Vancouver Island Marmot)

Tête et corps 40-45 cm; queue 20-30 cm. Pelage brun foncé. Distincte de tout autre animal susceptible d'être rencontré dans l'île. Mœurs et habitat semblables à ceux de la Marmotte des Rocheuses; peut-être s'agit-il de la même espèce.

Répartition : île Vancouver.

CHIEN-DE-PRAIRIE À QUEUE NOIRE   Pl. 10

Cynomys ludovicianus   (Black-tailed Prairie Dog)

Tête et corps 25-35 cm; queue 75-100 mm; 900-1350 g. Sa présence est hab. trahie par un groupe de monticules de 30-60 cm de hauteur séparés par une distance de 8-20 m. Le propriétaire, animal *jaunâtre* légèrement plus petit qu'un chat, se tient debout sur l'un des monticules. Le $1/3$ *terminal* de sa queue est *noir*. Il a de petites oreilles et son ventre est chamois pâle ou blanchâtre. 22 dents. 8 mamelles.

Espèces semblables : (1) le Ch.-de-prairie à queue blanche a le bout de la queue blanc. (2) Le Spermophile des rochers est plus petit, à queue plus longue.

Habitat : plaines arides des terres hautes.

Mœurs : diurne; grégaire; construit des «villages»; de petits groupes ont des comportements territoriaux à l'égard des autres groupes. Au moins un individu sert de sentinelle pendant que les autres se nourrissent; le signal d'alerte est un jappement de 2 syllabes émis à raison de 40/min. Se nourrit surtout d'herbages, mais aussi de criquets et d'autres insectes. Creuse des terriers profonds; peut entrer en dormance pour de courtes périodes par temps très froid, mais n'hiberne pas vraiment. Densité variable, de 12 à 87 par ha. Peut vivre 8 $1/2$ ans en captivité. La période d'accouplement commence durant la dernière semaine de janvier et dure 2-3 semaines; première reproduction à 2 ans.

Jeunes : 3-5, parfois jusqu'à 8, nés en mars-avril; gestation 28-32 jours. Nus; yeux ouverts à 5 semaines. Sortent du terrier à 6 semaines.

Importance économique : en compétition avec les troupeaux pour la nourriture; déjà très abondant dans les prairies, mais décimé par l'emploi de poisons. Les colonies sont protégées dans le parc national de Wind Cave, le parc Devils Tower Natl. Monument et près de Lubbock, Texas.   Carte p. 96

CHIEN-DE-PRAIRIE À QUEUE BLANCHE   Pl. 10

Cynomys leucurus   (White-tailed Prairie Dog)

Tête et corps 28-30 cm; queue 30-65 mm; 675-1125 g. Hab. dans les *terres hautes*, très semblable au Ch.-de-prairie à queue noire. Bout de la queue blanc. 22 dents (Pl. 28). 10 mamelles.

Deux espèces semblables signalées dans la littérature, *C. gunnisoni* et *C. parvidens*, sont incluses sur la même carte.

Espèces semblables: (1) le Ch.-de-prairie à queue noire a le bout de la queue noir; habite les terres plus basses. (2) Le Spermophile des rochers est plus petit, à queue plus longue.

Habitat : vallées très hautes (1500-3700 m); zones ouvertes ou un peu arbustives, genévriers et pins épars.

Mœurs : semblales à celles du Ch.-de-prairie à queue noire, mais

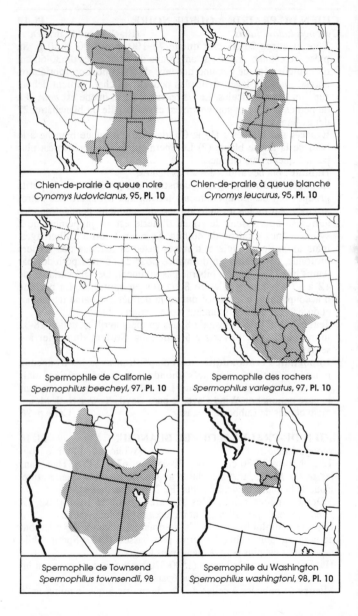

Chien-de-prairie à queue noire
Cynomys ludovicianus, 95, **Pl. 10**

Chien-de-prairie à queue blanche
Cynomys leucurus, 95, **Pl. 10**

Spermophile de Californie
Spermophilus beecheyi, 97, **Pl. 10**

Spermophile des rochers
Spermophilus variegatus, 97, **Pl. 10**

Spermophile de Townsend
Spermophilus townsendii, 98

Spermophile du Washington
Spermophilus washingtoni, 98, **Pl. 10**

moins enclin à vivre en colonie. Estivation en juillet; les jeunes de
l'année hibernent avec les adultes d'octobre ou novembre à mars
dans le N et dans les vallées hautes. Accouplements en mars et
avril; petits nés au début de mai.   Carte ci-contre

SPERMOPHILE DE CALIFORNIE   Pl. 10
Spermophilus beecheyi   (California Ground Squirrel)
Tête et corps 25-30 cm; queue 15-25 cm; 450-1000 g. Tête
brunâtre; corps brun à taches blanchâtres ou chamois; côtés du *cou
et des épaules blanchâtres*; triangle foncé sur le dos entre les
épaules; ventre chamois; queue plutôt touffue. 22 dents. 11-14
(hab. 12) mamelles. Habite aussi l'île de Santa Catalina.
Espèces semblables : (1) les autres spermophiles sont tous plus
petits, à queue plus courte et moins touffue. (2) L'Écureuil de
l'Ouest a le ventre blanc; pas de taches chamois; queue très touffue.
Habitat : pâturages, cultures de céréales, pentes à forêts clairsemées; crêtes rocheuses. Évite chaparral et forêts denses.
Mœurs : diurne; colonial. Mange plantes, graines, glands,
champignons, fruits, oiseaux, œufs et insectes; fait des réserves
dans son terrier. Terrier de 1,5-60 m de long, sur les pentes douces,
parfois à plusieurs ouvertures; sert pendant des années; sentiers
d'un trou à l'autre. Nid de végétation sèche. La plupart des adultes
entrent en dormance en juillet-août; jeunes et adultes hibernent en
octobre ou novembre, parfois sur le sol; sortent en janvier.
Domaine vital hab. de moins de 135 m. Cri d'alerte strident. Une
densité de 5-7,5 par ha est assez élevée. Vit 5 ans ou plus en nature.
Jeunes : 4-15 (moyenne de 7) hab. nés en mars-avril, parfois à l'été
et à l'automne; gestation, 25-30 jours. Restent au terrier 6 semaines.
Importance économique : endommage considérablement les récoltes et les pâturages; autrefois porteur de la peste.   Carte ci-contre

SPERMOPHILE DES ROCHERS   Pl. 10
Spermophilus variegatus   (Rock Squirrel)
Tête et corps 25-30 cm; queue 20-25 cm; 680-815 g. Le plus gros
des écureuils fouisseurs dans la zone où il vit; souvent observé à
chercher sa nourriture dans les endroits dégagés ou *assis au haut
d'un rocher*, surveillant les environs. Pelage hab. *grisâtre* (parfois
presque noir) mêlé de poils cannelle ou bruns; semble *tacheté*; tête
et dos parfois noirâtres; queue presque aussi longue que le corps,
plutôt touffue; 22 dents. 10 mamelles.
Espèces semblables : (1) les autres spermophiles sont plus petits et
ont la queue plus courte. (2) Les chiens-de-prairie ont la queue
courte et ne vivent que dans les prairies ouvertes.
Habitat : canyons rocheux et pentes parsemées de grosses pierres.
Mœurs : diurne; non colonial. Grimpe aussi bien qu'un écureuil
arboricole. Mange graines, fruits, noix, œufs, viande; fait des

réserves dans son terrier. Terrier hab. sous une pierre. Hiberne parfois pour de courtes périodes. Cri d'alerte, un sifflement clair. Vit 10 ans en captivité. Accouplement mars-juillet.

Jeunes : 5-7, nés entre avril et août; gestation inconnue, probablement env. 30 jours.

Importance économique : nuisible près des cultures; inoffensif au pied des montagnes.   Carte p. 96

SPERMOPHILE DE TOWNSEND *Spermophilus townsendii*
(Townsend's Ground Squirrel)

Tête et corps 15-20 cm; queue 35-60 mm; 170-250 g. Queue *courte*, fauve dessous; corps *gris noirâtre* à reflets *chamois rosés*; ventre et flancs blanchâtres. 22 dents. 10 mamelles.

Espèces semblables : (1) le Sp. du Washington est moucheté. (2) Le Sp. de Belding est plus gros et a la queue rousse dessous. (3) Le Sp. armé est brunâtre sur le milieu du dos; queue noire et chamois. (4) Le Sp. du Columbia est plus gros, à pieds et pattes rougeâtres. (5) L'Écureuil-antilope à queue blanche est rayé sur les côtés; sa queue est blanche dessous.

Habitat : sols secs: bosquets d'armoises et prairies herbeuses.

Mœurs : colonial. Mange plantes et graines. Entrée du terrier hab. bordée d'une bande de terre de 100-150 mm de haut. Entre en dormance en mai-juillet; sort en janvier-février; petit cri faible; fait «le piquet» à l'entrée de son terrier.

Jeunes : hab. 5-10 (parfois 15), nés en mars.

Importance économique : nuisible près des cultures.   Carte p. 96

SPERMOPHILE DU WASHINGTON   Pl. 10
Spermophilus washingtoni   (Washington Ground Squirrel)

Tête et corps 150-180 mm; queue 35-65 mm; 165-280 g. Petit, *moucheté*; corps *gris noirâtre tacheté de points blancs*; queue courte à *bout noir*. 22 dents. 10 mamelles.

Espèces semblables : les Sp. (1) de Townsend et (2) de Belding ne sont pas tachetés. (3) Le Sp. du Columbia est plus gros et ses pieds et pattes sont rougeâtre foncé.

Habitat : armoises, herbages, plateaux sablonneux, pentes rocheuses.

Mœurs : semblables à celles du Sp. de Townsend.

Jeunes : 5-11, nés en mars. Sortent du terrier en avril.

Importance économique : nuisible près des cultures.   Carte p. 96

SPERMOPHILE DE L'IDAHO *Spermophilus brunneus*
(Idaho Ground Squirrel)

Tête et corps 165-200 mm; queue 50-65 mm. Oreilles assez *grandes*; dos *à reflets cannelle ou brun clair* bien visibles et tacheté de *petits points blanc grisâtre*; queue brun rouille dessous; menton blanc. 22 dents.

Espèces semblables : le Sp. du Columbia est plus gros, à pieds et pattes rougeâtres.

Habitat : endroits secs; crêtes rocheuses; herbages.

Mœurs : creuse sous les troncs et les pierres; peut entrer en dormance en juillet ou en août.

Répartition : trouvé seulement dans les vallées Weiser et Payette, dans l'O de l'Idaho.

SPERMOPHILE DE RICHARDSON *Spermophilus richardsonii*
(Richardson's Ground Squirrel)

Tête et corps 200-240 mm; queue 50-115 mm; 310-500 g. Espèce des plaines, *gris* terne à reflets *cannelle*, parfois tachetée sur le dos; ventre chamois pâle ou blanchâtre; queue de couleur grisâtre, chamois ou brun clair dessous, *bordée de blanc ou chamois*. 22 dents. 10 mamelles.

Très semblable, *Spermophilus elegans* est maintenant considéré comme une espèce distincte.

Espèces semblables : (1) le Sp. de Belding a le milieu du dos hab. brunâtre; queue rougeâtre dessous. (2) Le Sp. armé a la queue noire mêlée de poils chamois dessus et dessous. (3) Le Sp. du Columbia est plus gros, à pattes et pieds rougeâtres. (4) Le Sp. tacheté a des taches distinctes. (5) Le Sp. rayé porte des rayures. (6) Le Sp. de Franklin est plus gros, à queue plus longue.

Habitat : armoises; herbages; hab. près de végétation (eau); jusqu'à 3350 m d'altitude.

Mœurs : mange des plantes; aussi amateur de chair. Terrier parfois à plusieurs ouvertures. Les adultes entrent en dormance en juillet; sortent à la fin de janvier ou en février.

Jeunes : 2-10, nés en mai.

Importance économique : peut endommager les cultures, mais mange probablement beaucoup d'insectes.

Carte p. 101

SPERMOPHILE ARMÉ *Spermophilus armatus*
(Uinta Ground Squirrel)

Tête et corps 220-230 mm; queue 65-85 mm; 285-425 g. Milieu du dos brunâtre; queue *noire mêlée de blanc jaunâtre*; poils du ventre à bout pâle. 22 dents. 10 mamelles.

Espèces semblables : (1) le Sp. de Townsend n'a pas la queue noire. (2) Chez le Sp. de Richardson, la queue est de couleur grisâtre dessous. (3) Le Sp. de Belding a une rayure brunâtre le long du dos. (4) Le Sp. rayé porte des rayures.

Habitat : clairières, bordures des champs, près de la végétation; jusqu'à 2450 m d'altitude.

Mœurs : colonial. Surtout herbivore; en dormance l'hiver.

Jeunes : 4-6, nés en avril; 1 portée par année.

Importance économique : a peu d'importance car sa répartition est limitée; peut endommager les cultures.   Carte ci-contre

SPERMOPHILE DE BELDING *Spermophilus beldingi*
(Belding's Ground Squirrel)

Tête et corps 200-230 mm; queue 55-75 mm; 225-340 g. De taille moyenne, à dos *grisâtre* à reflets hab. chamois, orné au milieu d'une *rayure brunâtre large* contrastante. Queue rougeâtre dessous, à bout noir et bordée de chamois ou de blanc. 22 dents. 10 mamelles.

Espèces semblables : (1) le Sp. de Townsend est plus petit et sa queue est fauve dessous. (2) Le Sp. de Richardson a la queue chamois pâle ou de couleur grisâtre dessous. (3) Le Sp. du Washington est tacheté dessus. (4) Le Sp. armé n'a pas de rayure brune sur le dos.

Habitat : clairières, bordure des champs, près de la végétation.

Mœurs : semblables à celles du Sp. armé.   Carte ci-contre

SPERMOPHILE DU COLUMBIA   Pl. 10
Spermophilus columbianus   (Columbian Ground Squirrel)

Tête et corps 255-305 mm; queue 75-125 mm; 340-815 g. Plutôt gros, *gris tacheté dorsalement*, à *queue touffue*, distinct des autres espèces qui vivent aux mêmes endroits par *ses pieds et pattes rougeâtre foncé*. 22 dents. 10 mamelles.

Espèces semblables : les Sp. (1) de Townsend, (2) du Washington, (3) de l'Idaho et (4) de Richardson sont tous plus petits; aucun n'a les pattes et les pieds rougeâtres.

Habitat : clairières, bordures des forêts clairsemées, champs cultivés.

Mœurs : colonial. Mange des plantes au printemps et au début de l'été; met des graines en réserve à la fin de l'été. Dormance de juillet-août à février-mars; les mâles sortent 2 semaines plus tôt que les femelles. Petit cri ou sifflement perçant.

Jeunes : 2-7, nés à la fin de mars ou au début d'avril; gestation env. 24 jours.

Importance économique : nuisible près des cultures; inoffensif ailleurs.   Carte ci-contre

SPERMOPHILE ARCTIQUE *Spermophilus parryii*   Pl. 10
(Arctic Ground Squirrel)

Tête et corps 215-350 mm; queue 75-150 mm; 450-1135 g. Grande espèce du *Grand Nord* qui habite aussi dans certaines îles au large de l'Alaska. Dos fauve ou brun rougeâtre ou même noirâtre, abondamment tacheté de blanc; flancs gris; tête rougeâtre dessus; pieds et pattes fauves; poils noirs dans la queue. Seule espèce à vivre dans cette zone. 22 dents.

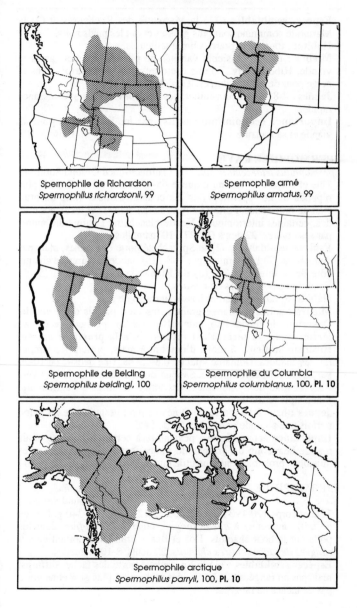

Spermophile de Richardson
Spermophilus richardsonii, 99

Spermophile armé
Spermophilus armatus, 99

Spermophile de Belding
Spermophilus beldingi, 100

Spermophile du Columbia
Spermophilus columbianus, 100, **Pl. 10**

Spermophile arctique
Spermophilus parryii, 100, **Pl. 10**

Espèces semblables : (1) la Marmotte des Rocheuses et (2) la Marmotte commune sont plus grosses et ont les pieds noirs.

Habitat : toundra et prairies broussailleuses.

Mœurs : mange plusieurs variétés de plantes, apprécie aussi la viande. Hiberne env. 7 mois (octobre-mai); sort parfois dans la neige pour de courtes durées. Très «bavard».

Jeunes : 4-8, nés en juin-juillet; gestation env. 25 jours. Croissance rapide.

Importance économique : utilisé par les Esquimaux pour sa viande et sa fourrure. Carte p. 101

SPERMOPHILE RAYÉ Pl. 10

Spermophilus tridecemlineatus (Thirteen-lined Ground Squirrel)

Tête et corps 115-165 mm; queue 65-135 mm; 140-250 g. Le plus répandu de nos spermophiles. Sa couleur de base varie du brun clair au brun foncé. Porte *13 rayures blanchâtres* sur les flancs et le dos, certaines interrompues. Ventre blanchâtre. Distinct des autres par ses rayures. 22 dents (Pl. 27). 10 mamelles.

Espèces semblables : (1) le Sp. tacheté porte des taches, mais pas de rayures. (2) Les tamias (pp. 108-116) ont des rayures de chaque côté de la tête. Les Sp. (3) de Richardson, (4) armé et (5) de Franklin ne portent pas de rayures.

Habitat : prairies d'herbes basses, terrains de golf.

Mœurs : solitaire. Mange graines, insectes, parfois de la viande. Ouverture du terrier hab. camouflée; parfois plusieurs accès au terrier, mais la terre n'est rejetée qu'à la première entrée. Hibernation d'env. 6 mois, d'octobre à mars; préfère les températures chaudes. Domaine vital de 0,8-1,2 ha. Une densité de 10-20 par ha est considérée élevée. Sa répartition s'étend vers le N et vers l'E à la suite du défrichement des terres destinées à l'agriculture. S'accouple en avril.

Jeunes : hab. 7-10 (parfois 14) nés en mai; gestation de 28 jours; parfois une seconde portée à la fin de l'été.

Importance économique : peut nuire à certaines cultures, mais mange beaucoup de graines de mauvaises herbes et d'insectes nuisibles; probablement plus utile que nuisible. Carte p. 104

SPERMOPHILE DU MEXIQUE *Spermophilus mexicanus*

(Mexican Ground Squirrel)

Tête et corps 170-190 mm; queue 115-125 mm; 200-340 g. Espèce de taille moyenne à *queue longue*, *légèrement touffue*, dont les poils ont le bout chamois. Dos et flancs brun terne portant env. *9 rangées de taches claires chamois*. 22 dents. 8-10 mamelles.

Espèces semblables : (1) le Sp. tacheté porte des taches diffuses, mais pas en rangées. (2) Le Sp. des rochers est plus gros et ne porte pas de taches en rangées.

Habitat : zones herbeuses, broussailleuses, mesquites, jarillas, cactus; préfère les sols sablonneux ou graveleux.

Mœurs : probablement semblables à celles du Sp. rayé. Mange plantes, graines, insectes et viande. Souvent aperçu le long des routes à se nourrir à même des carcasses. Fait des terriers sans monticules; chaque terrier comporte plusieurs trous de refuge. Hiberne, mais certains individus sont actifs tout l'hiver. Domaine vital, env. 90 m. S'accouple en avril.

Jeunes : 4-10, nés en mai.   Carte p. 104

SPERMOPHILE TACHETÉ   **Pl. 10**
Spermophilus spilosoma   (Spotted Ground Squirrel)

Tête et corps 125-150 mm; queue 55-90 mm; 85-125 g. Petit, brun grisâtre ou brun roux au dos pivelé de *petits points carrés blancs ou chamois*, indistincts; queue en pinceau, *pas touffue*; ventre blanchâtre. 22 dents. 10 mamelles.

Espèces semblables : (1) le Sp. du Mexique porte des taches distinctes en rangées. (2) Le Sp. rayé a des rayures. (3) Le Sp. de Richardson ne porte pas de taches.

Habitat : forêts et broussailles éparses, parcs herbeux; sols sablonneux de préférence.

Mœurs : actif toute l'année. Timide et reclus; court au ras du sol. Mange plantes, graines et insectes. Creuse son terrier sous les arbustes ou les pierres. Peut hiberner.

Jeunes : 5-7; probablement 2 portées par année.   Carte p. 106

SPERMOPHILE DU MOHAVE *Spermophilus mohavensis*
                                          (Mohave Ground Squirrel)

Tête et corps 150-165 mm; queue 50-90 mm. Petite espèce restreinte au désert du Mohave; *gris cannelle* à *courte queue noirâtre dessus, blanche dessous. Pas de rayures* sur les flancs. Pendant la course, renverse sa queue sur son dos et en expose le dessous blanc. 22 dents. 10 mamelles.

Espèces semblables : L'Écureuil-antilope à queue blanche a des rayures blanches sur le corps.

Habitat : parties basses et broussailleuses du désert; sols sablonneux ou graveleux.

Mœurs : plus actif les jours chauds et calmes. Plutôt solitaire. Mange la végétation tendre au printemps. Ouvertures des terriers (2 ou plus) sans monticules; plusieurs terriers utilisés par le même animal. Sifflement aigu, pas très fort.

Jeunes : 6 embryons observés le 29 mars; femelle aperçue nourrisssant ses petits le 12 avril.   Carte p. 106

SPERMOPHILE À QUEUE RONDE *Spermophilus tereticaudus*
(Round-tailed Ground Squirrel)

Tête et corps 145-165 mm; queue 65-100 mm; 140-185 g. Dos *cannelle rosée* à *reflets grisâtres*; queue en pinceau, non touffue; ventre un peu plus pâle. *Pas de taches contrastantes.* 22 dents. 8-10 mamelles.

Espèces semblables : les écureuils-antilopes ont les flancs rayés.

Habitat : déserts bas; mesquites, jarillas, cactus.

Mœurs : actif surtout matin et soir; cherche l'ombre ou plonge dans son terrier durant la chaleur du jour; souvent aperçu à se

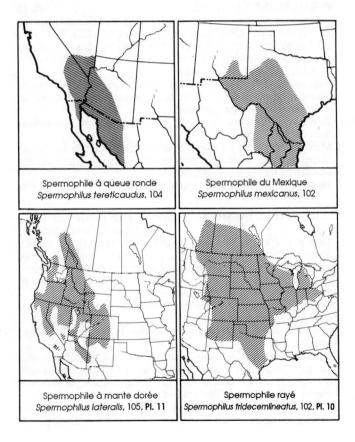

Spermophile à queue ronde
Spermophilus tereticaudus, 104

Spermophile du Mexique
Spermophilus mexicanus, 102

Spermophile à mante dorée
Spermophilus lateralis, 105, **Pl. 11**

Spermophile rayé
Spermophilus tridecemlineatus, 102, **Pl. 10**

reposer à l'ombre d'une plante ou d'un piquet. Actif toute l'année. Mange des graines, probablement aussi des insectes.

Jeunes : nés en avril (autres mois aussi peut-être); 6-12 embryons observés.   Carte ci-contre

SPERMOPHILE DE FRANKLIN   **Pl. 10**
Spermophilus franklinii   (Franklin's Ground Squirrel)
Tête et corps 230-255 mm; queue 125-150 mm; 285-710 g. *Gris, de grande taille*, à reflets fauves sur le dos et les flancs. Ventre presque aussi foncé que le dos; queue assez longue. Plus gros et plus foncé que les autres espèces présentes dans la même région. 22 dents. 10-12 mamelles.

Espèces semblables : (1) le Sp. de Richardson est plus petit, à queue plus courte. (2) Le Sp. rayé porte taches ou rayures.

Habitat : herbes hautes, bordures des champs, forêts clairsemées, bordures des marécages.

Mœurs : colonial, timide. Grimpe aux arbres, mais vit hab. au sol. Aime le soleil; peu actif par temps nuageux. Mange plantes, graines, insectes, viande, œufs d'oiseaux. Camoufle son terrier dans les herbes hautes et accumule un peu de terre à l'entrée. Hiberne de la fin de septembre à avril ou mai; les mâles sortent les premiers. Les petits sont souvent vus en bordure des routes. Une population de 10-12/ha est dense.

Jeunes : 4-11, nés en mai-juin; gestation de 28 jours.

Importance économique : endommage les graines, détruit les œufs d'oiseaux dans les nids au sol, mais détruit aussi beaucoup d'insectes; peut être nuisible à un endroit, utile à un autre.

Carte p. 106

SPERMOPHILE À MANTE DORÉE   **Pl. 11**
Spermophilus lateralis   (Golden-mantled Ground Squirrel)
Tête et corps 150-205 mm; queue 65-120 mm; 170-275 g. Ressemble à un tamia; *tête cuivre*; *rayure blanche bordée de noir* de chaque côté du corps; pas de rayures sur les joues; queue assez courte et bien poilue, mais pas touffue. 22 dents. 8-10 mamelles.

S. saturatus, maintenant une espèce distincte, est restreint aux Cascades du Washington et de la Colombie-Britannique.

Espèces semblables : (1) les tamias ont des rayures de chaque côté de la face. Chez (2) l'Écureuil roux et (3) l'Écureuil de Douglas, il n'y a pas de contraste entre la couleur de la tête et celle du corps; pas de rayures sur les flancs.

Habitat : régions montagneuses, chaparral, forêts clairsemées de pins, sapins et épinettes; jusqu'à la ligne des arbres.

Mœurs : mange graines, fruits, insectes, œufs, viande; fait des réserves. Creuse des terriers près de buissons, arbres, pierres ou troncs. Hiberne d'octobre-novembre à mars-mai; sort parfois dans

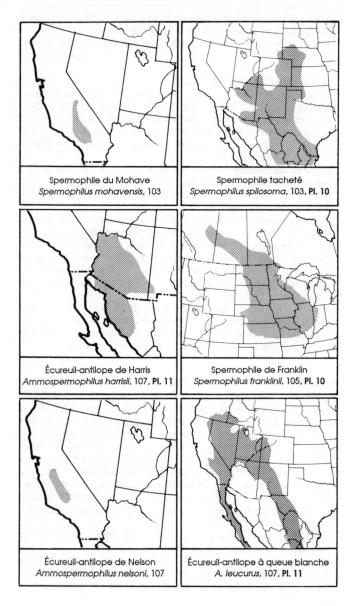

Spermophile du Mohave
Spermophilus mohavensis, 103

Spermophile tacheté
Spermophilus spilosoma, 103, **Pl. 10**

Écureuil-antilope de Harris
Ammospermophilus harrisii, 107, **Pl. 11**

Spermophile de Franklin
Spermophilus franklinii, 105, **Pl. 10**

Écureuil-antilope de Nelson
Ammospermophilus nelsoni, 107

Écureuil-antilope à queue blanche
A. leucurus, 107, **Pl. 11**

la neige en hiver. Domaine vital de moins de 185 m. Densité: 5-12
par ha. La femelle protège parfois le voisinage de son nid. Très
familier dans les terrains de camping.

Jeunes : 2-8, nés au début du printemps

Importance économique : loin des régions agricoles; fait la joie
des campeurs et visiteurs des parcs. Commun dans les parcs de l'O.

Carte p. 104

ÉCUREUIL-ANTILOPE DE HARRIS   Pl. 11

Ammospermophilus harrisii   (Harris' Antelope Squirrel)
Tête et corps 150-160 mm; queue 75-95 mm; 115-150 g. Corps
cannelle rosée ou *gris souris*; *ligne blanche* étroite de chaque côté
du corps. Queue entièrement grise. 22 dents. 10 mamelles.

Espèces semblables : (1) les tamias ont des rayures de chaque côté
de la face; en montagne. (2) Les spermophiles n'ont pas les flancs
rayés.

Habitat : déserts arides à végétation éparse.

Mœurs : probablement semblables à celles de l'Écureuil-antilope à
queue blanche.   Carte ci-contre

ÉCUREUIL-ANTILOPE À QUEUE BLANCHE   Pl. 11

Ammospermophilus leucurus   (White-tailed Antelope Squirrel)
Tête et corps 140-165 mm; queue 50-75 mm; 85-155 g. Corps gris
pâle rosé; *ligne blanche de chaque côté du corps*; *queue blanche
dessous*. Pendant la course, renverse sa queue sur son dos et en
expose le dessous blanc. Seul de sa répartition à avoir ces couleurs.
22 dents. 10 mamelles.

Ammospermophilus interpres, du Texas et du Nouveau-Mexique,
est maintenant considéré comme une espèce distincte.

Espèces semblables : (1) les tamias n'ont pas le dessous de la
queue blanc. (2) Les spermophiles n'ont pas les flancs rayés.

Habitat : déserts bas, contreforts des montagnes, végétation
éparse, genévriers dispersés.

Mœurs : actif toute l'année, même sur la neige. Surtout solitaire.
Mange graines, insectes, viande; fait des réserves; ne boit pas
d'eau. Peut hiberner. Souvent vu le long des routes.

Jeunes : 6-10; peut-être 2 portées par an.

Importance économique : peut endommager les récoltes dans les
zones irriguées; creuse aussi sur les bords des fossés.

Carte ci-contre

ÉCUREUIL-ANTILOPE DE NELSON

Ammospermophilus nelsoni   (Nelson's Antelope Squirrel)
Tête et corps 150-165 mm; queue 65-75 mm; 85-155 g. Restreint à
la vallée de San Joaquim en Californie. Chamois rosé, orné d'une

ligne crème de chaque côté du corps; queue crème dessous; seul écureuil rayé à cet endroit. Expose le dessous de sa queue en courant. 22 dents.

Habitat : régions sèches à végétation éparse.

Mœurs : semblables à celles de l'Écureuil-antilope à queue blanche. Carte p. 106

TAMIA RAYÉ *Tamias striatus* Pl. 11

(Eastern Chipmunk)

Populairement appelé «suisse». Tête et corps 125-150 mm; queue 75-100 mm; 65-125 g. De type écureuil; court la *queue touffue dressée*; *rayures faciales* très distinctives; *dos et flancs rayés jusqu'à la croupe roussâtre*; actif surtout au sol, mais peut grimper. Son «tchip, tchip, tchip» aigu est souvent entendu avant qu'on ne le voie. 20 dents (Pl. 27).

Espèces semblables : (1) le Tamia mineur est plus petit, rayé jusqu'à la base de la queue. (2) Le Spermophile rayé est jaunâtre et sa face ne porte pas de rayures.

Habitat : forêts décidues; zones broussailleuses.

Mœurs : solitaire, sauf dans le cas d'une mère avec ses petits. Mange graines, bulbes, fruits, noix, insectes, viande, œufs; accumule des réserves dans le sol. Hiberne, mais sort parfois sur la neige en hiver. Domaine vital, hab. moins de 90 m. 5-10/ha. Vit 3 ans ou plus en nature, jusqu'à 8 ans en captivité. Vient souvent se ravitailler aux tables. Territorial. Accouplement en avril et de nouveau en juillet-août.

Jeunes : 1ère portée, 2-8, en mai; 2e portée en août-septembre. Gestation, 31 jours. Sortent du terrier aux 2/3 de leur croissance. Se reproduisent la 1ère année.

Importance économique : peut détruire fruits et bulbes; creuse aussi des terriers; animal très populaire près des terrains de camping. Carte ci-contre

TAMIA DES MONTAGNES *Tamias alpinus*

(Alpine Chipmunk)

Tête et corps 110-115 mm; queue 70-90 mm; 25-50 g. Petit tamia à tête et corps grisâtres; rayures latérales fauve foncé sur la face et le corps. 22 dents.

Espèces semblables : (1) le Tamia amène et (2) le Tamia charmant sont plus gros et portent des rayures noirâtres ou brun foncé et/ou ils ont des taches claires derrière les oreilles.

Habitat : escarpements et talus, de la ligne des arbres jusqu'à 2500 m d'altitude.

Répartition : hauteurs de la Sierra Nevada, du mont Conness, Comté de Tuolumne, Californie, vers le S jusqu'au pic Olancha, Comtés Inyo et Tulare, Californie.

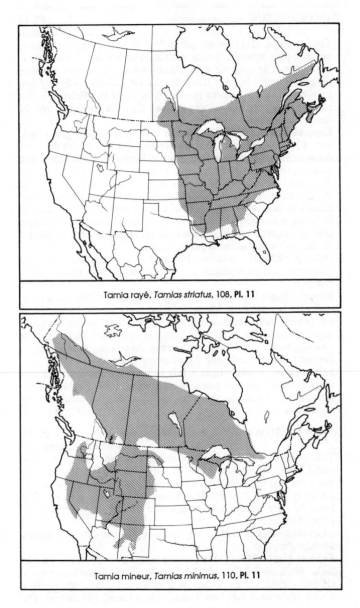

Tamia rayé, *Tamias striatus*, 108, **Pl. 11**

Tamia mineur, *Tamias minimus*, 110, **Pl. 11**

TAMIA MINEUR *Tamias minimus* Pl. 11

(Least Chipmunk)

Tête et corps 95-115 mm; queue 75-115 mm; 30-60 g. C'est le tamia le plus répandu, tant en surface qu'en altitude. C'est aussi le *plus petit* et le plus variable. Sa coloration va du *gris jaunâtre* délavé à rayures foncées fauves (Badlands, Dakota du S) au *fauve grisâtre chaud* à rayures noires (Wisconsin et Michigan). Ses rayures atteignent *la base de sa queue*. Court la queue *dressée*. 22 dents. 8 mamelles.

Espèces semblables : (1) le Tamia à cou gris est plus gros et a le cou et les épaules gris. (2) le Tamia amène a les oreilles noirâtres devant, blanchâtres derrière. (3) Le Tamia de Panamint a une croupe grise qui contraste avec le reste du corps. (4) Le Tamia de Townsend est plus gros, à rayures diffuses. Les Tamias (5) ombré, (6) charmant et (7) du Colorado ont les oreilles noirâtres devant, blanches derrière. (8) Le Tamia des hauteurs a des rayures latérales indistinctes. (9) Le Tamia à queue rousse a la croupe grise et la queue roux foncé dessous. (10) Chez le Tamia rayé, les rayures se terminent sur la croupe roussâtre.

Habitat : déserts à armoises basses, forêts de conifères en haute montagne, forêts boréales mixtes de bois durs; variable selon l'endroit.

Mœurs : passe le printemps, l'été et l'automne à récolter et à accumuler de la nourriture. Monte facilement aux arbres. Mange plantes, graines, noix, fruits; aussi, insectes et viande; se tient au voisinage des campings, surtout s'il y a de la nourriture. Niche sous les souches, troncs couchés, pierres; creuse son propre terrier; hiberne.

Jeunes : 2-6; probablement 2 portées par année.

Importance économique : fait la joie des campeurs et des touristes dans plusieurs parcs. Abonde dans le parc Badlands Natl. Monument, Dakota du S, et dans la plupart des campings dans sa répartition. Carte p. 109

TAMIA DE TOWNSEND *Tamias townsendii* Pl. 11

(Townsend's Chipmunk)

Tête et corps 135-165 mm; queue 95-150 mm; 70-125 g. Gros tamia *brun foncé* qui fréquente les lieux humides de la côte O; il porte des rayures pâles diffuses, jaunâtres ou grisâtres, le long des flancs et du dos. Rayures foncées noirâtres; rayure sous l'oreille brunâtre. Arrière des oreilles noirâtre devant, gris derrière. 22 dents. 8 mamelles.

Les sous-espèces *ochrogenys*, *senex* et *siskiyou* ont été promues au rang d'espèces.

Espèces semblables : (1) le Tamia à longues oreilles a une grande tache blanche derrière chaque oreille et une ligne noire sous chaque oreille. (2) Le Tamia de Sonoma a l'arrière des oreilles d'une seule couleur. Les Tamias (3) mineur, (4) amène, (5) charmant et (6) ombré sont plus petits et ont des rayures qui contrastent avec le reste du corps.

Habitat : forêts de conifères et chaparral avoisinant.

Mœurs : grimpe aux arbres. Se nourrit sur le sol des forêts et dans le chaparral avoisinant; habitudes alimentaires probablement semblables à celles des autres tamias. Hiberne pour de courtes périodes. S'accouple en avril. Présent dans le parc national du mont Rainier et dans le parc national Olympic.

Jeunes : 3-6, nés en mai.   Carte p. 112

TAMIA DES HAUTEURS *Tamias dorsalis*   **Pl. 11**
(Cliff Chipmunk)

Tête et corps 125-150 mm; queue 90-105 mm; 55-85 g. Gris à rayures foncées diffuses au milieu du dos et sur les flancs. Bas du corps et des pattes a reflets jaunes. 22 dents. 8 mamelles.

Espèces semblables : les Tamias (1) mineur, (2) ombré, (3) de Panamint et (4) à cou gris ont des rayures foncées et claires bien distinctes.

Habitat : pentes à pins pignons et à genévriers; limite inférieure des pinèdes.   Carte p. 112

TAMIA DE SONOMA *Tamias sonomae*   (Sonoma Chipmunk)

Tête et corps 120-150 mm; queue 100-125 mm. *Gros* tamia *foncé*. Arrière des oreilles de couleur uniforme; rayures indistinctes, les plus claires, jaunâtres. 22 dents.

Espèces semblables : (1) le Tamia amène a des rayures contrastées blanches et noires. (2) Le Tamia de Townsend a l'arrière des oreilles bicolore, noirâtre devant, gris derrière.

Habitat : chaparral, clairières buissonneuses, bosquets en bordure des ruisseaux; pentes à climat doux, jusqu'à 1800 m.

Mœurs : mange assis sur des rameaux, souches ou pierres. Cherche sa nourriture dans les rameaux des buissons ou sur le sol.
                                  Carte p. 112

TAMIA AMÈNE *Tamias amoenus*   (Yellow-pine Chipmunk)

Tête et corps 115-130 mm; queue 75-110 mm; 40-70 g. Couleurs vives; rayures du dos et des flancs noires et blanches (ou grisâtres) *bien nettes*; oreilles noirâtres devant, blanchâtres derrière; queue fauve sur les côtés et dessous. 22 dents. 8 mamelles.

Espèces semblables : (1) le Tamia mineur a l'avant des oreilles fauve. (2) Le Tamia des montagnes a les rayures latérales fauve foncé. (3) Le Tamia à queue rousse à la queue rousse dessous. Les Tamias (4) charmant et (5) ombré ont les rayures latérales brun foncé. Les Tamias (6) de Townsend, (7) de Merriam, (8) à longues oreilles et (9) de Sonoma sont plus gros, à rayures diffuses.

Habitat : forêts de conifères clairsemées, chaparral, zones rocheuses à buissons ou à pins épars, régions brûlées à souches et buissons.

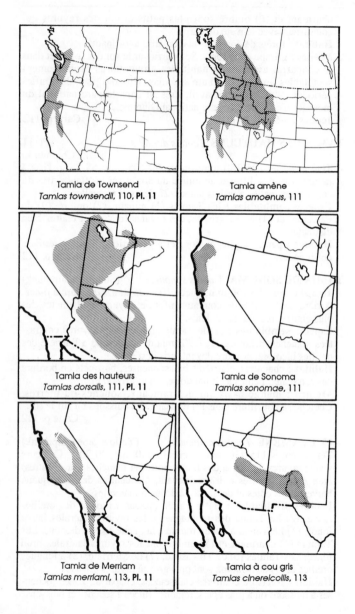

Tamia de Townsend
Tamias townsendii, 110, **Pl. 11**

Tamia amène
Tamias amoenus, 111

Tamia des hauteurs
Tamias dorsalis, 111, **Pl. 11**

Tamia de Sonoma
Tamias sonomae, 111

Tamia de Merriam
Tamias merriami, 113, **Pl. 11**

Tamia à cou gris
Tamias cinereicollis, 113

Mœurs : exclusivement diurne. Grimpe aux arbres. Consomme des matières végétales, surtout des graines, parfois des insectes; nourri de viande en captivité. Terrier jusqu'à 1 m de longueur, sans amas de terre à l'entrée; fait des réserves dans son nid. Hiberne de novembre à mars dans le N. Vit plus de 5 ans en nature. Saison des amours en avril.

Jeunes : 5-7, nés en mai, glabres, aveugles; 1 portée par an. Sortie du nid en juin; sevrage à 6 semaines. Reproduction au printemps suivant.

Importance économique : petit animal sympathique présent dans plusieurs parcs (hab. loin des zones agricoles): Craters of the Moon Natl. Monument (plus foncé et plus gros des 2 tamias présents) et Monts Rainier et Olympic (plus petit et plus coloré des 2 tamias présents).   Carte ci-contre

TAMIA DE MERRIAM *Tamias merriami*   Pl. 11
(Merriam's Chipmunk)

Tête et corps 120-165 mm; queue 90-140 mm. 70-115 g. Gros tamia brun grisâtre à *rayures diffuses*. Rayure sous l'oreille brunâtre. 22 dents. 8 mamelles.

Tamias obscurus, très semblable, est maintenant reconnu comme une espèce distincte.

Espèces semblables : (1) le Tamia à longues oreilles a une rayure noire sous l'oreille et une tache blanche derrière. Les Tamias (2) amène et (3) charmant ont des rayures blanches distinctes.

Habitat : pentes du chaparral, forêts mixtes de chênes et de pins sabins, bosquets en bordure des ruisseaux, tas de pierres, contreforts des montagnes.   Carte ci-contre

TAMIA À COU GRIS *Tamias cinereicollis*
(Gray-collared Chipmunk)

Tête et corps 120-140 mm; queue 90-115 mm; 55-85 g. Corps *gris foncé* à reflets fauves sur les flancs; *cou et épaules gris pâle*; rayures foncées latérales brunes, rayure médiane noire. 22 dents (Pl. 27). 8 mamelles.

T. canipes est maintenant reconnu comme une espèce distincte.

Espèces semblables : (1) le Tamia mineur est plus petit, son cou n'est pas gris. (2) Le Tamia des hauteurs a des lignes latérales indistinctes.

Habitat : forêts de conifères; hautes montagnes.   Carte ci-contre

TAMIA À LONGUES OREILLES *Tamias quadrimaculatus*
(Long-eared Chipmunk)

Tête et corps 125-150 mm; queue 90-120 mm; 70-100 g. *Gros* tamia *de la haute Sierra*, grisâtre ou fauve à rayures diffuses. Grande *tache blanche* nette derrière l'oreille, rayure noire dessous. 22 dents.

Espèces semblables : les Tamias (1) amène, (2) charmant et (3) ombré sont plus petits, à rayures nettes. Les Tamias (4) de

Townsend et (5) de Merriam ont une ligne brune sous l'oreille.
Habitat : forêts et bosquets arbustifs; 2000-2225 m d'altitude.

Carte ci-contre

TAMIA À QUEUE ROUSSE *Tamias ruficaudus*

(Red-tailed Chipmunk)

Tête et corps 115-145 mm; queue 100-120 mm. *Gros*; couleurs
vives; épaules et flancs fauve vif; croupe grise; queue *roussâtre
foncé dessous*. 22 dents. 8 mamelles.
Espèces semblables : (1) le Tamia amène a la queue fauve
dessous. (2) Le Tamia mineur est plus petit et sa croupe ne contraste ni avec ses flancs, ni avec sa tête.
Habitat : forêts de conifères, éboulis, montagnes jusqu'à la ligne
des arbres. Carte ci-contre

TAMIA DU COLORADO *Tamias quadrivittatus* Pl. 11

(Colorado Chipmunk)

Tête et corps 115-125 mm; queue 80-115 mm; 55-85 g. Tête,
croupe et flancs gris à reflets fauves sur les côtés; couleurs vives;
rayures latérales brun foncé; oreilles noirâtres devant, blanches
derrière. Queue fauve dessous, à bout noir et bordée de fauve pâle.
22 dents. 8 mamelles.
Espèces semblables : le Tamia mineur est plus petit; ses rayures
dorsales s'étendent jusqu'à la base de sa queue.
Habitat : forêts de conifères, pentes et crêtes rocheuses.

Carte ci-contre

TAMIA OMBRÉ *Tamias umbrinus* (Uinta Chipmunk)

Tête et corps 115-130 mm; queue 90-120 mm; 55-85 g. Semblable
au Tamia du Colorado. 22 dents. 8 mamelles.
Espèces semblables : (1) le Tamia mineur a l'avant des oreilles
fauve. (2) Le Tamia amène a des rayures latérales noires. (3) Le
Tamia charmant a le dessus de la tête brun; tache noire de plus de
12 mm de longueur sous la queue, avant le bout. (4) Le Tamia de
Panamint a les épaules et les flancs fauve vif; oreilles fauves
devant. Les Tamias (5) de Townsend, (6) à longues oreilles et (7)
des hauteurs portent des rayures latérales diffuses.
Habitat : forêts de conifères (zone de pins jaunes) jusqu'à la ligne
des arbres; pentes rocheuses; 1800-3300 m. Carte ci-contre

TAMIA DE PANAMINT *Tamias panamintinus*

(Panamint Chipmunk)

Tête et corps 115-120 mm; queue 90-100 mm; 40-65 g. Couleurs
contrastantes; tête et croupe grises; flancs, dos et devant des
oreilles fauve; ligne médiane gris noirâtre. 22 dents. 8 mamelles.
Espèces semblables : (1) Le Tamia mineur a la croupe semblable
au dos. Les Tamias (2) charmant et (3) ombré ont les oreilles

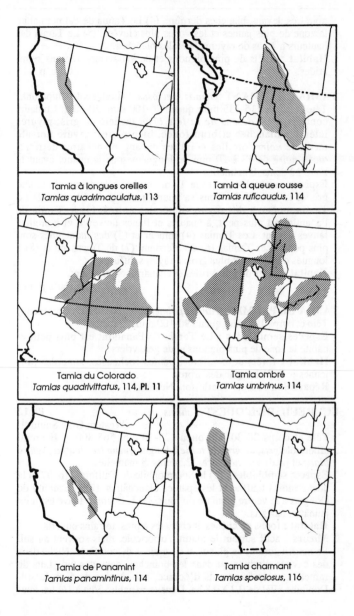

Tamia à longues oreilles
Tamias quadrimaculatus, 113

Tamia à queue rousse
Tamias ruficaudus, 114

Tamia du Colorado
Tamias quadrivittatus, 114, **Pl. 11**

Tamia ombré
Tamias umbrinus, 114

Tamia de Panamint
Tamias panamintinus, 114

Tamia charmant
Tamias speciosus, 116

noirâtres devant, blanches derrière. (4) Le Tamia de Palmer habite la zone de pins jaunes et les zones plus élevées. (5) Le Tamia des hauteurs n'a pas de rayures latérales blanches.
Habitat : forêts de pins pignons et de genévriers; régions semi-arides.   Carte p. 115

TAMIA CHARMANT *Tamias speciosus*   (Lodgepole Chipmunk)
Tête et corps 115-135 mm; queue 70-100 mm; 50-60 g. Couleurs contrastantes; *dessus de la tête brun* tacheté de gris; rayures latérales blanches et brun foncé, bien nettes; rayure dorsale médiane *noire*; oreilles noirâtres devant, blanchâtres derrière; *tache noire* de 13 à 20 mm de longueur sous la queue, avant le bout. 22 dents. 8 mamelles.
Espèces semblables : (1) le Tamia ombré a le dessus de la tête gris et la tache noire sous sa queue a moins de 12 mm. (2) Le Tamia amène a des rayures latérales noires. (3) le Tamia de Panamint est plus petit, à épaules et flancs fauve vif et à oreilles fauves devant. Les Tamias (4) mineur et (5) des montagnes sont plus petits. Les Tamias (6) de Merriam, (7) de Townsend et (8) à longues oreilles sont plus gros, à rayures diffuses.
Habitat : forêts de pins vrillés et chaparral environnant.
                                                                Carte p. 115

TAMIA DE PALMER *Tamias palmeri*   (Palmer's Chipmunk)
Tête et corps 125 mm; queue 90-100 mm. 22 dents.
Espèces semblables : Le Tamia de Panamint est plus petit et habite la zone de pins pignons et de genévriers.
Habitat : forêts de conifères, pentes rocheuses, zone des pins jaunes jusqu'à la ligne des arbres.
Répartition : monts Charleston, Nevada.

ÉCUREUIL DE L'OUEST *Sciurus griseus*   **Pl. 12**
                                                    (Western Gray Squirrel)
Tête et corps 20-30 cm; queue 25-30 cm; 565-800 g. Écureuil arboricole *gris, de grande taille* à longue *queue très touffue, ventre blanc* et pieds *gris noirâtres*. 22 dents. 8 mamelles.
Espèces semblables : (1) le Spermophile de Californie (p. 97) a la queue moins touffue et les épaules blanchâtres. (2) L'Écureuil de Douglas a le ventre jaunâtre ou roux. (3) L'Écureuil fauve est roux jaunâtre, pas gris.
Habitat : forêts de chênes et chênaies à pins; terrains ouverts.
Mœurs : actif surtout le matin. Arboricole, mais souvent au sol. Se nourrit surtout de glands et de graines de conifères. Niche dans des cavités d'arbres ou dans les branches, dans des nids faits de rameaux et de fragments d'écorce, hab. à plus de 6 m du sol. Domaine vital de 0,2 à 0,8 ha. Densité variable: 5/ha à 1/4 ha. Peut

vivre 11 ans en captivité. Émet de petits jappements rapprochés. Femelle territoriale quand les petits sont au nid.

Jeunes : 3-5, nés entre février et juin; gestation probablement plus de 43 jours. 1 portée par année.

Importance économique : parfois chassé; bien apprécié des visiteurs des parcs de l'O, notamment le parc national Yosemite. Endommage souvent les récoltes de noix et d'amandes.

Carte ci-dessous

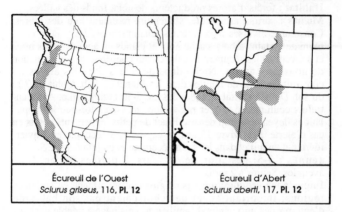

Écureuil de l'Ouest
Sciurus griseus, 116, **Pl. 12**

Écureuil d'Abert
Sciurus aberti, 117, **Pl. 12**

ÉCUREUIL D'ABERT *Sciurus aberti* **Pl. 12**

(Abert's Squirrel)

Tête et corps 30 cm; queue 20-25 cm; 680-910 g. Le plus coloré de nos écureuils arboricoles. Queue *toute blanche* ou *blanche dessous* et largement bordée de blanc; ventre *blanc ou noir*; *touffes aux oreilles* noires ou noirâtres, sauf en fin d'été; flancs gris; dos rougeâtre. 22 dents. Seul écureuil de ce type.

Habitat : forêts de pins jaunes, à 2000-2500 m d'altitude.

Mœurs : se nourrit surtout de cônes de pins et du cambium des jeunes rameaux de pins; mange aussi des champignons. Construit de gros nids haut dans les pins. Plutôt silencieux, mais émet des jappements en cas d'alerte. S'accouple en mars-avril.

Jeunes : 3-4, nés en avril-mai.

Importance économique : peu mêlé aux activités humaines; objet d'admiration des touristes dans son aire de répartition, mais rare sur la rive N du Grand Canyon. Carte ci-dessus

ÉCUREUIL GRIS *Sciurus carolinensis* **Pl. 12**

(Gray Squirrel)

Tête et corps 20-25 cm; queue 20-25 cm; 340-725 g. Couleur de base *gris,* à reflets fauves en été; *queue très touffue bordée de poils à bout blanc*. En certaines zones, il est complètement noir et constitue une forme mélanique de l'espèce. 22 dents. 8 mamelles. Introduit à Seattle, Washington, et dans le parc Stanley à Vancouver, Colombie-Britannique.

Espèces semblables : (1) l'Écureuil fauve est jaunâtre et sa queue est bordée de poils à bout fauve; ou corps à taches blanches ou noires, ou gris acier partout. (2) L'Écureuil roux est plus petit, jaunâtre ou roussâtre.

Habitat : forêts d'arbres producteurs de noix, fonds des vallées.

Mœurs : surtout arboricole, s'aventure rarement loin des arbres. Consomme diverses noix, graines, champignons, fruits et le cambium de certains arbres; cache noix et glands un à un dans des trous et souvent ne les récupère jamais, ce qui contribue à la germination de nouveaux arbres. Niche dans des trous dans les arbres ou construit des nids de feuilles dans les branches, hab. à plus de 7 m du sol. Domaine vital de 0,8 à 2,8 ha. 5-50 individus/ha. Avait autrefois coutume de migrer par bandes massives lorsque les populations devenaient trop denses. Émet de petits jappements courts en cas d'alerte. Peut vivre 15 ans en captivité. S'accouple en janvier-février et en juillet dans le N, en décembre et en juin dans le S.

Jeunes : 3-5; gestation de 44 jours; 2 portées par an. Nus, aveugles. Sevrés à 2 mois.

Importance économique : petit gibier d'importance en certaines régions; important agent de reboisement par son habitude d'enterrer des noix; animal familier au voisinage agréable dans les villes; s'attaque rarement aux récoltes.   Carte ci-contre

ÉCUREUIL DE L'ARIZONA *Sciurus arizonensis*

(Arizona Gray Squirrel)

Tête et corps 25-30 cm; queue 25-30 cm; 600-750 g. L'écureuil arboricole le plus commun des montagnes du SE de l'Arizona. De grande taille, *gris*, parfois jaunâtre sur le dos; *ventre* et *frange de la queue blancs*. 20 dents. 8 mamelles.

Espèces semblables : (1) l'Écureuil d'Abert a de grosses touffes aux oreilles (sauf en fin d'été). (2) L'Écureuil du Nayarit est brun jaunâtre. (3) L'Écureuil roux est plus petit, jaunâtre ou roussâtre sur les flancs et le dos.

Habitat : forêts de chênes et de pins.

Mœurs : avant tout arboricole. Mange glands, noix, graines; comportement probablement semblable à celui de l'Écureuil gris.

Importance économique : probablement inoffensif; peu abondant; répartition restreinte.   Carte ci-contre

ÉCUREUIL FAUVE *Sciurus niger*   **Pl. 12**

(Fox Squirrel)

Tête et corps 25-40 cm; queue 25-35 cm; 540-1360 g. Partout où il y a des arbres producteurs de noix dans sa répartition. Hab. *roux jaunâtre* à ventre pâle, *jaune ou orangé*; queue touffue *bordée de poils à bout fauve*. Dans le SE, corps parfois tacheté de mélanges de poils jaunes, blancs et noirs et tête plus ou moins noire, ornée de blanc sur le nez et les oreilles. Dans une zone restreinte de la côte Atlantique (Delaware, Maryland) et les parties adjacentes de la Virginie, de la Virginie occidentale et de la Pennsylvanie, il est parfois strictement gris acier, sans reflets fauves. 20 dents (Pl. 27). 8 mamelles.

Espèces semblables : (1) l'Écureuil gris est plus petit; son corps est gris à reflets pâles fauves (été) et sa queue est bordée de blanc. (2) L'Écureuil de l'Ouest est gris, sans reflets roux ou jaunes. (3) L'Écureuil roux est plus petit et a le ventre blanchâtre.

Habitat : forêts de bois durs dans le N et forêts de pins dans le S, mais entrecoupées de clairières.

Mœurs : passe beaucoup de temps au sol à chercher sa nourriture, parfois assez loin des arbres. Consomme noix variées, glands,

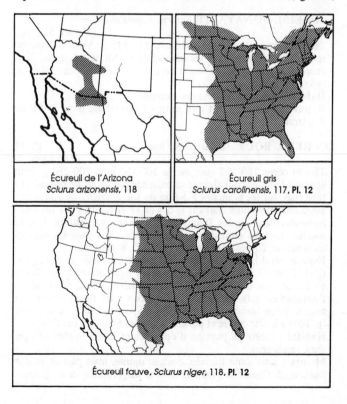

Écureuil de l'Arizona
Sciurus arizonensis, 118

Écureuil gris
Sciurus carolinensis, 117, **Pl. 12**

Écureuil fauve, *Sciurus niger*, 118, **Pl. 12**

graines, champignons, œufs d'oiseaux et cambium de petits rameaux; enterre ses noix une à une et plusieurs ne sont jamais retrouvées. Niche dans des cavités d'arbres ou construit un nid de rameaux et de feuilles dans les branches, hab. à plus de 9 m du sol. Domaine vital de 4-16 ha. 1-7/ha. Peut vivre 10 ans ou plus. S'accouple en janvier-février et en juin-juillet dans le N, env. un mois plus tôt dans le S; les femelles s'accouplent à 1 an.

Jeunes : 2-5, nés entre février et avril et en août-septembre dans le N, un mois plus tôt dans le S; gestation de 44 jours; les femelles de 1 an ont une portée, les femelles plus vieilles, 2. Sevrés à 2-3 mois.

Importance économique : petit gibier important; peut endommager les cultures de céréales en bordure des bois; habitant apprécié des parcs et des petites villes. Introduit en plusieurs villes de l'O, à Seattle, dans le Washington, et à Fresno, Sacramento et San Francisco en Californie. Menacé en plusieurs régions.

Carte p. 119

ÉCUREUIL DU NAYARIT *Sciurus nayaritensis*

(Nayarit Squirrel)

Tête et corps 30 cm; queue 30 cm; 510-815 g. Vient à peine en territoire américain, dans les montagnes du SE de l'Arizona. Gros écureuil *brun jaunâtre* à *ventre ocre*. 20 dents. Seul écureuil de ce type dans la région.

Habitat : bosquets au fond des canyons.

Répartition : restreint aux monts Chiricahua, dans le SE de l'Arizona.

ÉCUREUIL ROUX *Tamiasciurus hudsonicus*   **Pl. 11**

(Red Squirrel)

Tête et corps 180-205 mm; queue 100-150 mm; 200-250 g. Petit écureuil *tapageur* qui signale sa présence par un *cri de crécelle*; se tient hab. sur les branches à 3-6 m du sol. *Jaunâtre ou roussâtre*, assez uniforme, plus clair sur le dos en hiver (touffes aux oreilles), *ligne noirâtre* sur les flancs en été, ventre blanchâtre. Queue touffue. Le plus petit des écureuils arboricoles dans les régions qu'il habite. 20 dents (parfois 22) (Pl. 27). 8 mamelles.

Espèces semblables: (1) l'Écureuil gris, gris ou noir, est plus gros. (2) L'Écureuil fauve est plus gros, sans ligne noire sur les flancs en été et sans touffes aux oreilles en hiver. (3) L'Écureuil de l'Arizona est gris. (4) L'Écureuil d'Abert a les flancs gris ou est noir, à queue blanche ou grise. (5) Le Spermophile à mante dorée (p. 105) a la tête cuivre et porte des rayures blanches aux flancs.

Habitat : forêts de pins ou d'épinettes et forêts mixtes de bois durs, marécages.

Mœurs : actif toute l'année. Surtout diurne, mais parfois actif à l'obscurité. Creuse des tunnels dans la neige. Menu varié: graines,

noix, œufs, champignons; réserves de cônes et de noix en tas dans
des caches; cache parfois des champignons un à la fois à la jointure
de deux branches; se ménage hab. un coin favori pour décortiquer
ses noix ou ses cônes et les débris s'entassent en monceaux parfois
énormes. Niche dans la cavité d'un arbre ou construit un nid de
feuilles, rameaux et fragments d'écorce dans les branches, hab. près
du tronc. Domaine vital de 180 m au maximum. En moyenne 2/ha;
jusqu'à 25/ha. Peut vivre 10 ans. Comportement territorial.
S'accouple en février-mars et en juin-juillet.

Jeunes : 2-7, nés en avril-mai et août-septembre. Gestation, 38
jours.

Importance économique : peut faire des dégâts dans les chalets;
fait la joie des campeurs et des marcheurs.   Carte ci-dessous

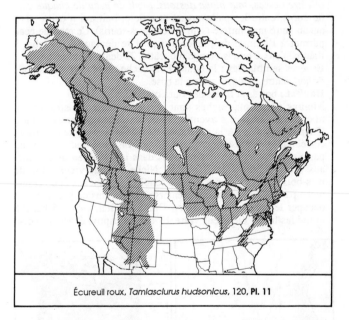

Écureuil roux, *Tamiasciurus hudsonicus*, 120, **Pl. 11**

ÉCUREUIL DE DOUGLAS *Tamiasciurus douglasii*   **Pl. 11**
(Douglas' Squirrel)

Tête et corps 150-180 mm; queue 120-125 mm; 170-205 g. Ce
petit écureuil *tapageur* remplace l'Écureuil roux dans les *forêts de
conifères* de l'O. Olive rougeâtre, foncé, plus gris en hiver, à
ventre *jaunâtre ou roux. Ligne noire* nette sur chaque flanc en été,
absente ou diffuse en hiver. 20 dents. 8 mamelles.

Espèces semblables : (1) l'Écureuil de l'Ouest (p. 116) est plus gros, gris à ventre blanc. (2) Le Spermophile à mante dorée a la tête cuivrée et une rayure blanche au côté.

Habitat : forêts de conifères.

Mœurs : semblables à celles de l'Écureuil roux.

Jeunes : 4-8, nés en juin et octobre.

Importance économique : inoffensif; apprécié des campeurs et des visiteurs dans les parcs.   Carte ci-dessous

PETIT POLATOUCHE *Glaucomys volans*   **Pl. 12**
(Southern Flying Squirrel)

Tête et corps 140-145 mm; queue 90-115 mm; 50-80 g. Les polatouches sont rarement vus. Pelage épais, doux et soyeux, *brun olivâtre* dessus, *tout blanc dessous. Repli de peau de chaque côté* du corps, entre les pattes avant et arrière, trait qui n'existe chez aucun autre mammifère (sauf les chauves-souris). Ce repli de peau permet à l'animal de planer lorsqu'il se déplace d'un arbre à l'autre. Yeux à reflets orange rougeâtre. 22 dents. 8 mamelles.

Espèces semblables : le Grand Polatouche est plus gros; les poils de son ventre sont gris acier à la base.

Habitat : boisés et forêts décidues ou mixtes.

Mœurs : les polatouches sont les seuls écureuils strictement nocturnes. Celui-ci s'aventure dans les zones ouvertes la nuit. Grégaire en hiver. A la réputation de retrouver son gîte de distances éloignées. Consomme graines, noix, insectes, œufs d'oiseaux; parfois carnivore; fait des réserves dans une «pièce» de son nid, aussi aux jointures des rameaux. Niche dans de vieux trous de pics-bois ou construit des nids de feuilles, de rameaux et d'écorce; niche parfois aussi dans les greniers; 20 individus ou plus peuvent occuper le même gîte en hiver. Domaine vital, env. 1,6 ha. 2-5 individus/ha en été. Peut vivre 13 ans en captivité; s'apprivoise

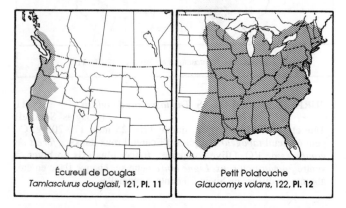

Écureuil de Douglas
Tamiasciurus douglasii, 121, **Pl. 11**

Petit Polatouche
Glaucomys volans, 122, **Pl. 12**

facilement. Cri aigu, semblable à celui d'un oiseau. S'accouple en février-mars et en juin-juillet.

Jeunes : 2-6, nés en avril-mai et août-septembre; gestation de 40 jours environ.

Importance économique : négligeable; il loge parfois dans les greniers. Carte ci-contre

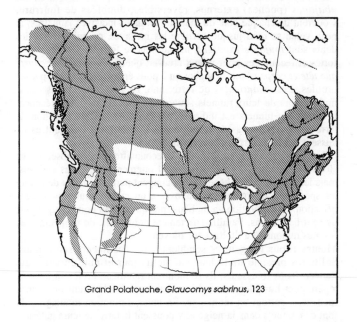

Grand Polatouche, *Glaucomys sabrinus*, 123

GRAND POLATOUCHE *Glaucomys sabrinus*

(Northern Flying Squirrel)

Tête et corps 140-160 mm; queue 110-140 mm; 115-185 g. Semblable au Petit Polatouche, mais plus gros; poils du ventre gris acier à la base, à bout *blanc*; 22 dents (Pl. 27). 8 mamelles.

Espèces semblables : le Petit Polatouche a les poils du ventre blancs même à la base.

Habitat : forêts de conifères et forêts mixtes.

Mœurs : peu connues, probablement semblables à celles du Petit Polatouche.

Jeunes : 2-5, nés en mai-juin.

Importance économique : sert de nourriture à certains animaux à fourrure; se prend parfois aux pièges des trappeurs, attiré par l'appât. Carte ci-dessus

Gaufres : Geomyidae

Animaux de taille petite ou moyenne; tête et corps 120-230 mm; des *abajoues* (poches) externes, réversibles, doublées de fourrure, s'ouvrent de chaque côté du museau. Grandes incisives jaunâtres; la peau velue se rend jusque derrière les incisives, ce qui fait que les dents sont *toujours exposées*, même bouche fermée. Griffes antér. fortes et recourbées pour mieux creuser; queue *toujours plus courte que tête et corps réunis* et glabre ou à poils épars. Petits yeux, petites oreilles. Les *monticules* de terre, hab. *en éventails*, qu'ils accumulent hors de leurs tunnels souterrains font foi de leur présence. L'entrée des tunnels est indiquée par la présence d'un bouchon de terre rond, dernier tas de terre poussé à la surface. Les gaufres ne laissent pas leurs terriers ouverts longtemps.

Quelques espèces sont difficiles à reconnaître sans en observer les structures internes. 2 espèces habitent rarement les mêmes endroits, mais leurs répartitions générales se coupent parfois. En cas de doute, les spécimens devraient être envoyés à un musée pour fins d'identification. La coloration va du blanc presque pur au noir presque pur; ils sont hab. bruns. Famille strictement nord-amér. de rongeurs. Les fossiles remontent à l'Oligocène moyen.

Mœurs : tous les gaufres semblent avoir des mœurs semblables. Solitaires presque toute leur vie; actifs jour et nuit durant toute l'année. Tous fouisseurs, ils se montrent rarement. Préfèrent les sols légèrement humides et meubles, mais certains habitent des zones rocheuses, surtout en montagne. En hiver, surtout en montagne, ils font des tunnels dans la neige et y poussent la terre de leurs galeries. À la fonte, les longs cordons de terreau se déposent à la surface. Les gaufres mangent surtout racines et tubercules, mais aussi le feuillage des plantes. Ils viennent parfois en surface se nourrir, mais hab., ils tirent la plante dans le sol par la racine. Domaine vital, 200 m² chez les mâles, 120 m² chez les femelles de *T. bottae*. Certaines espèces sont territoriales. Les gaufres sont polygames et peuvent se reproduire une fois l'an dans le N, 2 fois ou plus dans le S.

Importance économique : font des dégâts dans les zones agricoles, surtout dans les cultures de luzerne où ils ne font pas que manger la végétation, mais font aussi des tunnels qui empêchent de faire la récolte. Les cultures de légumes-racines souffrent également. Dans les endroits sauvages, ils servent probablement à rendre les sols meubles; ils brassent le sol, en assurant ainsi l'aération et l'hydratation. Animaux très intéressants.

GAUFRE DE BOTTA *Thomomys bottae* **Pl. 13**

(Botta's Pocket Gopher)

Tête et corps 120-180 mm; queue 50-95 mm; 70-250 g. De taille et de coloration très variable; petit sur certains monts des déserts du S, gros dans les vallées; presque blanc dans le désert Impérial, presque noir en certains endroits de la côte du Pacifique. Hab. brun. S'identifie surtout à son aire de répartition. Les différences mentionnées ci-dessous s'appliquent aux endroits où les aires de répartition se recoupent. Sillon simple peu profond près de la bordure interne de chaque incisive supér. 20 dents. 8 mamelles.

Thomomys baileyi est maintenant reconnu synonyme de *T. bottae*.

Espèces semblables : (1) le Gaufre gris est grisâtre, plus petit; la femelle a 10 mamelles; il vit dans les montagnes, en altitude. (2) Le Gaufre des montagnes est plus petit et vit aussi dans les montagnes, en altitude. (3) Le Gaufre de Townsend est plus gros, grisâtre. (4) Le Gaufre pygmée est plus petit, en montagne. (5) Le Gaufre à face jaune est plus gros, jaunâtre et porte un sillon profond le long de chaque incisive supér. (6) Le Gaufre brun est plus gros et a deux sillons antér. le long de chaque incisive supér.

Habitat : vallées et prés dans les montagnes; préfère les sols riches, mais fréquente parfois les endroits sablonneux ou rocheux.

Jeunes : hab. 5-7 (extrêmes 3-13), nés entre octobre et juin; période de gestation de 19 jours; activités reproductrices surtout entre le début de novembre et le début d'avril.

Carte p. 126

GAUFRE DE BAILEY *Thomomys baileyi*,
voir Gaufre de Botta, p. 125

GAUFRE PYGMÉE *Thomomys umbrinus*

(Southern Pocket Gopher)

Tête et corps 115-125 mm; queue 50-60 mm. Petit gaufre *brun jaunâtre* ou *brun châtain* qui ne se rencontre qu'en *montagne*. Les gaufres avec lesquels il pourrait être confondu habitent hab. les vallées. Sillon unique peu profond près de la bordure interne de chaque incisive. 20 dents. 6 mamelles.

Espèces semblables : (1) le Gaufre de Botta, plus gros, habite les terres basses. (2) Le Gaufre à face jaune est plus gros, jaunâtre, et porte un sillon profond au milieu de chaque incisive supér.; habite les terres basses.

Habitat : forêts de chênes et de pins; parfois sur les sols rocheux.

Carte p. 126

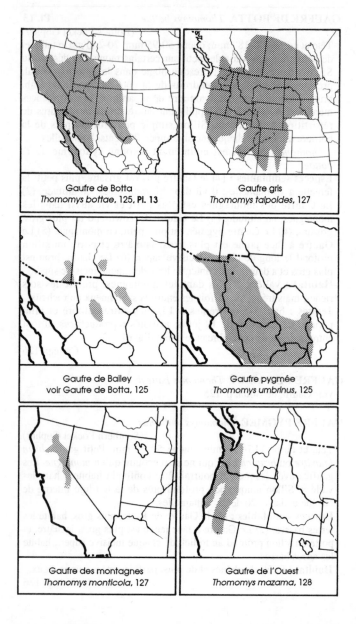

Gaufre de Botta
Thomomys bottae, 125, **Pl. 13**

Gaufre gris
Thomomys talpoides, 127

Gaufre de Bailey
voir Gaufre de Botta, 125

Gaufre pygmée
Thomomys umbrinus, 125

Gaufre des montagnes
Thomomys monticola, 127

Gaufre de l'Ouest
Thomomys mazama, 128

GAUFRE GRIS *Thomomys talpoides*

(Northern Pocket Gopher)

Tête et corps 125-165 mm; queue 45-75 mm; 80-130 g. Mâles plus gros que les femelles. Hab. trouvé *en haute montagne*. *Grisâtre*, parfois à reflets bruns; museau brun ou noir; taches noires derrière les oreilles rondes. Sillon unique peu profond près de la bordure interne de chaque incisive supér. 20 dents (Pl. 27). 10 mamelles.

Deux autres gaufres très semblables sont maintenant considérés comme des espèces valides; l'un, *Thomomys clusius* habite le Wyoming, l'autre, *Thomomys idahoensis*, vit dans l'E de l'Idaho.

Espèces semblables : (1) le Gaufre de Botta n'est hab. pas grisâtre; la femelle a 8 mamelles; il vit dans les vallées et sur les contreforts des montagnes. (2) Le Gaufre des montagnes est brun et a les oreilles pointues. (3) Le Gaufre de Townsend est plus gros et habite le long des rivières dans les vallées. (4) Le Gaufre bulbivore est plus gros et habite les terres basses. (5) Le Gaufre brun, dans les terres basses, est plus gros et le sillon de ses dents est profond.

Habitat : prés herbeux, prairies alpines; zones broussailleuses et forêts de pins clairsemés.

Jeunes : hab. 4-7, nés entre février et juin; 1 ou deux portées par an.   Carte ci-contre

GAUFRE DES MONTAGNES *Thomomys monticola*

(Mountain Pocket Gopher)

Tête et corps 140-150 mm; queue 50-75 mm; 70-90 g. Petit; *brun jaunâtre ou rougeâtre*; nez noirâtre; taches noirâtres derrière les oreilles pointues; poils blancs dans la queue; pieds et poignets souvent blancs. Sillon unique peu profond près de la bordure interne de chaque incisive supér. 20 dents. 8 mamelles.

Espèces semblables : (1) le Gaufre gris est grisâtre et la femelle a 10 mamelles. (2) le Gaufre de Botta habite les vallées et les contreforts des montagnes. (3) Le Gaufre bulbivore est plus gros et habite les zones basses.

Habitat : prés dans les montagnes.

Mœurs : dans les prés humides, creuse des tunnels sous la neige; se construit un nid d'hiver au-dessus du sol, dans la neige; son système de tunnels souterrains mesure de 5 à 35 m de longueur. 10-35 individus/ha. Peut vivre 4 ans en nature.

Jeunes : 3-4, nés en juillet-août. 1 portée par an.   Carte ci-contre

GAUFRE DE L'OUEST *Thomomys mazama*

(Western Pocket Gopher)

Tête et corps 140-165 mm; queue 55-75 mm; 80-125 g. Mâles un peu plus gros que les femelles; très semblable au Gaufre gris, mais ne vit pas aux mêmes endroits. 20 dents.

Espèces semblables : le Gaufre bulbivore est plus gros et vit dans les vallées. Carte p. 126

GAUFRE DE TOWNSEND *Thomomys townsendii*
(Townsend's Pocket Gopher)
Tête et corps 180-190 mm; queue 50-95 mm; 240-290 g. Le plus gros gaufre dans sa répartition; *grisâtre* à faibles reflets chamois; queue, pieds et tour de la bouche parfois blancs. Sillon unique peu profond près de la bordure interne de chaque incisive supér. 20 dents. 8 mamelles.

Espèces semblables : (1) le Gaufre de Botta est plus petit, hab. brunâtre. (2) Le Gaufre gris, plus petit, vit en montagne.

Habitat : sols profonds des vallées, le long des rivières.

Jeunes : 3-8, nés en mars-avril; 2 portées par an.

Carte ci-dessous

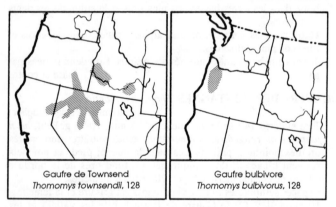

Gaufre de Townsend
Thomomys townsendii, 128

Gaufre bulbivore
Thomomys bulbivorus, 128

GAUFRE BULBIVORE *Thomomys bulbivorus*
(Camas Pocket Gopher)
Tête et corps 195-215 mm; queue 80-90 mm. Le *plus gros* des gaufres d'Oregon. Brun grisâtre. Sillon unique peu profond près de la bordure interne de chaque incisive. 20 dents. 8 mamelles.

Espèces semblables : les Gaufres (1) des montagnes, (2) de l'Ouest et (3) gris sont tous plus petits et vivent en montagne.

Habitat : sols profonds de la vallée de la Willamette, Oregon; ne pénètre pas dans la zone des pins.

Jeunes : 3-5, nés entre avril et juillet; 1 portée par an.

Carte ci-dessus

Planches en couleurs

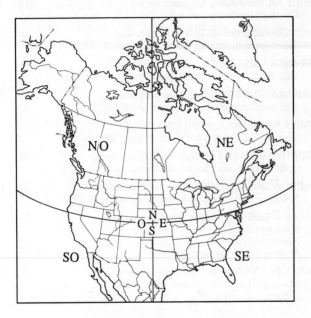

Régions géographiques auxquelles renvoient les légendes des planches

Planche 1

MUSARAIGNES ET TAUPES

	Carte	*Texte*
MUSARAIGNE CENDRÉE *Sorex cinereus* Brun grisâtre; longue queue; nez pointu. N.	4	3
MUSARAIGNE DE MERRIAM *Sorex merriami* Gris pâle; dessous blanchâtre; petite taille. O.	7	6
PETITE MUSARAIGNE *Cryptotis parva* Couleur cannelle; queue courte. SE.	14	15
MUSARAIGNE NORDIQUE *Sorex arcticus* Tricolore en hiver; plus foncée sur le dos. N.	4	5
GRANDE MUSARAIGNE *Blarina brevicauda* Gris bleuâtre; queue courte; pas d'oreilles externes. E.	15	15
MUSARAIGNE PALUSTRE *Sorex palustris* Gris noirâtre; poils drus aux pattes postér. N.	13	12
TAUPE NAINE *Neurotrichus gibbsii* Corps et queue noirs; queue velue; nez glabre. NO.	14	16
CONDYLURE À NEZ ÉTOILÉ *Condylura cristata* Brun foncé ou noir; tentacules charnus au nez. NE.	18	17
TAUPE À QUEUE VELUE *Parascalops breweri* Pelage ardoise; pieds antér. larges; queue velue. NE.	20	18
TAUPE À QUEUE GLABRE *Scalopus aquaticus* Pieds antér. larges; queue glabre. SE. *Forme pâle*: doré pâle. *Forme foncée*: couleur ardoise.	18	17
TAUPE DE TOWNSEND *Scapanus townsendii* Brun noirâtre ou noire; pieds antér. larges; queue un peu velue. NO.	20	19

Taupe naine
museau, vue dorsale

Musaraigne palustre
pied postér.; frange
de poils drus

Tunnel de taupe à la surface du sol;
vue de dessus.

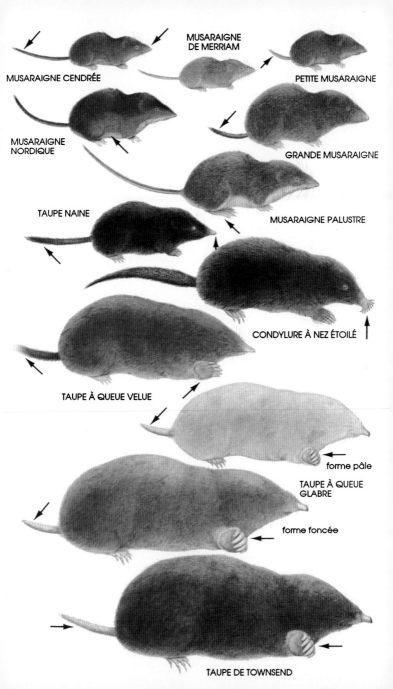

MUSARAIGNE
DE MERRIAM

MUSARAIGNE CENDRÉE

PETITE MUSARAIGNE

MUSARAIGNE
NORDIQUE

GRANDE MUSARAIGNE

MUSARAIGNE PALUSTRE

TAUPE NAINE

CONDYLURE À NEZ ÉTOILÉ

TAUPE À QUEUE VELUE

forme pâle

TAUPE À QUEUE
GLABRE

forme foncée

TAUPE DE TOWNSEND

Planche 2

CHAUVES-SOURIS

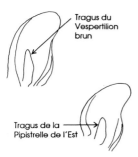

Tragus du Vespertilion brun

Tragus de la Pipistrelle de l'Est

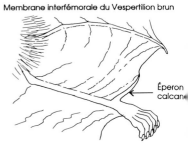

Membrane interfémorale du Vespertilion brun

Éperon calcane

VESPERTILION
BRUN

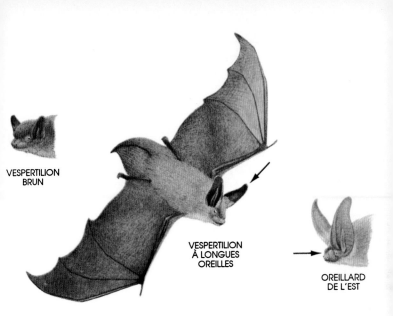

VESPERTILION
À LONGUES
OREILLES

OREILLARD
DE L'EST

VESPERTILION
DE CALIFORNIE

PIPISTRELLE
DE L'EST

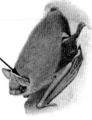

VESPERTILION
PYGMÉE DE L'EST

PIPISTRELLE
DE L'OUEST

CHAUVE-SOURIS
BLONDE

SÉROTINE BRUNE

Planche 3

CHAUVES-SOURIS

	Carte	Texte

CHAUVE-SOURIS ARGENTÉE *Lasionycteris noctivagans* — 34 — 33
Brun noirâtre; poils à bout blanc. N, S, E, O.

MOLOSSE DU BRÉSIL *Tadarida brasiliensis* — 44 — 43
Brun chocolat; queue à bout libre;
oreilles séparées à la base; petite taille. S.

MACROTUS DE CALIFORNIE *Macrotus californicus* — 23 — 22
Grisâtre; triangle de peau au bout du nez; grandes oreilles. SO.

CHAUVE-SOURIS JAUNE DE L'EST *Lasiurus intermedius* — 40 — 38
Brun jaunâtre; membrane velue sur le 1/3 basal; SE.

OREILLARD MACULÉ *Euderma maculatum* — 40 — 39
Taches blanches aux épaules et à la croupe;
grandes oreilles. O.

CHOÉRONYCTÈRE DU MEXIQUE — 23 — 23
Choeronycteris mexicana
Brun clair; long nez orné d'une projection au bout;
petites oreilles. SO.

CHAUVE-SOURIS ROUSSE *Lasiurus borealis* — 36 — 37
Membrane velue dessus. N, S, E, O.
Mâle: rouge brique, givré
Femelle: rougeâtre pâle, givrée.

CHAUVE-SOURIS SÉMINOLE *Lasiurus seminolus* — 40 — 37
Membrane velue dessus; brun acajou, givrée. SE.

CHAUVE-SOURIS CENDRÉE *Lasiurus cinereus* — 38 — 37
Membrane velue dessus; gorge fauve;
corps givré. N, S, E, O.

MOLOSSE DE L'OUEST *Eumops perotis* — 42 — 45
Brun chocolat; queue libre au bout; grande taille. SO.

Vespertilions
bruns au
repos dans
une caverne

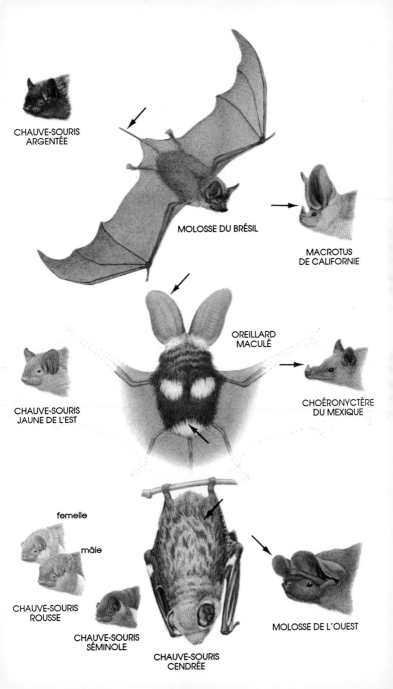

CHAUVE-SOURIS ARGENTÉE

MOLOSSE DU BRÉSIL

MACROTUS DE CALIFORNIE

OREILLARD MACULÉ

CHAUVE-SOURIS JAUNE DE L'EST

CHOÉRONYCTÈRE DU MEXIQUE

femelle

mâle

CHAUVE-SOURIS ROUSSE

CHAUVE-SOURIS SÉMINOLE

CHAUVE-SOURIS CENDRÉE

MOLOSSE DE L'OUEST

Planche 4

OURS

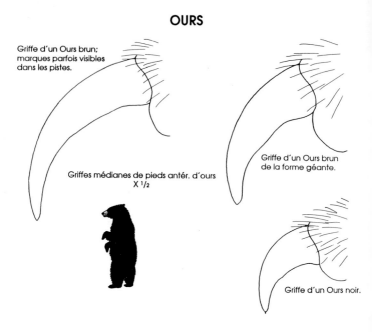

Griffe d'un Ours brun; marques parfois visibles dans les pistes.

Griffes médianes de pieds antér. d'ours
X ½

Griffe d'un Ours brun de la forme géante.

Griffe d'un Ours noir.

	Carte	Texte
OURS BRUN *Ursus arctos*	48	47
Bosse aux épaules; taille énorme; face concave en profil; griffes très longues. NO.		
OURS BLANC *Ursus maritimus*	49	48
Blanc, parfois un peu jaunâtre. Arctique, Sub-Arctique.		
OURS NOIR *Ursus americanus*	49	46
Trois formes: une *bleue*, une *cannelle*, une *noire*. Presque blanc dans l'île Gribble, C.-B. Pas de bosse aux épaules; face brune, non concave; griffes relativement petites. N, S, E, O.		

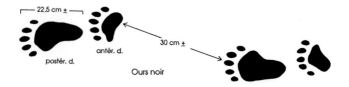

22,5 cm ±

postér. d.

antér. d.

30 cm ±

Ours noir

OURS BRUN (forme géante, le "kodiak")

OURS BRUN

OURS BLANC

forme bleue

forme cannelle

forme noire

OURS NOIR

Planche 5

MUSTÉLIDÉS

	Carte	Texte
MARTRE D'AMÉRIQUE *Martes americana*	55	53
Brun jaunâtre à brun foncé; tache crème à la gorge; queue touffue. N.		
PÉKAN *Martes pennanti*	55	54
Brun noirâtre; poils givrés à bout blanc à la tête et aux épaules. N.		
CARCAJOU *Gulo gulo*	62	63
Brun foncé; larges rayures jaunâtres des épaules à la croupe. N.		
LOUTRE DE MER *Enhydra lutris*		63
Tête et cou grisâtres ou jaunâtres; nage sur le dos; sur les côtes. O.		
LOUTRE DE RIVIÈRE *Lutra canadensis*	61	60
Dos brun foncé, ventre argenté; queue touffue à la base. N, S, E, O.		

postér. g.
5 cm

Martre d'Amérique   antér. g.

postér. g.   6,9 cm

Loutre de rivière

antér. g.

postér. g.

Piste de Loutre de rivière glissant sur la neige ou une rive boueuse - environ 20 cm de large

postér. g.

Carcajou
(trace du pouce parfois visible)

12,5 cm ±

antér. g.

7,5 cm +

Pékan

antér. g.

MARTRE
D'AMÉRIQUE

PÉKAN

CARCAJOU

LOUTRE DE MER

LOUTRE DE RIVIÈRE

Planche 6

MUSTÉLIDÉS

	Carte	Texte
BELETTE PYGMÉE *Mustela nivalis*	57	56

Queue courte; bout de la queue jamais noir. N.

| **HERMINE** *Mustela erminea* | 57 | 54 |

Hiver: blanche; taille moyenne; queue à bout noir.
Été: brune; bande blanche jusqu'aux pieds
aux pattes postér. N.

| **BELETTE À LONGUE QUEUE** *Mustela frenata* | 59 | 58 |

Pattes arrière brunâtres; longue queue
à bout noir; N, S, E, O.
NE: pas de blanc sur la face.
SO: taches blanches sur la face.

| **PUTOIS D'AMÉRIQUE** *Mustela nigripes* | 61 | 58 |

Corps brun jaunâtre ou beige; masque frontal et
pieds noirs. Centre O.

| **VISON D'AMÉRIQUE** *Mustela vison* | 59 | 60 |

Brun foncé; tache blanche au menton. E, NO.

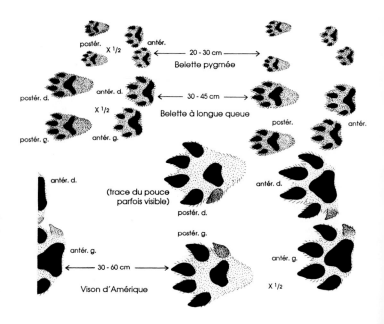

postér. X 1/2 antér. ← 20 - 30 cm → Belette pygmée

postér. d. antér. d. X 1/2 ← 30 - 45 cm → Belette à longue queue

postér. g. antér. g.

postér. antér.

antér. d. (trace du pouce parfois visible) postér. d. antér. d.

antér. g. postér. g. antér. g.

← 30 - 60 cm → Vison d'Amérique X 1/2

BELETTE PYGMÉE

hiver

mâle en été

HERMINE

femelle du NE

BELETTE À LONGUE QUEUE

variété du SO

PUTOIS D'AMÉRIQUE

VISON D'AMÉRIQUE

Planche 7

CANINÉS

RENARD ROUX *Vulpes vulpes*
Queue touffue à bout blanc. N, S, E, O.
Forme rousse: jaune rougeâtre; pieds noirs.
Forme noire (argentée): poils noirs à pointe blanche.
Forme croisée: jaune rougeâtre ou brun;
tache foncée en croix aux épaules.

RENARD GRIS *Urocyon cinereoargenteus*
Rayure médiane noire sur le dessus de la queue;
pieds et pattes fauves. S, E, O.

RENARD ARCTIQUE *Alopex lagopus*
Forme bleue: brun bleuâtre; pas de bout blanc à la queue.
Forme blanche: blanc.
Zones arctique et sub-arctique.

RENARD VÉLOCE *Vulpex velox*
Queue à bout noir. Centre O.

COYOTE *Canis latrans*
Pattes, pieds et oreilles fauves; bout du museau,
moins de 25 mm de largeur;
court la queue baissée. O, NE.

LOUP GRIS *Canis lupus*
Hab. gris; bout du museau, plus de 25 mm de largeur;
court la queue dressée. N, O.

LOUP ROUX *Canis rufus*
Rougeâtre ou noirâtre; court la queue dressée. SE.

pied postér.

27,5 cm
Renard gris au trot

4,4 cm
Renard roux

pied postér.

32,5 cm
Coyote au trot

Coyote 6,2 cm
(orteils externes plus grands)

22,5 cm ±
Loup marchant

12,5 cm ±

pied postér.

pistes non alignées
(alignées chez
canidés sauvages)

Chien

(variable)

Loup

pied postér.

(orteils médians
plus grands)

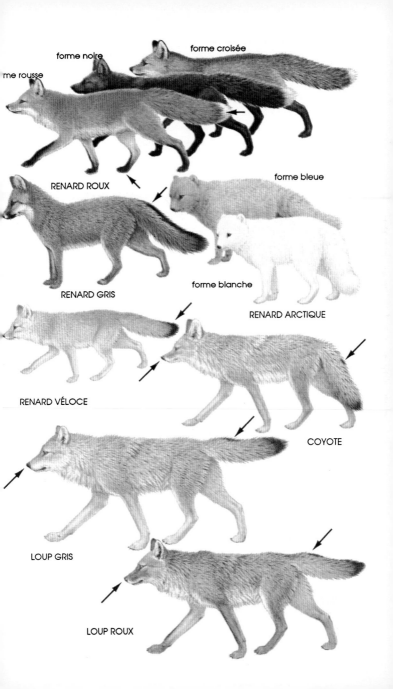

forme noire

forme croisée

me rousse

RENARD ROUX

forme bleue

RENARD GRIS

forme blanche

RENARD ARCTIQUE

RENARD VÉLOCE

COYOTE

LOUP GRIS

LOUP ROUX

Planche 8

FÉLIDÉS

	Carte	Texte
LYNX DU CANADA *Lynx canadensis*	81	80
Queue courte à bout tout noir. N.		
LYNX ROUX *Lynx rufus*	81	81
Queue courte à bout noir dessus seulement; N, S, E, O.		
COUGUAR *Felis concolor*	78	77
Jeunes: tachetés.		
Adultes: fauves ou grisâtres; grande taille;		
longue queue à bout brun foncé. O, SE.		
OCELOT *Felis pardalis*	79	78
Taches en rangées; longue queue; petite taille. S.		
JAGUARONDI *Felis yagouaroundi*	79	80
Longue queue; pattes courtes. SO.		
Forme rousse: roussâtre.		
Forme grise: gris bleuté.		
JAGUAR *Panthera onca*	79	77
Taches en rosettes; grande taille. SO.		

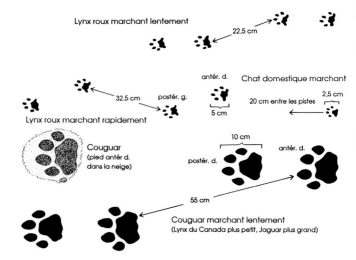

Lynx roux marchant lentement

22,5 cm

Chat domestique marchant

antér. d.

20 cm entre les pistes

2,5 cm

5 cm

32,5 cm

postér. g.

Lynx roux marchant rapidement

Couguar
(pied antér d.
dans la neige)

10 cm

postér. d.

antér. d.

55 cm

Couguar marchant lentement
(Lynx du Canada plus petit, Jaguar plus grand)

LYNX ROUX

LYNX DU CANADA

adulte

jeune

COUGUAR

forme
rousse

OCELOT

forme
grise

JAGUARONDI

JAGUAR

Planche 9

MARMOTTES, PROCYONIDÉS, BLAIREAU D'AMÉRIQUE

	Carte	Texte

MARMOTTE COMMUNE *Marmota monax*   93   92
Pelage brun plus ou moins foncé, givré;
pieds brun foncé ou noirs; NO, E.

MARMOTTE À VENTRE JAUNE *Marmota flaviventris*   93   92
Ventre jaune; tache blanche entre les yeux. O.

MARMOTTE DES ROCHEUSES *Marmota caligata*   91   94
Tête et épaules noir et blanc; pieds noirs. NO.

BASSARI RUSÉ *Bassariscus astutus*   52   53
Gris jaunâtre; longue queue annelée. SO.

RATON LAVEUR *Procyon lotor*   51   50
Masque noir; queue annelée. N, S, E, O.

COATI BRUN *Nasua nasua*   52   52
Brun grisâtre; taches blanches au-dessus et au-dessous
de chaque oeil; longue queue; long nez. SO.

BLAIREAU D'AMÉRIQUE *Taxidea taxus*   62   64
Gris jaunâtre; bande médiane blanche au front;
pieds noirs. O, centre N.

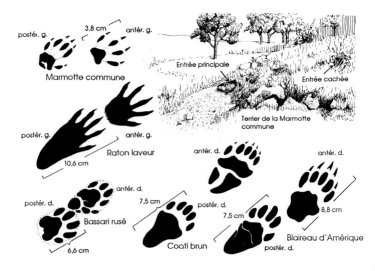

postér. g.   3,8 cm   antér. g.
Marmotte commune

Entrée principale
Entrée cachée
Terrier de la Marmotte commune

postér. g.   antér. g.
Raton laveur
10,6 cm

postér. d.   antér. d.
Bassari rusé
6,6 cm

antér. d.
7,5 cm   postér. d.
Coati brun

antér. d.
postér. d.
7,5 cm

antér. d.
8,8 cm
Blaireau d'Amérique
postér. d.

MARMOTTE COMMUNE

MARMOTTE
À VENTRE JAUNE

MARMOTTE
DES ROCHEUSES

BASSARI RUSÉ

RATON LAVEUR

COATI BRUN

BLAIREAU D'AMÉRIQUE

Planche 10

SPERMOPHILES ET CHIENS-DE-PRAIRIE

	Carte	Texte

SPERMOPHILE TACHETÉ *Spermophilus spilosoma* — 106 / 103
Taches carrées diffuses pas en rangées. Centre S.

SPERMOPHILE DU WASHINGTON — 96 / 98
Spermophilus washingtoni
Gris noirâtre tacheté de points blancs;
queue courte à bout noirâtre. NO.

SPERMOPHILE RAYÉ *Spermophilus tridecemlineatus* — 104 / 102
Rayures interrompues au dos et aux flancs. Centre.

SPERMOPHILE DU COLUMBIA — 101 / 100
Spermophilus columbianus
Dos gris tacheté; pieds et pattes rougeâtre foncé. NO.

SPERMOPHILE DE CALIFORNIE — 96 / 97
Spermophilus beecheyi
Côtés du cou et des épaules blanchâtres;
pelage du dos foncé entre les épaules. O.

SPERMOPHILE DES ROCHERS — 96 / 97
Spermophilus variegatus
Gris tacheté; grande taille; queue plutôt touffue;
zones rocheuses. SO.

SPERMOPHILE ARCTIQUE *Spermophilus parryii* — 101 / 100
Dessus de la tête rougeâtre; dos tacheté de blanc;
pieds et pattes fauves. NO.

SPERMOPHILE DE FRANKLIN — 106 / 105
Spermophilus franklinii
Gris foncé; grande taille; prairies ouvertes. Centre N.

CHIEN-DE-PRAIRIE À QUEUE BLANCHE — 96 / 95
Cynomys leucurus
Corps jaunâtre; queue à bout blanc. Centre O.

CHIEN-DE-PRAIRIE À QUEUE NOIRE — 96 / 95
Cynomys ludovicianus
Corps jaunâtre; queue à bout noir. Centre O.

Colonie de chiens-de-prairie

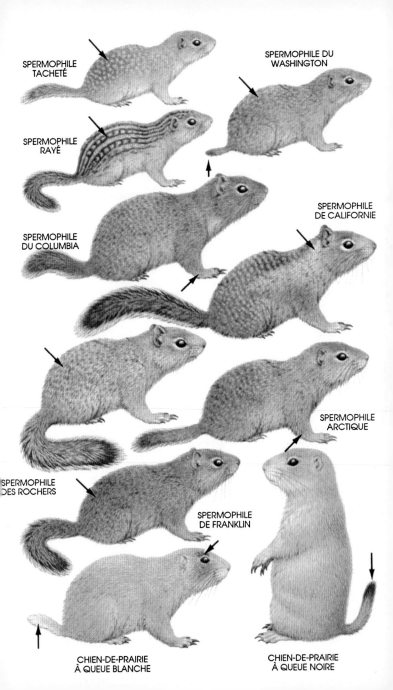

SPERMOPHILE
TACHETÉ

SPERMOPHILE DU
WASHINGTON

SPERMOPHILE
RAYÉ

SPERMOPHILE DE CALIFORNIE

SPERMOPHILE
DU COLUMBIA

SPERMOPHILE
ARCTIQUE

SPERMOPHILE
DES ROCHERS

SPERMOPHILE
DE FRANKLIN

CHIEN-DE-PRAIRIE
À QUEUE BLANCHE

CHIEN-DE-PRAIRIE
À QUEUE NOIRE

Planche 11

ÉCUREUILS À RAYURES

Tamia près de sa
cache de vivres

Tamia
pieds antér. l'un devant l'autre

4 cm

15 - 30 cm entre les pistes

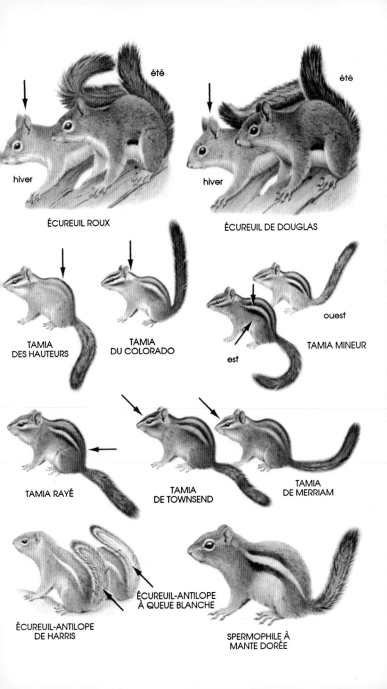

été

été

hiver

hiver

ÉCUREUIL ROUX

ÉCUREUIL DE DOUGLAS

TAMIA
DES HAUTEURS

TAMIA
DU COLORADO

ouest

est

TAMIA MINEUR

TAMIA RAYÉ

TAMIA
DE TOWNSEND

TAMIA
DE MERRIAM

ÉCUREUIL-ANTILOPE
DE HARRIS

ÉCUREUIL-ANTILOPE
À QUEUE BLANCHE

SPERMOPHILE À
MANTE DORÉE

Planche 12

ÉCUREUILS ARBORICOLES

	Carte	Texte

ÉCUREUIL DE L'OUEST *Sciurus griseus* — Carte 117, Texte 116
Corps gris, pieds noirâtres; queue très touffue. O.

ÉCUREUIL GRIS *Sciurus carolinensis* — Carte 119, Texte 117
Corps gris, à reflets fauves en été. E.
Hiver: blanc derrière les oreilles.
Été: queue bordée de blanc.

PETIT POLATOUCHE *Glaucomys volans* — Carte 122, Texte 122
Fourrure soyeuse; brun olivâtre dessus, ventre blanc;
repli de peau de chaque côté entre les pattes. E.

ÉCUREUIL D'ABERT *Sciurus aberti* — Carte 117, Texte 117
Touffes aux oreilles, sauf en fin d'été. SO.
Sud du Grand Canyon: queue blanche dessous.
Nord du Grand Canyon: queue toute blanche.

ÉCUREUIL FAUVE *Sciurus niger* — Carte 119, Texte 118
Sud: tête noirâtre, corps grisâtre.
Nord: roux; queue bordée de poils à bout fauve.
Est: gris acier; pas de teinte fauve.
E.

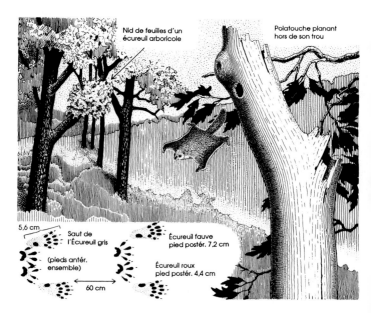

Nid de feuilles d'un écureuil arboricole

Polatouche planant hors de son trou

5,6 cm
Saut de l'Écureuil gris
(pieds antér. ensemble)
60 cm

Écureuil fauve pied postér. 7,2 cm

Écureuil roux pied postér. 4,4 cm

ÉCUREUIL GRIS

été

hiver

ÉCUREUIL DE L'OUEST

PETIT POLATOUCHE

ÉCUREUIL D'ABERT

sud du Grand Canyon

nord du Grand Canyon

sud   nord   est

ÉCUREUIL FAUVE

Planche 13

SOURIS-À-ABAJOUES, SOURIS-SAUTEUSES, GAUFRES

(Abajoues doublées de fourrure ou queue et pattes longues)

	Carte	Texte
SOURIS-À-ABAJOUES SOYEUSE *Perognathus flavus* Jaunâtre; poil soyeux; queue sans brosse; petite. Centre O.	135	134
SOURIS-À-ABAJOUES FLAVESCENTE *P. flavescens* Jaunâtre; ventre blanc. Centre, SO.	135	134
SOURIS-À-ABAJOUES DES ROCHERS *P. intermedius* Grise ou noire, tachetée de chamois; queue à brosse. SO.	138	139
SOURIS-À-ABAJOUES DE CALIFORNIE *P. californicus* Poils épineux à la croupe. SO.	141	140
SOURIS-À-ABAJOUES À LONGUE QUEUE *P. formosus* Poil soyeux; queue longue, à brosse; taille moyenne. SO.	141	140
SOURIS-À-ABAJOUES DES PINÈDES *P. parvus* Gris olivâtre; poil soyeux. O.	138	137
SOURIS-À-ABAJOUES HISPIDE *P. hispidus* Poil raide, mélange de jaune et de brun; queue sans brosse, pas très longue. Centre.	143	142
SOURIS-À-ABAJOUES DE BAILEY *P. baileyi* Grande taille; poil soyeux; queue à brosse. SO.	141	142
SOURIS-À-ABAJOUES DU MEXIQUE *Liomys irroratus* Gris foncé; poils épineux à la croupe; incisives supér. sans sillons. S.	135	133
SOURIS-SAUTEUSE DES CHAMPS *Zapus hudsonius* Jaune olivâtre, dos foncé, flancs clairs; grands pieds postér.; pas d'abajoues; longue queue; sillons aux incisives supér. N.	197	196
SOURIS-SAUTEUSE DES BOIS *Napaeozapus insignis* Dos brunâtre, flancs jaune vif; longue queue à bout blanc. NE.	198	199
GAUFRE BRUN *Geomys bursarius* 2 sillons à l'avant de chaque incisive supér. Centre.	132	131
GAUFRE À FACE JAUNE *Pappogeomys castanops* 1 sillon profond au milieu de chaque incisive supér. devant. SO.	132	132
GAUFRE DE BOTTA *Thomomys bottae* *Trois formes*; 1 sillon peu profond près de la bordure interne de chaque incisive. SO.	126	125

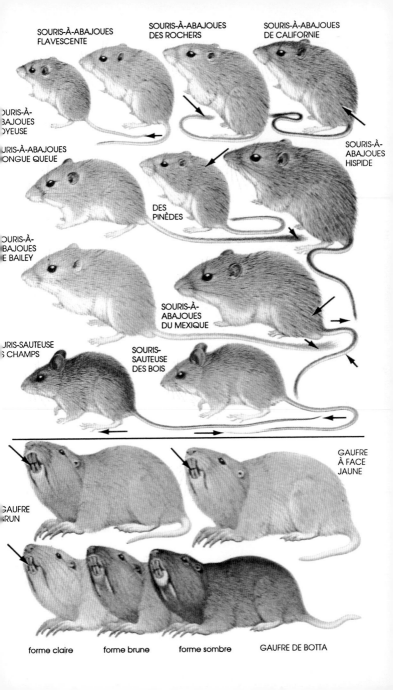

SOURIS-À-ABAJOUES FLAVESCENTE

SOURIS-À-ABAJOUES DES ROCHERS

SOURIS-À-ABAJOUES DE CALIFORNIE

SOURIS-À-ABAJOUES SOYEUSE

SOURIS-À-ABAJOUES À LONGUE QUEUE

SOURIS-À-ABAJOUES HISPIDE

DES PINÈDES

SOURIS-À-ABAJOUES DE BAILEY

SOURIS-À-ABAJOUES DU MEXIQUE

SOURIS-SAUTEUSE DES CHAMPS

SOURIS-SAUTEUSE DES BOIS

GAUFRE À FACE JAUNE

GAUFRE BRUN

forme claire

forme brune

forme sombre

GAUFRE DE BOTTA

Planche 14

RATS-KANGOUROUS ET SOURIS-KANGOUROUS
(Abajoues doublées de fourrure; déserts)

Carte Texte

RAT-KANGOUROU DE MERRIAM   149   150
Dipodomys merriami
    4 orteils aux pieds postér.; petite taille. SO.

RAT-KANGOUROU ORNÉ *Dipodomys spectabilis*   145   144
    Bout de la queue blanc. SO.

SOURIS-KANGOUROU PÂLE *Microdipodops pallidus*   145   143
    Queue renflée au milieu, sans brosse. SO.

RAT-KANGOUROU DU DÉSERT *Dipodomys deserti*   149   150
    Jaune pâle; queue à bout blanc; grande taille. SO.

RAT-KANGOUROU AGILE *Dipodomys agilis*   149   148
    5 orteils aux pieds postér. SO.

RAT-KANGOUROU DE HEERMANN   145   144
Dipodomys heermanni
    Hab. 4 orteils aux pieds postér.; vallées et contreforts. O.

RAT-KANGOUROU D'ORD *Dipodomys ordii*   147   147
    Rayures foncées de la queue plus larges
    que les rayures blanches. O.

RAT-KANGOUROU GÉANT *Dipodomys ingens*   145   146
    5 orteils aux pieds postér.; grande taille. SO.

RAT-KANGOUROU À GRANDES OREILLES   148
Dipodomys elephantinus
    Grandes oreilles; brosse touffue au bout de la queue. SO.

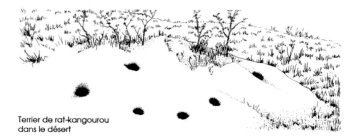

Terrier de rat-kangourou
dans le désert

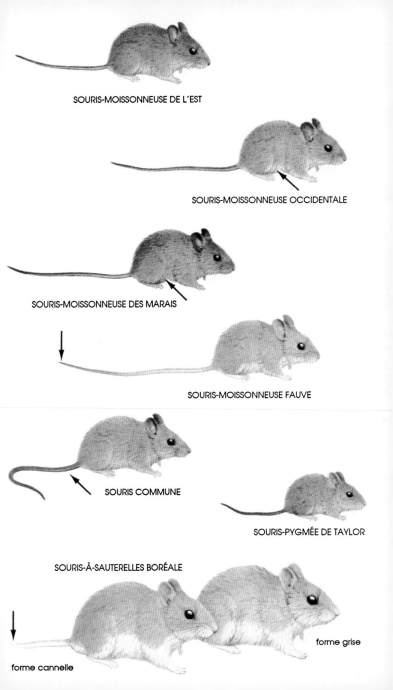

SOURIS-MOISSONNEUSE DE L'EST

SOURIS-MOISSONNEUSE OCCIDENTALE

SOURIS-MOISSONNEUSE DES MARAIS

SOURIS-MOISSONNEUSE FAUVE

SOURIS COMMUNE

SOURIS-PYGMÉE DE TAYLOR

SOURIS-À-SAUTERELLES BORÉALE

forme grise

forme cannelle

Planche 16

SOURIS À LONGUE QUEUE
(Hab. à ventre et pieds blancs)

	Carte	Texte
SOURIS DES CANYONS *Peromyscus crinitus* Gris chamois ou chamois; touffe au bout de la queue. O.	158	157
SOURIS DE BOYLE *Peromyscus boylii* Queue bien velue. SO, centre S.	162	162
SOURIS DES CACTUS *Peromyscus eremicus* Gris pâle à pâles reflets fauves; longue queue à poils épars; désert. SO.	158	156
SOURIS FAUVE *Peromyscus polionotus* Blanchâtre à cannelle pâle; queue courte, bicolore; petite taille. SE.	158	159
SOURIS DE TRUE *Peromyscus truei* Grandes oreilles; queue bicolore. SO.	164	163
SOURIS SYLVESTRE *Peromyscus maniculatus* Couleur variable; queue bicolore. N, S, E, O.	160	158
SOURIS DE NUTTALL *Ochrotomys nuttalli* Cannelle dorée; arboricole. SE.	164	165
SOURIS À PATTES BLANCHES *Peromyscus leucopus* Queue hab. plus courte que tête et corps réunis. N, S, E, O.	160	161
SOURIS DE CALIFORNIE *Peromyscus californicus* Brun foncé; queue noirâtre dessus; grandes oreilles; grande taille. SO.	158	157
ORYZOMYS PALUSTRE *Oryzomys palustris* Corps brun grisâtre, parfois à reflets fauves; pattes blanchâtres; queue écailleuse; près de l'eau. SE.	172	172

postér.

Trace de la queue ← 7,5 cm + → antér.

Souris sylvestre

pied postér. 2,2 cm

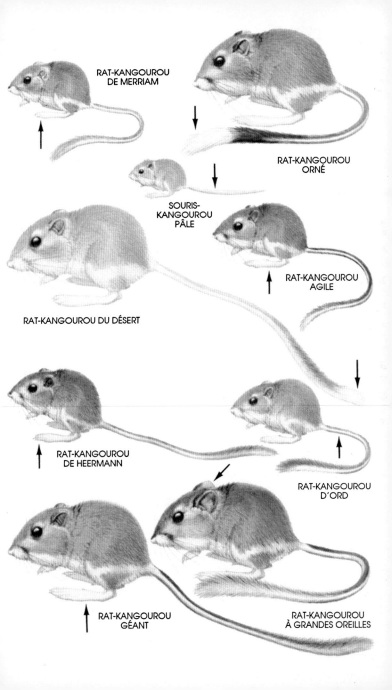

RAT-KANGOUROU DE MERRIAM

RAT-KANGOUROU ORNÉ

SOURIS-KANGOUROU PÂLE

RAT-KANGOUROU DU DÉSERT

RAT-KANGOUROU AGILE

RAT-KANGOUROU DE HEERMANN

RAT-KANGOUROU D'ORD

RAT-KANGOUROU GÉANT

RAT-KANGOUROU À GRANDES OREILLES

Planche 15

PETITES SOURIS

	Carte	Texte

SOURIS-MOISSONNEUSE DE L'EST   154 153
Reithrodontomys humulis
    Brun chaud; sillons à l'avant des incisives supér. SE.

SOURIS-MOISSONNEUSE OCCIDENTALE   155 154
Reithrodontomys megalotis
    Grise à reflets fauves ou bruns; sillons aux
    incisives supér. O, centre.

SOURIS-MOISSONNEUSE DES MARAIS   155
Reithrodontomys raviventris
    Ventre fauve; marais côtiers. O.

SOURIS-MOISSONNEUSE FAUVE   155 156
Reithrodontomys fulvescens
    Flancs fauves; longue queue;
    sillons aux incisives supér. S.

SOURIS COMMUNE *Mus musculus*   196
    Brun grisâtre à ventre gris ou chamois;
    queue écailleuse; incisives lisses. N, S, E, O.

SOURIS-PYGMÉE DE TAYLOR *Baiomys taylori*   164 165
    Brun foncé grisâtre; incisives lisses; petite taille. S.

SOURIS-À-SAUTERELLES BORÉALE   166 166
Onychomys leucogaster
    Deux formes; queue courte à bout blanc. O.

Souris-moissonneuse
dans son nid

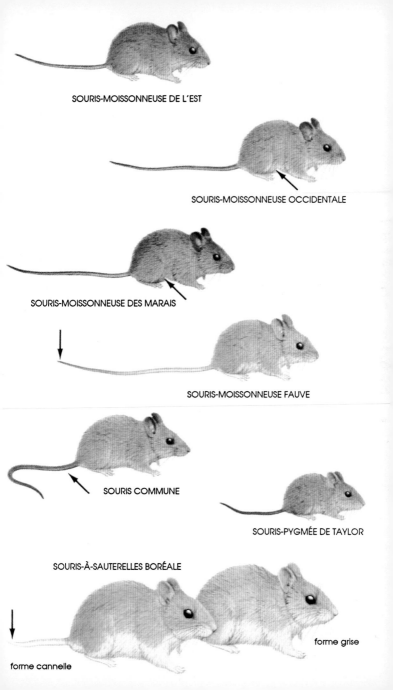

SOURIS-MOISSONNEUSE DE L'EST

SOURIS-MOISSONNEUSE OCCIDENTALE

SOURIS-MOISSONNEUSE DES MARAIS

SOURIS-MOISSONNEUSE FAUVE

SOURIS COMMUNE

SOURIS-PYGMÉE DE TAYLOR

SOURIS-À-SAUTERELLES BORÉALE

forme grise

forme cannelle

Planche 16

SOURIS À LONGUE QUEUE
(Hab. à ventre et pieds blancs)

	Carte	Texte
SOURIS DES CANYONS *Peromyscus crinitus* Gris chamois ou chamois; touffe au bout de la queue. O.	158	157
SOURIS DE BOYLE *Peromyscus boylii* Queue bien velue. SO, centre S.	162	162
SOURIS DES CACTUS *Peromyscus eremicus* Gris pâle à pâles reflets fauves; longue queue à poils épars; désert. SO.	158	156
SOURIS FAUVE *Peromyscus polionotus* Blanchâtre à cannelle pâle; queue courte, bicolore; petite taille. SE.	158	159
SOURIS DE TRUE *Peromyscus truei* Grandes oreilles; queue bicolore. SO.	164	163
SOURIS SYLVESTRE *Peromyscus maniculatus* Couleur variable; queue bicolore. N, S, E, O.	160	158
SOURIS DE NUTTALL *Ochrotomys nuttalli* Cannelle dorée; arboricole. SE.	164	165
SOURIS À PATTES BLANCHES *Peromyscus leucopus* Queue hab. plus courte que tête et corps réunis. N, S, E, O.	160	161
SOURIS DE CALIFORNIE *Peromyscus californicus* Brun foncé; queue noirâtre dessus; grandes oreilles; grande taille. SO.	158	157
ORYZOMYS PALUSTRE *Oryzomys palustris* Corps brun grisâtre, parfois à reflets fauves; pattes blanchâtres; queue écailleuse; près de l'eau. SE.	172	172

postér.   ← 7,5 cm + →

Trace de la queue   antér.   Souris sylvestre

pied postér. 2,2 cm

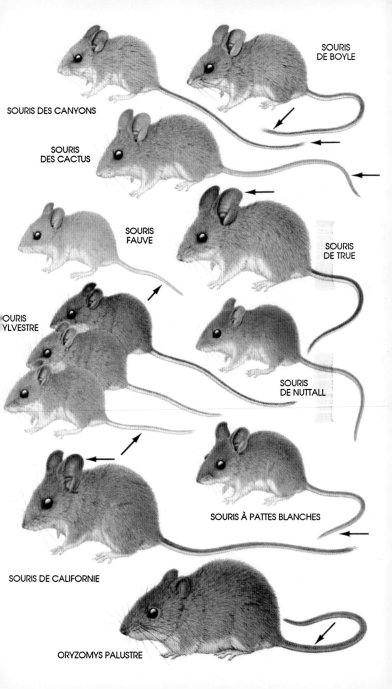

SOURIS DE BOYLE

SOURIS DES CANYONS

SOURIS DES CACTUS

SOURIS FAUVE

SOURIS DE TRUE

SOURIS SYLVESTRE

SOURIS DE NUTTALL

SOURIS À PATTES BLANCHES

SOURIS DE CALIFORNIE

ORYZOMYS PALUSTRE

Planche 17

PETITS MAMMIFÈRES DE TYPE CAMPAGNOL
(Queue courte, poil long couvrant presque les oreilles)

	Carte	Texte

CAMPAGNOL SYLVESTRE *Microtus pinetorum* — 190, 192
Marron; poil doux; queue courte; incisives supér. lisses. E.

CAMPAGNOL-À-DOS-ROUX DE GAPPER — 180, 181
Clethrionomys gapperi
Hab. rougeâtre le long du dos; incisives supér.
sans sillons. N, SE, SO.

CAMPAGNOL-LEMMING DE COOPER — 176, 176
Synaptomys cooperi
Incisives supér. à sillons devant; queue courte. NE.

CAMPAGNOL GRIMPEUR *Arborimus longicaudus* — 187, 181
Corps rougeâtre; queue longue, noirâtre. NO.

CAMPAGNOL DES BRUYÈRES — 180, 179
Phenacomys intermedius
Gris à reflets bruns plus ou moins foncés;
incisives lisses. N, SO.

CAMPAGNOL DES ARMOISES *Lagurus curtatus* — 190, 192
Gris cendré pâle; armoises. NO.

RAT-COTONNIER HIRSUTE *Sigmodon hispidus* — 174, 173
Poil rugueux, noir mêlé de chamois dessus,
blanchâtre dessous. Grande taille. S.

CAMPAGNOL DES PRAIRIES *Microtus ochrogaster* — 189, 191
Corps grisâtre à brun foncé mêlé de poils fauves;
queue courte; incisives lisses; Prairies. Centre.

CAMPAGNOL DE TOWNSEND *Microtus townsendii* — 187, 185
Queue et pieds noirâtres; grande taille. NO

CAMPAGNOL DES ROCHERS *Microtus chrotorrhinus* — 189, 188
Nez jaune. NE.

CAMPAGNOL DES CHAMPS *Microtus pennsylvanicus* — 184, 183
Brun grisâtre; longue queue;
incisives supér. lisses. N, SE, SO.

LEMMING BRUN *Lemmus sibiricus* — 177, 178
Corps brun-rouge, jamais blanc; queue courte.
NO, centre N.

LEMMING VARIABLE *Dicrostonyx* spp. — 177, 175
Bande foncée au dos en été; blanc en hiver.
Zones arctique et sub-arctique.

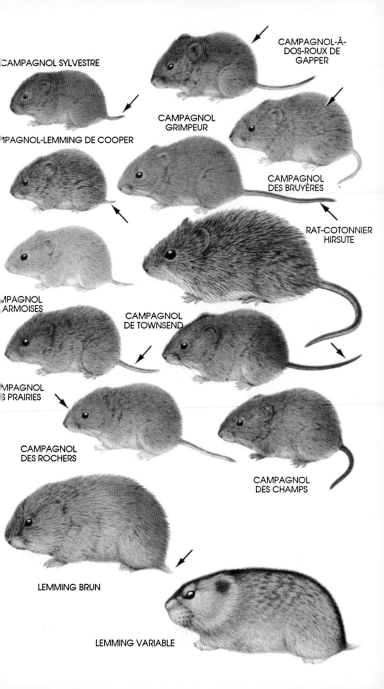

CAMPAGNOL-À-DOS-ROUX DE GAPPER

CAMPAGNOL SYLVESTRE

CAMPAGNOL GRIMPEUR

CAMPAGNOL-LEMMING DE COOPER

CAMPAGNOL DES BRUYÈRES

RAT-COTONNIER HIRSUTE

CAMPAGNOL DES ARMOISES

CAMPAGNOL DE TOWNSEND

CAMPAGNOL DES PRAIRIES

CAMPAGNOL DES ROCHERS

CAMPAGNOL DES CHAMPS

LEMMING BRUN

LEMMING VARIABLE

Planche 18

NÉOTOMAS ET RATS

	Carte	Texte

NÉOTOMA À GORGE BLANCHE *Neotoma albigula* 170 168
Gris à reflets fauves; poils de la gorge blancs
jusqu'à la base; queue velue. SO.

NÉOTOMA DU DÉSERT *Neotoma lepida* 170 168
Gris à reflets fauves; poils du ventre gris
ardoise à la base; désert. SO.

NÉOTOMA DU MEXIQUE *Neotoma mexicana* 170 169
Ventre blanc grisâtre; queue blanche dessous;
endroits rocheux. SO.

NÉOTOMA À PATTES SOMBRES *Neotoma fuscipes* 171 171
Corps brun grisâtre; pieds postér. noirâtres;
grande taille. O.

NÉOTOMA DES PLAINES *Neotoma micropus* 170 168
Gris, sans reflets fauves; queue velue. Centre S.

NÉOTOMA À QUEUE TOUFFUE *Neotoma cinerea* 171 172
Queue semblable à celle d'un écureuil, touffue. O.

NÉOTOMA DES APPALACHES *Neotoma floridana* 170 167
Pieds et ventre blanchâtres; queue velue. Centre, NE, SE.

RAT SURMULOT *Rattus norvegicus* 195
Brun grisâtre; queue écailleuse, longue, mais plus courte
que tête et corps réunis. N, S, E, O.

RAT NOIR *Rattus rattus* 195
Queue plus longue que tête et corps réunis, écailleuse. S.
Forme brune: corps brun.
Forme noire: corps noir.

Nid sur un escarpement

Nid dans
un arbre,
(côte ouest)

Nid dans le désert

Nids de Néotomas

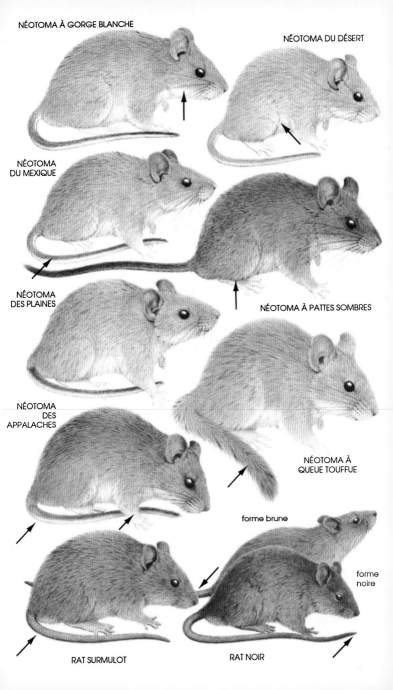

NÉOTOMA À GORGE BLANCHE

NÉOTOMA DU DÉSERT

NÉOTOMA DU MEXIQUE

NÉOTOMA DES PLAINES

NÉOTOMA À PATTES SOMBRES

NÉOTOMA DES APPALACHES

NÉOTOMA À QUEUE TOUFFUE

forme brune

forme noire

RAT SURMULOT

RAT NOIR

Planche 19

MAMMIFÈRES DIVERS

Huttes de Rats-musqués communs dans un marécage

Arbre coupé par un Castor du Canada

	Carte	Texte
PETIT RAT-MUSQUÉ *Neofiber alleni* Pelage brun chaud; queue ronde; près de l'eau. SE.	190	193
RAT-MUSQUÉ COMMUN *Ondatra zibethicus* Pelage brun chaud; queue écailleuse aplatie latéralement; près de l'eau. N, S, E, O.	194	193
APLODONTE *Aplodontia rufa* Brun foncé; sans queue apparente; lieux humides. NO.	91	90
RAGONDIN *Myocastor coypus* Corps brun grisâtre; queue longue, ronde, à poils épars; près de l'eau. S, NO.		200
TATOU À NEUF BANDES *Dasypus novemcinctus* Couvert d'une armure. Centre S, SE.	228	228
OPOSSUM D'AMÉRIQUE DU NORD *Didelphis virginiana* Face blanche, queue glabre; taille d'un chat. S, E, O.	2	1
CASTOR DU CANADA *Castor canadensis* Queue écailleuse, en rame, aplatie dessus et dessous. N, S, E, O.	152	151
PORC-ÉPIC D'AMÉRIQUE *Erethizon dorsatum* Corps et queue couverts de longues épines. N, O.	200	199
PÉCARI À COLLIER *Tayassu tajacu* Apparenté au cochon; 3 orteils aux pieds postér. SO, centre S.	214	213

Rat-musqué commun marchant

7,5 cm ±

Trace de la queue

antér. d.

postér. d.

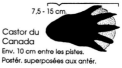

7,5 - 15 cm

Castor du Canada
Env. 10 cm entre les pistes.
Postér. superposées aux antér.

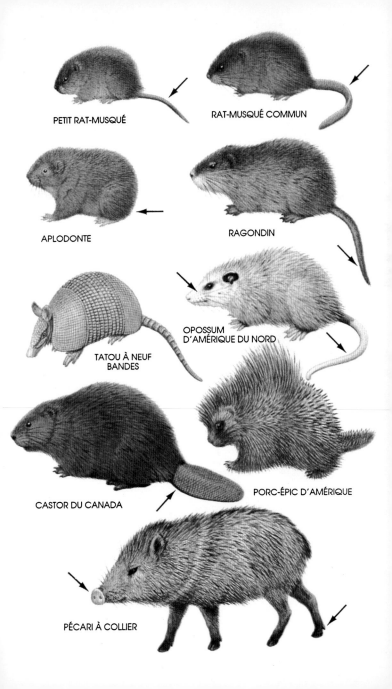

PETIT RAT-MUSQUÉ

RAT-MUSQUÉ COMMUN

APLODONTE

RAGONDIN

TATOU À NEUF
BANDES

OPOSSUM
D'AMÉRIQUE DU NORD

CASTOR DU CANADA

PORC-ÉPIC D'AMÉRIQUE

PÉCARI À COLLIER

Planche 20

LIÈVRES

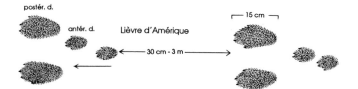

postér. g.

antér. g.

← 2,10 - 3,60 m →

7 cm +

Lièvre de Townsend

postér. d.

antér. d.   Lièvre d'Amérique

15 cm

← 30 cm - 3 m →

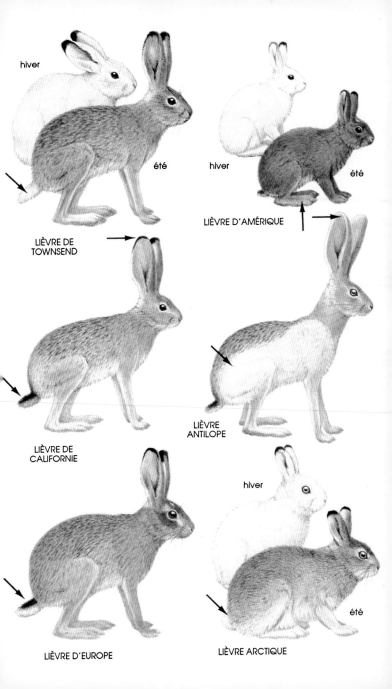

hiver

été

LIÈVRE DE
TOWNSEND

hiver

été

LIÈVRE D'AMÉRIQUE

LIÈVRE DE
CALIFORNIE

LIÈVRE
ANTILOPE

LIÈVRE D'EUROPE

hiver

été

LIÈVRE ARCTIQUE

Planche 21

LAPINS ET PICAS

Pica d'Amérique et son tas de paille dans un éboulis

	Carte	Texte
LAPIN PYGMÉE *Sylvilagus idahoensis* Corps gris ardoise à reflets rosés; oreilles courtes; petite taille; bosquets dans le désert. NO.	210	212
LAPIN DE BACHMAN *Sylvilagus bachmani* Corps brun; oreilles plutôt petites; petite queue peu visible; bosquets. O.	210	211
PICA D'AMÉRIQUE *Ochotona princeps* Queue non apparente; oreilles arrondies; petite taille; zones d'éboulis. O.	202	201
LAPIN D'AUDUBON *Sylvilagus auduboni* Gris pâle à reflets jaunâtres; grandes oreilles. O.	210	209
LAPIN DE NUTTALL *Sylvilagus nuttalli* Grisâtre; montagnes. O.	208	209
LAPIN À QUEUE BLANCHE *Sylvilagus floridanus* Pieds blancs; tache nucale rousse bien nette. E, centre, SO.	208	208
LAPIN DES MARAIS *Sylvilagus palustris* Corps brun foncé; poil rugueux; marécages. SE.	210	211
LAPIN AQUATIQUE *Sylvilagus aquaticus* Corps gris brunâtre; pieds roux dessus; poil rugueux. SE.	210	212

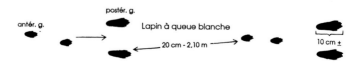

antér. g. postér. g. Lapin à queue blanche 20 cm - 2,10 m 10 cm ±

LAPIN PYGMÉE

LAPIN DE BACHMAN

PICA D'AMÉRIQUE

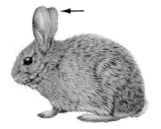

LAPIN D'AUDUBON

LAPIN DE NUTTALL

LAPIN
À QUEUE BLANCHE

LAPIN DES MARAIS

LAPIN AQUATIQUE

Planche 22

GRANDS MAMMIFÈRES DU NORD

	Carte	Texte

CARIBOU DE LA TOUNDRA   221   220
Rangifer tarandus groenlandicus
Blanchâtre; Arctique.

CARIBOU DES BOIS *Rangifer tarandus caribou*   221   220
Pelage brun chocolat, blanchâtre sur le cou, la croupe
et au-dessus des sabots. Zones arctique et sub-arctique.

BOEUF-MUSQUÉ *Ovibos moschatus*   225   226
Pelage long, soyeux, brun, qui pend comme une jupe
jusqu'aux pieds. Arctique.

WAPITI *Cervus elaphus canadensis*   214   215
Cou marron; tache jaunâtre pâle à la croupe; O, centre.

ORIGNAL *Alces alces*   219   219
Corps brun foncé; bois palmés (mâles); museau
pendant; fanon à la gorge; pas de tache blanche;
grande taille. N.

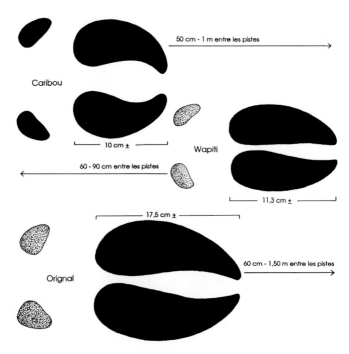

Caribou

50 cm - 1 m entre les pistes

10 cm ±

Wapiti

60 - 90 cm entre les pistes

11,3 cm ±

17,5 cm ±

Orignal

60 cm - 1,50 m entre les pistes

CARIBOU DE LA TOUNDRA

CARIBOU DES BOIS

OEUF-MUSQUÉ

WAPITI

ORIGNAL

Planche 23

CERFS ET ANTILOPE D'AMÉRIQUE

Cerf de Virginie

Cerf mulet (Montagnes Rocheuses)

coloration intermédiaire de la queue

Cerf mulet (côte du Pacifique)

	Carte	Texte

ANTILOPE D'AMÉRIQUE *Antilocapra americana* — 223 222
Corps jaune doré pâle; bandes blanches à la gorge; croupe et bas des flancs blancs. O.

CERF MULET *Odocoileus hemionus* — 217 216
Côte du Pacifique: en hiver, bout de la queue noir.
Montagnes Rocheuses: en hiver, croupe blanche, grandes oreilles, bout de la queue noir.
Velours sur les bois en été.
O.

CERF DE VIRGINIE *Odocoileus virginianus* — 217 218
Hiver, mâle: corps gris bleuté; queue touffue blanche dessous; bois faits d'une tige centrale et de rameaux.
Été, femelle: brun rougeâtre; queue touffue blanche dessous.
Faon: tacheté, queue blanche dessous.
N, S, E, O.

antér. g.

postér. d.

7,5 cm ±

50 cm ±

Cerf marchant

antér. d.

postér. g.

30 - 50 cm

Antilope d'Amérique marchant

antér. d.

6,3 cm

7,5 cm

postér. d.

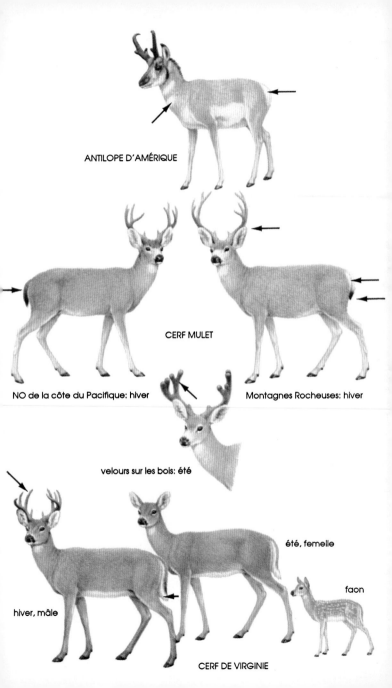

ANTILOPE D'AMÉRIQUE

CERF MULET

NO de la côte du Pacifique: hiver

Montagnes Rocheuses: hiver

velours sur les bois: été

été, femelle

faon

hiver, mâle

CERF DE VIRGINIE

Planche 24

CHÈVRE-DE-MONTAGNE, MOUFLONS, BISON D'AMÉRIQUE

	Carte	Texte

CHÈVRE-DE-MONTAGNE *Oreamnos americanus*   223   224
Blanche; cornes et sabots noirs; barbiche. NO.

MOUFLON DE DALL *Ovis dalli*   227   227
Cornes massives, jaunâtres, en spirale. NO.
Forme grise: grisâtre.
Forme noire: noirâtre.
Forme blanche: blanche.

MOUFLON D'AMÉRIQUE *Ovis canadensis*   227   226
Croupe blanc crème; cornes massives en spirale. O.

BISON D'AMÉRIQUE *Bison bison*   225   224
Corps brun foncé; bosse aux épaules; tête massive;
cornes chez mâles et femelles. O.

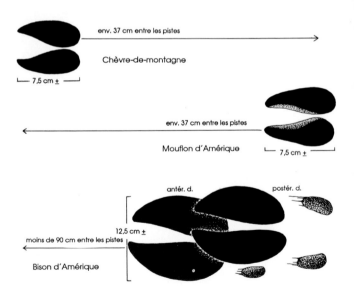

env. 37 cm entre les pistes

Chèvre-de-montagne

7,5 cm ±

env. 37 cm entre les pistes

Mouflon d'Amérique   7,5 cm ±

antér. d.   postér. d.

12,5 cm ±

moins de 90 cm entre les pistes

Bison d'Amérique

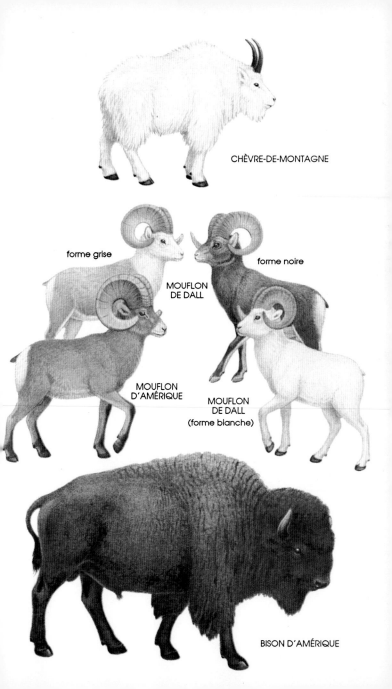

CHÈVRE-DE-MONTAGNE

forme grise

forme noire

MOUFLON
DE DALL

MOUFLON
D'AMÉRIQUE

MOUFLON
DE DALL

(forme blanche)

BISON D'AMÉRIQUE

GAUFRE BRUN *Geomys bursarius* **Pl. 13**

(Plains Pocket Gopher)

Tête et corps 140-230 mm; queue 50-115 mm; 125-355 g. Plus gros dans le N, plus petit dans le S; mâles plus gros que les femelles. Couleur variable, du chamois jaunâtre à toutes les teintes de brun; presque noir en Illinois. Individus tachetés et albinos assez communs. *2 sillons profonds* sur le devant de chaque incisive supér. 20 dents (Pl. 27). 6 mamelles.

G. arenarius, de l'O du Texas et du S du Nouveau-Mexique, se distingue de *G. bursarius* par des caractères superficiels. Il est inclus dans la même carte de répartition.

Espèces semblables : (1) le Gaufre du Texas est un peu plus gros et sa répartition est en grande partie distincte. (2) Le Gaufre à face jaune n'a qu'un sillon profond au milieu de chaque incisive supér. Les Gaufres (3) gris et (4) de Botta ont un seul sillon peu profond près de la bordure interne de chaque incisive supér.

Habitat : zones herbeuses, champs de luzerne, pâturages, bords des routes, voies ferrées.

Mœurs : fait des tunnels de plus de 90 m de long; niche dans des tunnels souterrains dans le N; dans le S, certains nichent en hiver, dans de gros monticules bâtis en surface. S'accouple d'avril à juillet dans le N, de février à août dans le S.

Jeunes : hab. 3-5 (1-8); 1 portée par an dans le N, 2 ou plus dans le S; gestation, 18-19 jours. Carte p. 132

GAUFRE DU TEXAS *Geomys personatus*

(Texas Pocket Gopher)

Tête et corps 180-210 mm; queue 65-120 mm; 285-400 g. Brun grisâtre pâle; queue presque glabre; ventre blanchâtre ou gris noirâtre. Semblable au Gaufre brun.

Espèces semblables : le Gaufre brun est semblable, mais plus petit dans les zones où les deux espèces cohabitent; répartition générale différente.

Habitat : sols profonds, sablonneux. Carte p. 132

GAUFRE DES PINÈDES *Geomys pinetis*

(Southeastern Pocket Gopher)

Tête et corps 165-205 mm; queue 75-100 mm. Seul mammifère à posséder des *abajoues externes à fourrure* dans les régions qu'il habite. 20 dents.

Geomys colonus, *G. fontanelus* et *G. cumberlandius* sont maintenant considérés comme synonymes de *G. pinetis*.

Habitat : forêts de pins et champs.

Jeunes : 1-3, nés en tout temps de l'année; au moins 2 portées par an. Carte p. 132

GAUFRE À FACE JAUNE *Pappogeomys castanops*   **Pl. 13**

(Yellow-faced Pocket Gopher)

Tête et corps 185-205 mm; queue 75-100 mm; 210-330 g. *Gros gaufre jaunâtre à un seul sillon profond au milieu* (devant) *de chaque incisive supér.* 20 dents (Pl. 27).

Espèces semblables : (1) le Gaufre brun a 2 sillons sur le devant de chaque incisive supér. Les Gaufres (2) pygmée et (3) de Botta sont plus petits et n'ont qu'un sillon peu profond sur chaque incisive supér., près de la bordure interne.

Habitat : sols profonds, meubles (surtout sablonneux).

Jeunes : 1-3; peut-être 2 portées par an.   Carte ci-dessous

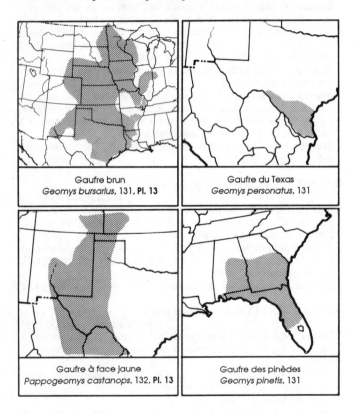

Gaufre brun
Geomys bursarius, 131, **Pl. 13**

Gaufre du Texas
Geomys personatus, 131

Gaufre à face jaune
Pappogeomys castanops, 132, **Pl. 13**

Gaufre des pinèdes
Geomys pinetis, 131

Souris-à-abajoues, souris-kangourous et rats-kangourous : Heteromyidae

La plupart des animaux de cette famille sont *petits* et ont des *abajoues doublées de fourrure* s'ouvrant de chaque côté de la bouche. Les pieds avant sont *petits*, mais les pattes et pieds arrière sont robustes. Queue hab. aussi longue ou plus longue que tête et corps réunis. Les incisives supér. portent un sillon frontal, sauf chez *Liomys*. Tous sont adaptés à des conditions arides ou semi-arides et n'ont pas besoin d'eau à boire. Creusent le sol pour faire leur nid. Préfèrent hab. les sols meubles, *sablonneux*. Tous nocturnes; se voient souvent sur les routes. Yeux à reflets ambre mat. Fossiles de l'Oligocène.

Les souris-à-abajoues sont les membres les plus petits de cette famille; tête et corps jamais plus de 130 mm. Du jaunâtre pâle au gris foncé, à ventre plus pâle, elles n'ont *jamais* de taches contrastantes sur la face ou le corps. Queue jamais renflée au milieu. Certaines hibernent ou restent enfouies au gîte dans des conditions rigoureuses. Toutes font des réserves de nourriture, surtout de graines.

Les souris-kangourous sont petites, à pelage soyeux; tête et corps 75 mm. Queue *renflée* vers le milieu, plus mince à la base et au bout; *jamais* de *brosse* de longs poils au bout. Grosse tête par rapport au reste du corps.

Les rats-kangourous sont les animaux les plus gros de cette famille; tête et corps 165 mm. *Pattes arrière* extrêmement *longues* et pattes et pieds antér. petits. Ventre toujours *blanc*; parties dorsales de jaune pâle à brun foncé. *Longue queue*, hab. foncée dessus et dessous, bordée de blanc sur les côtés, et portant une brosse de longs poils sur le 1/5 terminal. *Face* portant des *taches* très nettes de blanc et hab. de noir. Chez la plupart, *bande transversale blanche* bien définie *sur les cuisses*, jusqu'à la queue. Pelage variant surtout par l'intensité de la couleur.

Importance économique : occupent hab. des zones non cultivées. Inoffensifs et parfois utiles, puisqu'ils consomment des graines de mauvaises herbes.

SOURIS-À-ABAJOUES DU MEXIQUE   PL. 13
Liomys irroratus   (Mexican Spiny Pocket Mouse)

Tête et corps 100-125 mm; queue 100-125 mm; 35-50 g. Souris-à-abajoues de grande taille qui atteint tout juste la frontière américaine, au sud du Texas. Gris foncé dessus, blanche dessous, rayure jaune pâle sur les flancs; poils du dos et de la croupe *raides et épineux*. Incisives supér. sans sillons antér. 20 dents (Pl. 27). 6 mamelles.

Espèces semblables : (1) la Souris-à-abajoues hispide a la queue plus courte que la tête et le corps réunis; incisives supér. à sillons frontaux. (2) La Souris-à-abajoues soyeuse est plus petite, jaunâtre, à fourrure soyeuse.

Habitat : bosquets denses sur les crêtes basses.   Carte ci-contre

SOURIS-À-ABAJOUES DES PLAINES *Perognathus fasciatus*
(Olive-backed Pocket Mouse)

Tête et corps 70 mm; queue 65 mm; 7-9 g. Dans les Plaines; l'une des souris-à-abajoues *soyeuses*, à fourrure douce. Coloration *gris olivâtre*; taches *jaune pâle sur les oreilles* et reflets jaunes sur les flancs. 20 dents. 6 mamelles.

Espèces semblables : les Souris-à-abajoues (1) flavescente et (2) soyeuse sont plus petites, jaunâtres dessus ou à taches jaunes derrière les oreilles. (3) La Souris-à-abajoues hispide est plus grosse, à fourrure rugueuse.

Habitat : prairies d'herbes courtes, terreaux sablonneux.

Jeunes : 4-6; gestation d'env. 4 semaines; une portée par an.

Carte ci-contre

SOURIS-À-ABAJOUES FLAVESCENTE   Pl. 13
Perognathus flavescens   (Plains Pocket Mouse)

Tête et corps 55-70 mm; queue 50-65 mm; 7-9 g. Petite souris-à-abajoues *jaunâtre pâle*, à *ventre blanc*; pas de taches jaunes bien définies derrière les oreilles. 20 dents. 6 mamelles.

Autrefois considérée comme une espèce distincte, *Perognathus apache*, forme un peu plus grosse à coloration chamois, est maintenant reconnue comme une sous-espèce de *Perognathus flavescens* et porte le nom de *Perognathus flavescens apache*.

Espèces semblables : (1) la Souris-à-abajoues des Plaines est grise. (2) La Souris-à-abajoues soyeuse a des taches jaunes bien définies derrière les oreilles. Les Souris-à-abajoues (3) de Bailey et (4) hispide sont plus grosses.

Habitat : lieux découverts à végétation éparse et à sol sablonneux.

Mœurs : mange surtout de petites graines; creuse hab. des tunnels sous les bosquets; l'entrée est bouchée durant le jour. Domaine vital d'environ 0,04 ha. Reproduction d'avril à juillet.

Jeunes : 4-5, probablement deux portées par année.

Carte ci-contre

SOURIS-À-ABAJOUES DE MERRIAM *Perognathus merriami*
voir Souris-à-abajoues soyeuse, p. 134

SOURIS-À-ABAJOUES SOYEUSE *Perognathus flavus*   Pl. 13
(Silky Pocket Mouse)

Tête et corps 50-65 mm; queue 45-60 mm; 7-9 g. Fourrure douce;

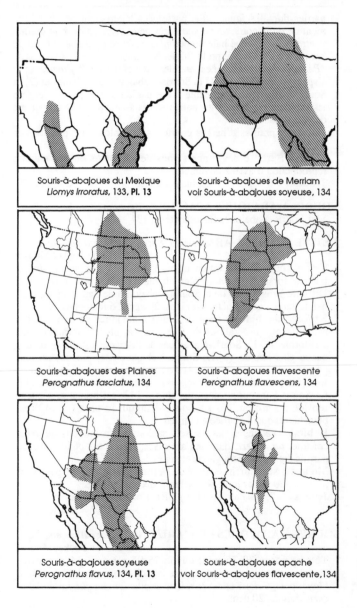

Souris-à-abajoues du Mexique
Liomys irroratus, 133, **Pl. 13**

Souris-à-abajoues de Merriam
voir Souris-à-abajoues soyeuse, 134

Souris-à-abajoues des Plaines
Perognathus fasciatus, 134

Souris-à-abajoues flavescente
Perognathus flavescens, 134

Souris-à-abajoues soyeuse
Perognathus flavus, 134, **Pl. 13**

Souris-à-abajoues apache
voir Souris-à-abajoues flavescente, 134

parties dorsales *jaune pâle*, parsemées légèrement ou abondamment de poils noirs; *tache jaune* très nette *derrière chaque oreille*; ventre *blanc*. Queue hab. un peu *plus courte que la tête et le corps réunis*, sans brosse de poils. 20 dents. 6 mamelles.

Perognathus merriami est maintenant inclus dans *P. flavus*.

Espèces semblables : (1) la Souris-à-abajoues des Plaines et (2) la Souris-à-abajoues flavescente n'ont pas de taches jaunes derrière les oreilles. (3) Toutes les autres souris-à-abajoues ont une queue de plus de 65 mm.

Habitat : prairies d'herbes courtes, sols sablonneux; parfois sols rocheux.

Mœurs : creuse des tunnels sous des arbustes ou des cactus; reproduction d'avril à novembre.

Jeunes : 2-6; 2 portées ou plus par année.   Carte p. 135

SOURIS-À-ABAJOUES APACHE *Perognathus apache*
voir Souris-à-abajoues flavescente, p. 134

PETITE SOURIS-À-ABAJOUES *Perognathus longimembris*
(Little Pocket Mouse)

Tête et corps 55-70 mm; queue 50-85 mm; 7-9 g. Fourrure *douce*; parties dorsales *chamois* plus ou moins grisâtre; ventre blanc. Difficile à distinguer de la Souris-à-abajoues de San Joaquin, mais habite rarement les mêmes régions. 20 dents. 6 mamelles.

Espèces semblables : (1) la Souris-à-abajoues de San Joaquin n'habite que les vallées de San Joaquin et de Sacramento en Californie. (2) La Souris-à-abajoues de l'Arizona est plus grosse, à queue plus longue. (3) La Souris-à-abajoues des pinèdes est plus grosse, gris olivâtre foncé. (4) Toutes les autres souris-à-abajoues sont plus grosses et ont de longs poils près du bout de la queue. (5) La Souris-kangourou mégacéphale (p. 142) est brunâtre, à queue renflée au milieu. (6) La Souris-kangourou pâle (p. 143) est blanchâtre; queue renflée au milieu.

Habitat : vallées et pentes; sols sablonneux recouverts de *petits cailloux du désert*, dans les armoises, les cactus et les jarillas; parfois dans les pins pignons et genévriers épars.

Mœurs : se nourrit surtout de petites graines; peut parcourir jusqu'à 320 m par jour; peut vivre 7 ans en captivité.

Jeunes : 3-7, nés entre avril et juillet; 1 ou 2 portées par an.

                                        Carte p. 138

SOURIS-À-ABAJOUES DE L'ARIZONA *Perognathus amplus*
(Arizona Pocket Mouse)

Tête et corps 70-75 mm; queue 75-95 mm; 12-14 g. Parties dorsales *chamois rosé*, parsemées de poils noirs sur le dos; ventre *blanc*; pelage *doux et soyeux*. Queue *plus longue que la tête et le corps réunis*. 20 dents.

Espèces semblables : (1) la Souris-à-abajoues flavescente et (2) la Petite Souris-à-abajoues sont plus petites. (3) La Souris-à-abajoues soyeuse est plus petite et sa queue a moins de 65 mm. Les Souris-à-abajoues (4) de Bailey, (5) des rochers et (6) du désert sont plus grosses, à longs poils au bout de la queue.

Habitat : déserts arides, végétation éparse. Carte p. 138

SOURIS-À-ABAJOUES DE SAN JOAQUIN

Perognathus inornatus (San Joaquin Pocket Mouse)

Tête et corps 65-80 mm; queue 70-75 mm. Petite taille; fourrure douce, chamois; souris-à-abajoues confinée aux *vallées de San Joaquin et de Sacramento* en Californie. La seule autre souris-à-abajoues de taille et de coloration semblables avec laquelle elle pourrait être confondue est la Petite Souris-à-abajoues qui n'habite hab. pas les mêmes régions. 20 dents.

Espèces semblables : (1) la Petite Souris-à-abajoues est très semblable; en cas de doute, consulter un expert. (2) La Souris-à-abajoues alticole vit dans la zone des pins. (3) La Souris-à-abajoues de Californie est brun olive.

Habitat : régions sèches, découvertes, broussailleuses ou herbeuses; sols de texture fine. Carte p. 138

SOURIS-À-ABAJOUES DES PINÈDES Pl. 13

Perognathus parvus (Great Basin Pocket Mouse)

Tête et corps 65-75 mm; queue 80-100 mm; 20-30 g. Gris olivâtre, hab. à reflets fauves au ventre; pelage doux; queue plus claire dessous, pas très touffue au bout. 20 dents. 6 mamelles.

Espèces semblables : (1) la Petite Souris-à-abajoues est plus petite, chamois. Les Souris-à-abajoues (2) à longue queue et (3) du désert ont de longs poils sur leur queue à bout touffu. (4) Les souris-kangourous (pp. 142-143) ont le ventre blanc et la queue renflée au milieu.

Habitat : armoises, chaparral, pins pignons et pins jaunes.

Mœurs : inactive en hiver. Solitaire pour la plus grande partie de sa vie. Fait des tunnels sous les buissons et bouche l'entrée le jour; fait des réserves de graines. Peut vivre plus de 4 ans en captivité.

Jeunes : 3-8, hab. 4-5, nés à la fin du printemps ou au début de l'été; probablement 1 portée par année. Carte p. 138

SOURIS-À-ABAJOUES ALTICOLE *Perognathus alticola*

(White-eared Pocket Mouse)

Tête et corps 75-85 mm; queue 75-90 mm. Pelage doux; dos chamois olivâtre; *oreilles* et ventre *blancs* ou *blanchâtres*. 20 dents.

Certains auteurs considèrent qu'il s'agit de la même espèce que *P. parvus*.

Espèces semblables : (1) la Souris-à-abajoues de San Joaquin n'a pas les oreilles blanchâtres; hab. sous la ligne des pins. Les Souris-

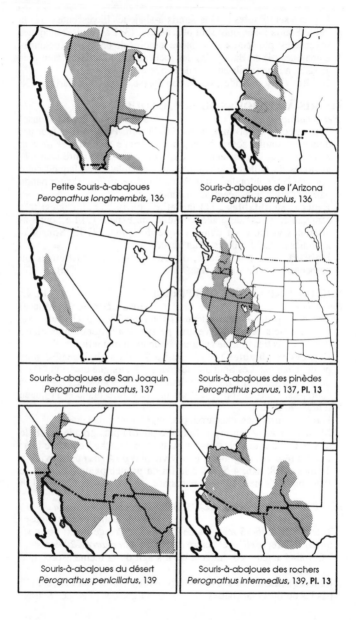

Petite Souris-à-abajoues
Perognathus longimembris, 136

Souris-à-abajoues de l'Arizona
Perognathus amplus, 136

Souris-à-abajoues de San Joaquin
Perognathus inornatus, 137

Souris-à-abajoues des pinèdes
Perognathus parvus, 137, **Pl. 13**

Souris-à-abajoues du désert
Perognathus penicillatus, 139

Souris-à-abajoues des rochers
Perognathus intermedius, 139, **Pl. 13**

à-abajoues (2) de Californie et (3) trompeuse ont le pelage rugueux et atteignent rarement la zone des pins.

Habitat : bois de pins épars à végétation d'herbes ou de fougères arborescentes; 1650-1850 m d'altitude.

Répartition : Mt. Pinos et partie O des monts San Bernardino, Californie.

SOURIS-À-ABAJOUES À OREILLES JAUNES
Perognathus xanthonotus   (Yellow-eared Pocket Mouse)
Tête et corps 85 mm; queue 85 mm; 20 dents.

Espèces semblables : les autres espèces de la même région ont le pelage rugueux ou habitent les vallées basses.

Habitat : chaparral, armoises, schizachiriums; 1400-1600 m.

Répartition : restreinte au versant E du col Walker, co. de Kern, Californie.

SOURIS-À-ABAJOUES DU DÉSERT   *Perognathus penicillatus*
                                             (Desert Pocket Mouse)
Tête et corps 75-95 mm; queue 80-100 mm; 11-22 g. Hab. brun *grisâtre* ou gris jaunâtre; *queue à brosse, plus longue que tête et corps réunis*; pelage un peu rugueux, mais *pas de poils épineux à la croupe*. 20 dents.

Espèces semblables : (1) la Souris-à-abajoues des rochers préfère les endroits rocheux. (2) La Souris-à-abajoues de Bailey est plus grosse, grisâtre. (3) La Souris-à-abajoues à longue queue est gris ardoise. Les Souris-à-abajoues (4) trompeuse, (5) épineuse et (6) de Nelson ont des poils épineux à la croupe. (7) Chez les autres, pas de brosse à la queue.

Habitat : sables découverts des déserts; végétation éparse.

Mœurs : inactive en hiver; domaine de moins de 0,4 ha.

Jeunes : 2-5, nés entre mai et septembre.   Carte ci-contre

SOURIS-À-ABAJOUES DES ROCHERS   Pl. 13
Perognathus intermedius   (Rock Pocket Mouse)
Tête et corps 75-95 mm; queue 80-100 mm; 11-22 g. Hab. *grise* parsemée de chamois; presque *noire* dans les champs de lave; queue *à brosse*. Parfois, poils épineux à la croupe. 20 dents (Pl. 27).

Espèces semblables : (1) la Souris-à-abajoues du désert habite les sols sablonneux. (2) La Souris-à-abajoues de Bailey est plus grosse. (3) Les autres espèces de la même région n'ont pas de brosse à la queue.

Habitat : pentes rocheuses, champs de lave, végétation éparse.

Jeunes : 3-6, nés entre mai et juillet.   Carte ci-contre

SOURIS-À-ABAJOUES DE NELSON   *Perognathus nelsoni*
                                             (Nelson's Pocket Mouse)
Tête et corps 75-85 mm; queue 100-115 mm; 14-17 g. Dos fauve et brun clair; poils hérissés, *épineux* à la croupe; *queue à brosse*,

plus longue que tête et corps réunis. Semblable à la Souris-à-abajoues des rochers. Les autres espèces de la même région n'ont pas de poils épineux à la croupe.

Habitat : régions rocheuses à végétation éparse; 700-1500 m.

Carte ci-contre

SOURIS-À-ABAJOUES TROMPEUSE *Perognathus fallax*
(San Diego Pocket Mouse)

Tête et corps 80-90 mm; queue 90-120 mm. Dos d'un *brun* foncé *chaud* parsemé de poils *fauves* foncés; *poils épineux à la croupe*; ventre blanc; bande fauve foncée aux flancs; queue à brosse. 20 dents.

Espèces semblables : (1) la Souris-à-abajoues de Californie est très semblable; hab. dans le chaparral ou la zone de chênes verts, pas dans les déserts bas. (2) La Souris-à-abajoues épineuse est jaune pâle. (3) Aucune autre espèce n'a les poils épineux à la croupe dans la région qu'elle habite.

Habitat : zones découvertes à sols sablonneux et à mauvaises herbes.   Carte ci-contre

SOURIS-À-ABAJOUES DE CALIFORNIE   Pl. 13
Perognathus californicus   (California Pocket Mouse)

Tête et corps 80-90 mm; queue 100-145 mm. La plus commune des espèces de la côte S de la Californie. *Brun olivâtre* parsemée de *poils fauves*. Queue *à brosse, plus longue que tête et corps réunis*. Poils épineux à la croupe. 20 dents.

Espèces semblables : (1) la Souris-à-abajoues trompeuse est très semblable; vit hab. plus bas, dans le désert. (2) Les autres espèces de ces régions n'ont pas de poils épineux.

Habitat : pentes à chaparral ou à chênes verts.   Carte ci-contre

SOURIS-À-ABAJOUES ÉPINEUSE *Perognathus spinatus*
(Spiny Pocket Mouse)

Tête et corps 75-90 mm; queue 80-125 mm. Dos *jaunâtre pâle* mêlé de brun clair; *queue longue à brosse, poils épineux à la croupe*. 20 dents.

Espèces semblables : (1) la Souris-à-abajoues trompeuse est brun foncé. (2) Les autres espèces du même habitat n'ont pas de poils épineux à la croupe.

Habitat : mesas à sols rugueux et pentes rocheuses à végétation éparse, déserts chauds.   Carte ci-contre

SOURIS-À-ABAJOUES À LONGUE QUEUE   Pl. 13
Perognathus formosus   (Long-tailed Pocket Mouse)

Tête et corps 80-100 mm; queue 95-120 mm; 15-25 g. Dos *gris*; *poil doux*; *queue* longue ornée d'une *brosse de longs poils* au $1/3$ terminal; ventre blanc. 20 dents.

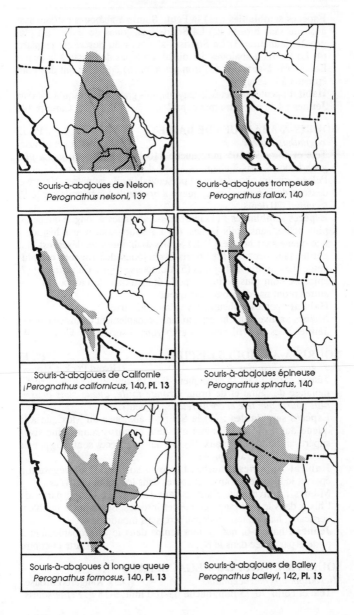

Souris-à-abajoues de Nelson
Perognathus nelsoni, 139

Souris-à-abajoues trompeuse
Perognathus fallax, 140

Souris-à-abajoues de Californie
Perognathus californicus, 140, **Pl. 13**

Souris-à-abajoues épineuse
Perognathus spinatus, 140

Souris-à-abajoues à longue queue
Perognathus formosus, 140, **Pl. 13**

Souris-à-abajoues de Bailey
Perognathus baileyi, 142, **Pl. 13**

Espèces semblables : (1) la Petite Souris-à-abajoues est jaunâtre, à queue sans brosse. (2) La Souris-à-abajoues de Bailey est plus grosse, jaunâtre. (3) La Souris-à-abajoues du désert est jaunâtre. (4) La Souris-à-abajoues des pinèdes n'a pas de brosse à la queue. Les Souris-à-abajoues (5) trompeuse et (6) épineuse ont des poils épineux à la croupe.

Habitat : pentes rocheuses, canyons, sols graveleux; jusqu'à 2400 m.
Jeunes : 4-6, nés entre mai et juillet.   Carte p. 141

SOURIS-À-ABAJOUES DE BAILEY   Pl. 13
Perognathus baileyi   (Bailey's Pocket Mouse)
Tête et corps 90-105 mm; queue 110-125 mm; 25-40 g. La *plus grande* des Souris-à-abajoues à *poil doux* et à brosse sur la queue. Pelage grisâtre abondamment parsemé de poils jaunâtres. Ventre et dessous de la queue blanc; queue à *brosse* de longs poils sur le $1/3$ *terminal*. 20 dents.

Espèces semblables : (1) la Souris-à-abajoues à longue queue est plus petite, sans poils jaunes. (2) La Souris-à-abajoues hispide a une queue sans brosse. (3) La Souris-à-abajoues du désert est plus petite, jaunâtre. (4) La Souris-à-abajoues des rochers est plus petite. Les Souris-à-abajoues (5) trompeuse (6) de Californie et (7) épineuse sont plus petites, à poils épineux sur la croupe. (8) Les autres n'ont pas de brosse à la queue.

Habitat : pentes rocheuses à végétation éparse.
Mœurs : active tout l'hiver; domaine probablement moins de 0,4 ha.
Jeunes : nés en avril-mai; 3-4 embryons observés.   Carte p. 141

SOURIS-À-ABAJOUES HISPIDE   Pl. 13
Perognathus hispidus   (Hispid Pocket Mouse)
Tête et corps 115-125 mm; queue 90-115 mm; 30-45 g. Poil *raide*, mélange de jaune et de brun. *Grande taille, queue sans brosse, plus courte que tête et corps réunis.* 20 dents.

Espèces semblables : (1) la Souris-à-abajoues du Mexique a la queue aussi ou plus longue que tête et corps réunis; incisives supér. sans sillons frontaux. (2) Les autres espèces sont plus petites ou ont une brosse à la queue.

Habitat : prairies d'herbes basses à sol friable et végétation éparse; le long des clôtures et routes dans les zones cultivées.
Mœurs : active toute l'année dans le S, inactive une partie de l'hiver dans le N. Mange graines et insectes. Ses tunnels semblent verticaux, hab. en terrain découvert, sans monticules.
Jeunes : hab. 2-6, nés en tout temps dans le S; probablement 2 portées par année dans le N.   Carte ci-contre

SOURIS-KANGOUROU MÉGACÉPHALE
Microdipodops megacephalus   (Dark Kangaroo Mouse)
Tête et corps 70-75 mm; queue 65-100 mm; 9-18 g. *Petite souris-*

kangourou *brunâtre* ou *noirâtre*; base des poils hab. gris acier et bout de la queue noirâtre. Queue *renflée* au milieu. 20 dents.

Espèces semblables : (1) la Souris-kangourou pâle est blanchâtre ou chamois pâle. (2) La Souris-à-abajoues des pinèdes (p. 137) a le ventre fauve; queue non renflée au milieu. (3) La Petite Souris-à-abajoues (p. 136) est jaunâtre.

Habitat : sols de sable fin à armoises.

Mœurs : nocturne; mange des graines, parfois des insectes; ferme l'entrée de son terrier le jour.

Jeunes : 1-7, nés entre mai et le début de juillet. 1-7 embryons observés. Carte p. 145

SOURIS-KANGOUROU PÂLE
Microdipodops pallidus

Pl. 14
(Pale Kangaroo Mouse)

Tête et corps 75 mm; queue 75-100 mm; 9-18 g. Parties dorsales *blanchâtres* ou *chamois pâle*; poils du ventre et du dessous de la

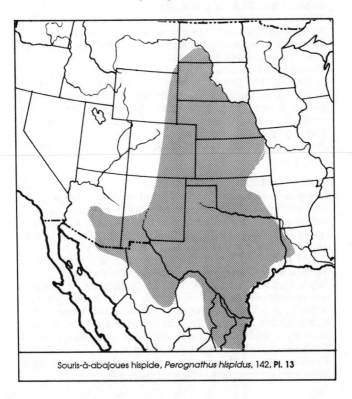

Souris-à-abajoues hispide, *Perognathus hispidus*, 142, **Pl. 13**

queue *tout blancs*; queue *renflée* au milieu, sans bout noir. 20 dents (Pl. 27).

Espèces semblables : (1) la Souris-kangourou mégacéphale est brunâtre ou noirâtre; queue à bout noir. (2) La Souris-à-abajoues des pinèdes est gris olivâtre. (3) La Petite Souris-à-abajoues est jaunâtre.

Habitat : sable fin et broussailles éparses.

Mœurs : probablement semblables à celles de la Souris-kangourou mégacéphale.   Carte ci-contre

RAT-KANGOUROU ORNÉ   Pl. 14

Dipodomys spectabilis   (Banner-tailed Kangaroo Rat)
Tête et corps 125-150 mm; queue 180-230 mm; 115-175 g. Le plus distinctif des rats-kangourous. *Grande taille, 4 orteils, queue à bout blanc bien marqué.* Étroites bandes latérales blanches de la base aux $2/3$ de la queue, suivies d'une bande noire et finalement du bout blanc. 20 dents. 6 mamelles.

Espèces semblables : les Rats-kangourous (1) d'Ord et (2) de Merriam sont plus petits et n'ont pas le bout de la queue blanc.

Habitat : zones herbeuses arides ou semiarides à broussailles éparses, mesquites ou genévriers.

Mœurs : actif toute l'année. Nocturne. Fait des monticules de 3 m de large sur 1 m de haut, de terre et de débris de plantes; jusqu'à 12 entrées de tunnels par monticule; amasse des graines dans son gîte; un terrier examiné en contenait 5,4 kg. Domaine vital, hab. moins de 185 m. Peut s'éloigner de 1,5 km. 2,5-5 individus/ha. Peut vivre plus de 2 ans.

Jeunes : 1-4, nés entre janvier et août; gestation, env. 27 jours; 1-3 portées par an.   Carte ci-contre

RAT-KANGOUROU DE HEERMANN   Pl. 14

Dipodomys heermanni   (Heermann's Kangaroo Rat)
Tête et corps 100-125 mm; queue 165-215 mm; 50-95 g. Taille moyenne; 4 ou 5 orteils aux pattes postér., hab. 4. Bout de la queue blanc ou gris noirâtre. Difficile à identifier; en certains endroits, il faut examiner le crâne. 20 dents.

Très apparentée, à 4 orteils, l'espèce *Dipodomys californicus* habite le centre S de l'Oregon et le N de la Californie.

Espèces semblables : (1) le Rat-kangourou géant est plus gros; tête et corps plus de 125 mm; 5 orteils. (2) Le Rat-kangourou de Santa-Cruz a 5 orteils aux pattes postér. et une bande blanche transverse aux flancs. (3) Le Rat-kangourou à grandes oreilles a une brosse touffue à la queue. (4) Chez le Rat-kangourou de Fresno, la queue a hab. moins de 150 mm.

Habitat : zones herbeuses sèches et sols graveleux partiellement découverts sur les pentes à chaparral clairsemé.

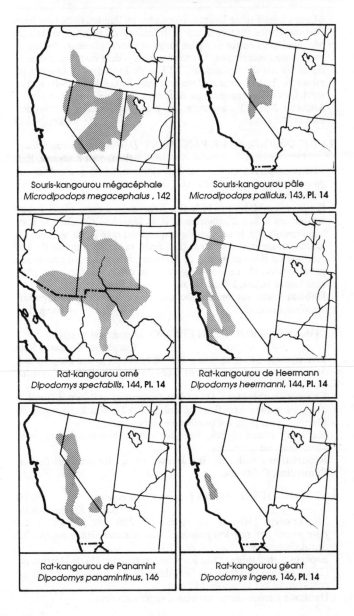

Souris-kangourou mégacéphale
Microdipodops megacephalus , 142

Souris-kangourou pâle
Microdipodops pallidus, 143, **Pl. 14**

Rat-kangourou orné
Dipodomys spectabilis, 144, **Pl. 14**

Rat-kangourou de Heermann
Dipodomys heermanni, 144, **Pl. 14**

Rat-kangourou de Panamint
Dipodomys panamintinus, 146

Rat-kangourou géant
Dipodomys ingens, 146, **Pl. 14**

Mœurs : actif toute l'année. Nocturne; préfère les nuits sans lune. Fait de petites réserves; mange beaucoup de végétation fraîche. Monticules à l'entrée des gîtes longs et étroits; plusieurs entrées de tunnels sans monticules; 1-6 entrées par système de tunnels; terriers de 15-60 cm de profondeur, 3-12 m de longueur. Domaine hab. moins de 120 m; peut s'éloigner à plus de 0,8 km. 2,5-16 individus/ha. Activité reproductrice de février à octobre, surtout en avril. **Jeunes** : 2-5; 1-3 portées par an. Nus. Les femelles se reproduisent la 1ère année. Carte p. 145

RAT-KANGOUROU DE PANAMINT *Dipodomys panamintinus*
(Panamint Kangaroo Rat)

Tête et corps 125 mm; queue 160-190 mm; 65-95 g. *5 orteils* aux pattes postér. Rayure foncée du dessous de la queue terminée en pointe près du bout. 20 dents.

Espèces semblables : (1) le Rat-Kangourou à dents plates habite surtout les zones d'armoises et d'asclépiades. (2) Chez le Rat-kangourou agile, le dessous de la queue est rayé jusqu'au bout. (3) Le Rat-kangourou d'Ord est plus petit, sa queue a moins de 150 mm. (4) Le Rat-kangourou de Merriam, plus petit, a 4 orteils aux pattes arrière. (5) Le Rat-kangourou du désert est plus gros, pâle, sans taches noires, à 4 orteils aux pattes arrière.

Habitat : sols sablonneux ou graveleux, yuccas, pins pignons, armoises dispersées. Carte p. 145

RAT-KANGOUROU DE STEPHENS *Dipodomys stephensi*
(Stephens' Kangaroo Rat)

Tête et corps 140 mm; queue 165-180 mm; 75 g. Rat-kangourou à *5 orteils* trouvé seulement dans la *Vallée de San Jacinto*, Californie. 20 dents.

Espèces semblables : (1) le Rat-kangourou agile est difficile à distinguer sans examiner le crâne. (2) Le Rat-kangourou de Merriam, plus petit, a 4 orteils aux pieds postér.

Habitat : zones sèches, nues ou un peu broussailleuses; sols sablonneux ou graveleux.

Répartition : vallée de San Jacinto, co. de Riverside et de San Bernardino, Californie.

RAT-KANGOUROU GÉANT *Dipodomys ingens* **Pl. 14**
(Giant Kangaroo Rat)

Tête et corps 140-150 mm; queue 175-200 mm; 125-180 g. *Le plus grand* des rats-kangourous. *5 orteils aux pattes postér.* 20 dents. 6 mamelles.

Espèces semblables : chez les Rats-kangourous (1) de Heermann, (2) de Fresno (4 orteils), (3) agile et (4) de Santa Cruz, tête et corps réunis ont moins de 140 mm.

Habitat : terreau sablonneux fin à végétation éparse.

Mœurs : nocturne. Mange surtout des plantes fraîches, des graines aussi. Tunnels en groupes de 2-4, bien espacés. Comportement territorial parfois. Reproduction, janvier à mai.
Jeunes : hab. 3-4, parfois 6.   Carte p. 145

RAT-KANGOUROU D'ORD *Dipodomys ordii*   **Pl. 14**
(Ord's Kangaroo Rat)
Tête et corps 100-115 mm; queue 125-150 mm; 40-70 g. Le plus répandu des rats-kangourous. 4 ou 5 orteils aux pattes postér. *Rayures foncées de la queue plus larges* que les rayures blanches; rayure ventrale *terminée en pointe* près du bout. Incisives infér. arrondies devant. 20 dents.

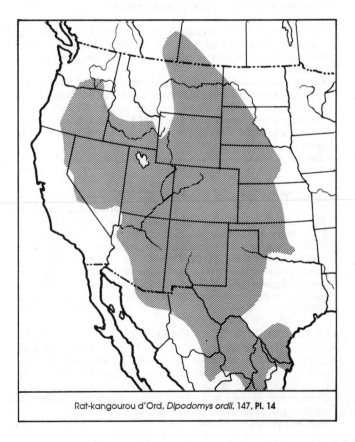

Rat-kangourou d'Ord, *Dipodomys ordii*, 147, **Pl. 14**

Espèces semblables : (1) la queue du Rat-kangourou de Panamint a plus de 150 mm. (2) Le Rat-kangourou de Merriam a 4 orteils; rayures claires de la queue plus larges que les foncées. (3) Le Rat-kangourou à dents plates a les incisives infér. effilées et plates. Les Rats-kangourous (4) du Texas, (5) orné et (6) du désert ont le bout de la queue blanc.

Habitat : sols sablonneux; fréquente parfois les sols durs.

Mœurs : actif toute l'année; nocturne. Peut boire de l'eau si elle est disponible; fait des réserves de graines.

Jeunes : 2-5, nés en mai-juin; peut-être 2 portées par an.

Carte p. 147

RAT-KANGOUROU AGILE *Dipodomys agilis* **Pl. 14**
(Agile Kangaroo Rat)

Tête et corps 110-125 mm; queue 155-205 mm; 45-75 g. Le plus commun sur la côte du S de la Californie. Rayure ventrale prolongée jusqu'au bout de la queue; *5 orteils* aux pattes arrière. 20 dents.

Espèces semblables : (1) le Rat-kangourou de Stephens est difficile à distinguer sans examiner le crâne. Les Rats-kangourous (2) de Merriam et (3) de Fresno sont plus petits, à 4 orteils. (4) Le Rat-kangourou géant est plus gros. (5) Chez le Rat-Kangourou de Panamint, la rayure ventrale foncée s'amenuise avant le bout de la queue.

Habitat : sols graveleux ou sablonneux, pentes ou alluvions, chaparral clairsemé; jusqu'à 2300 m. Carte ci-contre

RAT-KANGOUROU DE SANTA CRUZ *Dipodomys venustus*
(Narrow-faced Kangaroo Rat)

Tête et corps 120-130 mm; queue 180-205 mm; 75-90 g. Restreint à une étroite bande de la côte californienne; *coloration chaude*; *5 orteils*. *Grandes oreilles*; bande blanche aux flancs. 20 dents.

Espèces semblables: (1) le Rat-kangourou de Heermann a hab. 4 orteils aux pattes postér.; pas de bande blanche sur les flancs. (2) Chez le Rat-kangourou géant, tête et corps réunis ont plus de 140 mm.

Habitat : pentes à chaparral, chênes, pins; endroits plats; jusqu'à 1800 m. Carte ci-contre

RAT-KANGOUROU À GRANDES OREILLES **Pl. 14**
Dipodomys elephantinus (Big-eared Kangaroo Rat)

Tête et corps 125 mm; queue 175-205 mm; 80-90 g. Jolie espèce à *grandes oreilles*; 5 orteils aux pattes postér.; bout de la queue orné d'une brosse touffue de longs poils. 20 dents.

Espèces semblables : le Rat-kangourou de Heermann n'a souvent que 4 orteils; sa queue n'a pas le bout touffu.

Habitat : pentes à chaparral.

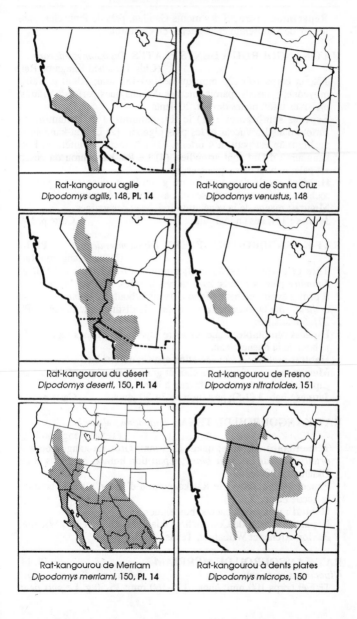

Rat-kangourou agile
Dipodomys agilis, 148, **Pl. 14**

Rat-kangourou de Santa Cruz
Dipodomys venustus, 148

Rat-kangourou du désert
Dipodomys deserti, 150, **Pl. 14**

Rat-kangourou de Fresno
Dipodomys nitratoides, 151

Rat-kangourou de Merriam
Dipodomys merriami, 150, **Pl. 14**

Rat-kangourou à dents plates
Dipodomys microps, 150

Répartition : partie S des monts Gabilan, près de Pinnacles, dans les co. de San Benito et Monterey en Californie.

RAT-KANGOUROU À DENTS PLATES *Dipodomys microps*
(Chisel-toothed Kangaroo Rat)

Tête et corps 100-125 mm; queue 140-185 mm; 70-90 g. Taille moyenne; 5 orteils; parois internes des abajoues parfois noirâtres; incisives infér. plates devant. 20 dents.

Espèces semblables : (1) le Rat-kangourou de Panamint vit surtout dans les yuccas et les pins pignons. (2) Le Rat-kangourou de Merriam est petit, à 4 orteils. (3) Les incisives infér. du Rat-kangourou d'Ord sont arrondies. (4) Le Rat-kangourou du désert est pâle; le bout de sa queue est blanc.

Habitat : sols sablonneux ou graveleux, déserts ou pentes rocheuses, régions à armoises et à asclépiades éparses.

Mœurs : mange de la végétation fraîche et des graines.

Jeunes : 1-4, nés en mai-juin.   Carte p. 149

RAT-KANGOUROU DU DÉSERT *Dipodomys·deserti*   Pl. 14
(Desert Kangaroo Rat)

Tête et corps 125-165 mm; queue 180-215 mm; 85-150 g. *Jaunâtre* pâle; 4 orteils; *sans* taches foncées, sauf sur la queue où il peut y avoir une bande foncée avant le bout. Sa *grande taille*, sa *couleur pâle* et sa *queue à bout blanc* le distinguent. 20 dents (Pl. 27). 6 mamelles.

Espèces semblables : aucune autre espèce des mêmes régions n'a le bout de la queue blanc.

Habitat : sables fins à végétation éparse; déserts bas.

Mœurs : mange plantes fraîches et graines; peut vivre 5 $^{1}/_{2}$ ans en captivité. Reproduction de février à juin.

Jeunes : hab. 3 (2-5); gestation de 29-30 jours.   Carte p. 149

RAT-KANGOUROU DU TEXAS *Dipodomys elator*
(Texas Kangaroo Rat)

Tête et corps 145 mm; queue 205 mm. Gros rat-kangourou à *4 orteils*; *bout de la queue blanc*; répartition limitée, au Texas et en Oklahoma. 20 dents.

Espèces semblables : le Rat-kangourou d'Ord n'a pas le bout de la queue blanc.

Habitat : mesquites, cactus, bouteloues.

Répartition : co. de Comanche, Oklahoma; co. de Clay, Wichita, Baylor, Archer et Wilbarger, Texas.

RAT-KANGOUROU DE MERRIAM   Pl. 14
Dipodomys merriami   (Merriam's Kangaroo Rat)

Tête et corps 100 mm; queue 125-160 mm; 35-50 g. Le *plus petit* des rats-kangourous. *4 orteils* aux pattes arrière. Varie du jaune pâle au brun foncé. 20 dents. 6 mamelles.

Espèces semblables : (1) le Rat-kangourou d'Ord peut avoir 5 orteils, ou la rayure ventrale de sa queue est large à la base et terminée en pointe près du bout de la queue. Les Rats- kangourous (2) orné et (3) du désert, plus gros, ont le bout de la queue blanc. (4) Les autres ont 5 orteils aux pattes postér.

Habitat : sols sablonneux ou rocheux; surtout dans les déserts bas à végétation éparse.

Mœurs : nocturne. Mange surtout des graines, mais parfois des plantes fraîches. Terriers de 15-35 cm de profond. Domaine vital de 0,1- 0,2 ha en Arizona. A déjà vécu 5 $1/2$ ans en captivité. Les femelles ont un comportement territorial. Se reproduit entre février et octobre.

Jeunes : 1-4; 1-2 portées par an. Nus; yeux ouverts à 13 jours.

Carte p. 149

RAT-KANGOUROU DE FRESNO *Dipodomys nitratoides*

(Fresno Kangaroo Rat)

Tête et corps 90-100 mm; queue 120-150 mm. 30-50 g. *Petite taille, 4 orteils* aux pattes postér.; limité à la vallée de *San Joaquin* en Californie. 20 dents.

Espèces semblables : (1) le Rat-kangourou de Heermann est plus gros; sa queue dépasse 150 mm. (2) Les autres rats-kangourous ont 5 orteils.

Habitat : plaines arides, souvent alcalines, à pousses éparses d'herbes et de broussailles basses.   Carte p. 149

Castor du Canada : Castoridae

Cette famille contient actuellement un seul genre (*Castor*). Le Castor du Canada est le plus gros rongeur dont il soit question dans ce guide. Les fossiles remontent à l'Oligocène inférieur.

CASTOR DU CANADA *Castor canadensis*   **Pl. 19**

(Beaver)

Tête et corps 65-75 cm; queue 25 cm; 15-30 kg. Un *barrage* de branches et de boue *en travers d'un ruisseau* ou une grande hutte *conique* au bord d'un lac et des souches de petits arbres portant des traces de dents indiquent sa présence. Un claquement fort à la surface de l'eau le trahit aussi. Brun foncé; queue nue, écailleuse, *en forme de rame*, plate, d'env. 15 cm de largeur. Dents antér. très grandes, marron; pieds arrière palmés, 2e griffe double. 20 dents (Pl. 28). 4 mamelles.

Espèces semblables : (1) la Loutre de rivière (p. 60) a la queue velue. (2) Le Rat-musqué commun (p. 193) est plus petit; sa queue est mince et aplatie latéralement. (3) Le Ragondin (p. 200) a la queue ronde et velue.

Habitat : ruisseaux et lacs bordés d'arbres ou d'aulnes.

Mœurs : surtout nocturne, actif peu après le coucher du soleil, parfois le jour. Préfère trembles, peupliers, bouleaux, érables, saules et aulnes dont il mange écorce et rameaux; entasse des branches et des parties de tronc sous l'eau près de sa hutte. Les huttes abritent des groupes de familles, parents, jeunes de 1 an et bébés; les jeunes quittent la hutte à 2 ans ou sont mis dehors. Creuse parfois les rives des ruisseaux rapides pour se faire un terrier. Colonies territoriales; tous participent à l'entretien de la hutte. Des individus ont déjà été retrouvés à 240 km de leur lieu d'origine, mais hab. s'éloignent rarement à plus de 10 km. Peut vivre 11 ans en nature, 19 ans en captivité. Les femelles se reproduisent à 2 1/2 ans.

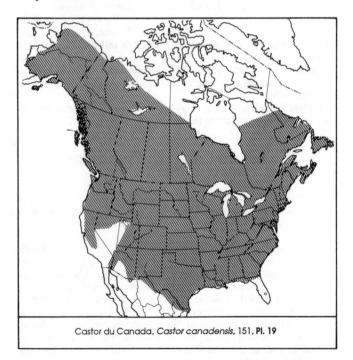

Castor du Canada, *Castor canadensis*, 151, **Pl. 19**

Jeunes : hab. 2-4, parfois 8, nés entre avril et juillet; velus, yeux ouverts. Gestation d'env. 128 jours; 1 portée par an.

Importance économique : recherché pour sa fourrure; agent de conservation de l'eau; le bois qu'il détruit est hab. du bois sans valeur commerciale; il inonde parfois les routes et les champs; sa viande est comestible. Exterminé en plusieurs endroits, il est maintenant réintroduit. Fréquente la plupart des parcs du N, Algonquin et Jasper au Canada, Glacier, Yellowstone, Grand Teton, Mt. Rainier, Olympic et Rocky Mt. aux É.-U.

Carte ci-contre

Souris, rats, lemmings et campagnols : Muridae

Famille de rongeurs petits et moyens; tête et corps, 50 à 250 mm; queue, 10 à 200 mm, sauf le Rat-musqué dont tête et corps réunis mesurent environ 35 cm. Hab. 4 orteils aux pattes avant, parfois 5, toujours 5 orteils aux pattes arrière. Queue rarement touffue, hab. couverte de poils courts. Souris et rats ont de grandes oreilles et de grands yeux et une longue queue; lemmings et campagnols ont la queue courte, les oreilles et les yeux petits, et ont hab. le pelage long. Ils vivent hab. sur ou dans le sol; certains sont partiellement arboricoles, d'autres fréquentent les endroits rocheux, d'autres sont en partie aquatiques. Il y a des représentants de cette famille partout en Amér. du N. Fossiles de l'Oligocène, peut-être aussi de l'Éocène supérieur. 2 dents rongeuses et 6 dents jugales à chaque mâchoire (16 dents).

Souris-moissonneuses

Extérieurement, ces petites souris brunes ressemblent à des Souris communes. Leurs incisives supér. permettent toutefois de les distinguer: si celles-ci ont un *sillon* longitudinal frontal profond, il s'agit probablement d'une souris-moissonneuse. Les autres souris à sillons ont des abajoues, ou ont la queue très longue et écailleuse, ou la queue courte, de moins de 25 mm. 16 dents. 6 mamelles.

Importance économique : probablement inoffensives; entrent peu en compétition avec l'homme.

SOURIS-MOISSONNEUSE DE L'EST   Pl. 15
Reithrodontomys humulis   (Eastern Harvest Mouse)
Tête et corps 65-75 mm; queue 45-65 mm; 9-14 g. Souris *brune*; ventre et dessous de la queue un peu plus clairs que le dos; la seule espèce dans les régions qu'elle fréquente.

Espèces semblables : (1) la Souris-moissonneuse fauve a la queue plus longue et le ventre blanc. (2) La Souris-pygmée de Taylor (p. 165) est plus petite, à incisives supér. sans sillon.

Habitat : champs à l'abandon, marécages, prés humides.

Jeunes : 2-5, nés entre mai et novembre.   Carte ci-dessous

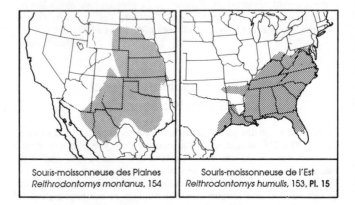

Souris-moissonneuse des Plaines
Reithrodontomys montanus, 154

Souris-moissonneuse de l'Est
Reithrodontomys humulis, 153, **Pl. 15**

SOURIS-MOISSONNEUSE DES PLAINES

Reithrodontomys montanus   (Plains Harvest Mouse)

Tête et corps 55-75 mm; queue 50-65 mm; 5-9 g. *Gris pâle* à *reflets fauve pâle*, souvent avec une tache foncée diffuse le long du dos. Ventre, pieds et dessous de la queue blancs.

Espèces semblables : (1) la Souris-moissonneuse occidentale est parfois difficile à distinguer; queue hab. plus de 65 mm. (2) La Souris-moissonneuse fauve a la queue plus longue que 75 mm. (3) La Souris-pygmée de Taylor a la queue plus courte et des incisives supér. sans sillon.

Habitat : surtout en zone élevée; sols bien drainés, herbes basses et autre végétation basse, souvent éparse.

Mœurs : se reproduit toute l'année dans le S.

Jeunes : 2-5, sevrés à 2 semaines. Gestation de 21 jours.

Carte ci-dessus

SOURIS-MOISSONNEUSE OCCIDENTALE   Pl. 15

Reithrodontomys megalotis   (Western Harvest Mouse)

Tête et corps 70-75 mm; queue 60-80 mm; 9-17 g. Très répandue, des Grands Lacs à la côte O. *Gris pâle* à reflets fauves ou *bruns*. Ventre et dessous de la queue de blanc à gris foncé. Dans les îles Santa Catalina et Santa Cruz en Californie. 16 dents (Pl. 26).

Espèces semblables : (1) la Souris-moissonneuse des Plaines est difficile à distinguer; sa queue a hab. moins de 65 mm. (2) La Souris-moissonneuse des marais a le ventre fauve, foncé. (3) La Souris-moissonneuse fauve a les flancs fauves et sa queue a hab. plus de 85 mm. (4) La Souris-pygmée de Taylor (p. 165) a la queue plus courte et des incisives supér. sans sillon.

Habitat : zones herbeuses, déserts, bosquets de mauvaises herbes; hab. dans la végétation dense et près de l'eau.

Mœurs : active toute l'année. Consomme surtout des graines et parfois des insectes. Niche hab. à la surface du sol ou dans les plantes grimpantes, la végétation haute, les trous de pics-bois dans les piquets ou les petits arbres. Se reproduit en tout temps de l'année en certains endroits; hab. 2 mois sans se reproduire (janvier et mars en Californie).

Jeunes : hab. 2-4 (1-9); nus, aveugles; gestation de 23-24 jours. Les femelles se reproduisent à 4 1/2 mois.   Carte ci-dessous

SOURIS-MOISSONNEUSE DES MARAIS   **Pl. 15**
Reithrodontomys raviventris   (Salt Marsh Harvest Mouse)
Tête et corps 65-80 mm; queue 55-85 mm. Corps d'un *brun chaud* à reflets *fauves* foncés, surtout sur le ventre; queue de couleur à peu près uniforme; habite seulement dans les *marais côtiers*, dans la région de la baie de San Francisco.

Espèces semblables : la Souris-moissonneuse occidentale a le ventre blanc ou gris, pas roux.

Habitat : marais côtiers.

Mœurs : s'approprie le nid d'un Bruant chanteur au-dessus du niveau de l'eau le plus élevé.

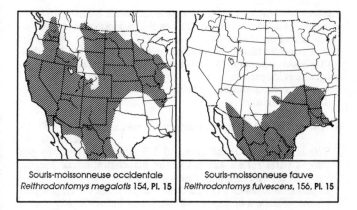

Souris-moissonneuse occidentale
Reithrodontomys megalotis 154, **Pl. 15**

Souris-moissonneuse fauve
Reithrodontomys fulvescens, 156, **Pl. 15**

Répartition : marécages en bordure de la baie de San Francisco, notamment à l'embouchure du Sacramento, Californie.

SOURIS-MOISSONNEUSE FAUVE   Pl. 15

Reithrodontomys fulvescens   (Fulvous Harvest Mouse)

Tête et corps 70-80 mm; queue 85-100 mm; 14-28 g. La plus colorée et la *plus grosse* des souris-moissonneuses. *Brun grisâtre*, à flancs *fauve vif* et à *ventre blanc*. Queue plus pâle dessous.

Espèces semblables : (1) la Souris-moissonneuse de l'Est est plus petite, brun foncé à ventre gris. (2) La queue de la Souris-moissonneuse des Plaines a moins de 75 mm. (3) La Souris-moissonneuse occidentale n'a pas les flancs fauve vif; sa queue a hab. moins de 75 mm. (4) La Souris-pygmée de Taylor (p. 165) a la queue plus courte et des incisives supér. sans sillon.

Habitat : zones herbeuses à broussailles éparses et mesquites; dans les champs de mauvaises herbes et le long des clôtures.

Mœurs : niche dans un terrier souterrain, un nid d'oiseau converti ou un nid qu'elle construit dans les buissons ou les herbes hautes. Saison de reproduction de février à octobre.

Jeunes : 2-5; nus, aveugles. Probablement plus d'une portée par an.   Carte p. 155

Souris à pattes blanches et souris-pygmées

Souris de taille moyenne à *pattes blanches*, à ventre hab. blanc et à dos brun ou fauve. Queue plutôt *longue*, souvent aussi longue que tête et corps réunis. Nocturnes; vivent dans les bois, prairies, rochers, parfois près des édifices. Vivent hab. dans le sol, mais certaines nichent dans les arbres. Gestation, 21-27 jours. Jeunes nus et aveugles. 16 dents.

Espèces semblables : (1) les Souris-à-sauterelles (pp. 166-167) ont la queue courte à bout blanc. (2) Les Souris-moissonneuses ont un sillon frontal sur chaque incisive supér. (3) L'Oryzomys palustre (p. 172) a le ventre laineux et porte une queue à peine velue à écailles. (4) La Souris commune (p. 196) n'a pas le ventre blanc ou sa queue est glabre et longue.

Importance économique : généralement inoffensives; entrent parfois dans les maisons.

SOURIS DES CACTUS *Peromyscus eremicus*   Pl. 16

(Cactus Mouse)

Tête et corps 80-90 mm; queue 95-135 mm; 17-40 g. Corps *gris pâle*, à pâles reflets fauves; ventre blanchâtre; queue longue, vaguement bicolore, à poils épars. 4 mamelles.

Espèces semblables : (1) La Souris de Merriam est un peu plus grosse, difficile à distinguer. (2) La Souris à chevilles blanches, à tête et corps hab. plus petits, a les chevilles blanches. (3) La Souris des canyons porte une petite touffe de longs poils au bout de la queue. (4) La Souris sylvestre a la queue velue, nettement bicolore. (5) La Souris à pattes blanches a la queue un peu plus courte. (6) La Souris de Boyle porte de longs poils vers le bout de la queue. (7) La Souris de True a d'énormes oreilles; vit sur les contreforts. (8) La Souris des rochers a de grandes oreilles et la queue bien velue.

Habitat : déserts bas à sol sablonneux et végétation éparse; amas de roches; peut aller jusqu'à la zone de pins pignons.

Mœurs : vit hab. dans des tunnels dans le sol ou parmi les pierres; monte aux arbres pour trouver sa nourriture; mange graines, insectes, parfois des plantes fraîches.

Jeunes : 1-4; 3-4 portées par an. Carte p. 158

SOURIS DE MERRIAM *Peromyscus merriami*

(Merriam's Mouse)

Tête et corps 95-100 mm; queue 100-120 mm. Semblable à la Souris des cactus; leurs répartitions se recoupent à peine.

Espèces semblables : (1) la Souris des cactus est un peu plus petite; difficile à distinguer. (2) La Souris sylvestre a la queue bien velue et bicolore. (3) La Souris à pattes blanches a la queue relativement courte. (4) La Souris de Boyle a de longs poils au bout de la queue.

Habitat : mesquites et broussailles éparses, déserts bas.

Répartition : co. de Pinal, Pima et Santa Cruz, Arizona.

SOURIS DE CALIFORNIE *Peromyscus californicus* Pl. 16

(California Mouse)

Tête et corps 95-115 mm; queue 125-145 mm; 40-50 g. La *plus grosse* des souris de ce genre en Amér. du N. *Brun foncé, dessus de la queue noirâtre*; pieds et ventre blanchâtres; grandes oreilles. Sa taille la distingue bien. 4 mamelles.

Espèces semblables : toutes les autres souris sont plus petites et leur queue a hab. moins de 125 mm.

Habitat : pentes à chênes verts et à chaparral dense.

Mœurs : amasse des glands dans son nid souvent construit dans le nid d'un Néotoma à pattes sombres, parfois dans un bâtiment. Nid de rameaux et branchailles tapissé d'herbes fines. Se reproduit toute l'année, rarement en hiver.

Jeunes : hab. 2 (1-3); peut avoir plusieurs portées par année.

Carte p. 158

SOURIS DES CANYONS *Peromyscus crinitus* Pl. 16

(Canyon Mouse)

Tête et corps 75-85 mm; queue 90-110 mm. Corps *gris chamois ou chamois*; pelage long et mou; *queue* longue, *bien poilue*, portant une petite *touffe* au bout; ventre et dessous de la queue blancs. 4 mamelles.

Espèces semblables : (1) la Souris des cactus n'a pas de touffe à la queue. (2) La Souris sylvestre, là où les répartitions se recoupent, a une queue de moins de 90 mm. (3) La Souris de Boyle est brune. Les Souris (4) de True et (5) des rochers ont de grandes oreilles de près de 25 mm; tête et corps réunis ont plus de 90 mm. (6) La queue de la Souris de Californie a plus de 125 mm.
Habitat : canyons rocheux, pentes, champs de lave; sols arides.
Mœurs : niche parmi les pierres ou dans des terriers dessous.
Jeunes : 3-5, nés au printemps ou en été.   Carte ci-dessous

SOURIS SYLVESTRE *Peromyscus maniculatus*   **Pl. 16**
                                                    (Deer Mouse)
Tête et corps 70-100 mm; queue 50-125 mm; 18-35 g. La plus répandue et la plus variable des souris de ce genre. Du gris pâle chamois au brun foncé rougeâtre. Queue toujours *nettement*

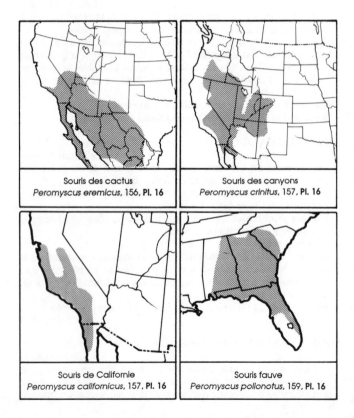

Souris des cactus
Peromyscus eremicus, 156, **Pl. 16**

Souris des canyons
Peromyscus crinitus, 157, **Pl. 16**

Souris de Californie
Peromyscus californicus, 157, **Pl. 16**

Souris fauve
Peromyscus polionotus, 159, **Pl. 16**

bicolore, blanche dessous, foncée dessus. Souvent difficile à distinguer des autres. 16 dents (Pl. 26). 6 mamelles.

Espèces semblables : (1) la Souris à pattes blanches, dans le S, n'a pas la queue nettement bicolore; dans les forêts du NE, sa queue a moins de 90 mm; difficile à distinguer. Les Souris (2) des cactus et (3) de Merriam ont la queue peu velue, pas bicolore. (4) La Souris des canyons a la queue plus longue que tête et corps réunis; fourrure longue et molle. (5) La Souris des cotonniers, brun foncé, a la tête et le corps plus gros. Les Souris (6) de Boyle et (7) à chevilles blanches ont la queue aussi longue ou plus longue que le reste du corps. Les Souris (8) de True et (9) des rochers ont de grandes oreilles, de près de 25 mm. (10) La Souris de Nuttall a la tête et le corps cannelle. (11) La Souris de Californie est plus grosse.

Habitat : se retrouve dans tous les milieux secs dans sa répartition; forêts en certains endroits, zones herbeuses en d'autres, mélanges des deux parfois.

Mœurs : niche dans le sol, les arbres, les souches et les bâtiments. Mange graines, noix, glands, insectes; fait des réserves. Domaine de 0,2-1,2 ha ou plus. Une densité de 25 à 37 par ha en été est considérée élevée; plusieurs individus se réunissent parfois l'hiver. Vit rarement plus de 2 ans en nature, 5-8 ans en captivité. Femelles parfois territoriales pendant la reproduction, hab. entre février et novembre selon la latitude.

Jeunes : hab. 3-5 (1-8); 2-4 portées par an. Se reproduit à 5-6 semaines.   Carte p. 160

SOURIS DE SITKA *Peromyscus sitkensis*

(Sitka Mouse)

Tête et corps 110-115 mm; queue 95-115 mm; 35-45 g. Ne vit que sur certaines îles. 6 mamelles.

Peromyscus oreas, la Souris des Cascades, est très semblable vit sur le continent. Certains auteurs croient qu'il peut s'agir de la même espèce.

Mœurs : vit de graines d'épinettes et de petits invertébrés.

Jeunes : en moyenne 6 par portée; probablement 2 portées par an.

Répartition : îles Baranof, Chichagof et Forrester, Alaska; îles Kunghit, Frederick et Hippa, Colombie-Britannique.

SOURIS FAUVE *Peromyscus polionotus*   Pl. 16

(Oldfield Mouse)

Tête et corps 85-95 mm; queue 40-60 mm. Dos *blanc* ou *cannelle pâle*; ventre et pieds blancs. 6 mamelles.

Espèces semblables : les Souris (1) à pattes blanches, (2) des cotonniers et (3) de Floride sont brun foncé ou ont une queue de plus de 60 mm. (4) La Souris de Nuttall a la tête et le corps cannelle vif; queue de plus de 75 mm.

Habitat : plages de sable et champs sablonneux en jachère.

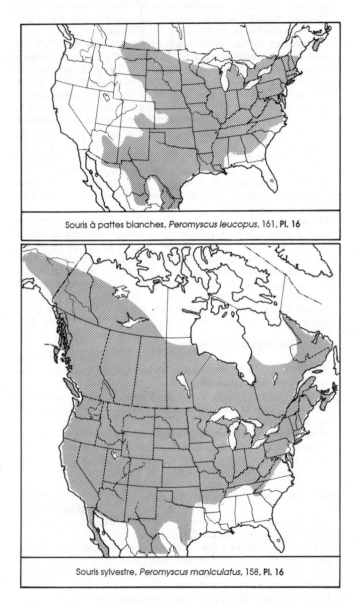

Souris à pattes blanches, *Peromyscus leucopus*, 161, **Pl. 16**

Souris sylvestre, *Peromyscus maniculatus*, 158, **Pl. 16**

Mœurs : mange graines et petits fruits. Terriers avec monticules à l'entrée; entrée hab. fermée le jour. Domaine de 275 m dans sa plus grande dimension. Parfois 15 individus/ha, hab. moins. A vécu 5 ans 3 mois en captivité. Femelles parfois territoriales durant la reproduction; reproduction toute l'année, mais surtout en hiver.

Jeunes : en moyenne 4 par portée; probablement 2 portées ou plus par an.   Carte p. 158

SOURIS À PATTES BLANCHES *Peromyscus leucopus*   **Pl. 16**
(White-footed Mouse)

Tête et corps 90-105 mm; queue 60-100 mm; 14-30 g. Dos brun pâle à brun foncé rougeâtre; ventre et pieds blancs; queue hab. *plus courte que tête et corps réunis.* Parfois difficile à distinguer des autres. 6 mamelles.

Espèces semblables : (1) la Souris sylvestre a toujours la queue bicolore; dans les forêts du NE, sa queue a plus de 90 mm; difficile à distinguer. (2) La Souris des cotonniers est un peu plus grosse; difficile à distinguer. (3) La Souris de Boyle a la queue plus longue que tête et corps réunis. Les Souris (4) des cactus et (5) à chevilles blanches ont une touffe de poils plus longs sur les derniers 25 mm de la queue. (6) Chez la Souris fauve, la queue a moins de 60 mm. Les Souris (7) de True et (8) des rochers ont des oreilles de 25 mm de hauteur. (9) La Souris de Merriam a la queue presque glabre. (10) La Souris de Nuttall a la tête et le corps cannelle.

Habitat : zones boisées ou broussailles; clairières parfois.

Mœurs : mange graines, noix, insectes; fait des réserves. Niche dans des endroits protégés, dans le sol, dans de vieux nids d'écureuils ou d'oiseaux, des bâtiments, des souches, des vieux troncs d'arbres. Domaine de 0,2-0,6 ha. 10-30/ha. Vit 5 ans ou plus en captivité, 2-3 ans en nature. Femelles territoriales durant la reproduction, de mars à juin et de septembre à novembre dans le N, toute l'année dans le S.

Jeunes : 2-6; 2-4 portées par an. Les femelles se reproduisent à 10-11 semaines.   Carte ci-contre

SOURIS DES COTONNIERS *Peromyscus gossypinus*
(Cotton Mouse)

Tête et corps 90-115 mm; queue 70-90 mm; 28-50 g. Parties dorsales *brun foncé* mêlé de chamois; ventre blanchâtre; queue bicolore ou uniforme. 6 mamelles.

Espèces semblables : (1) la Souris à pattes blanches est un peu plus petite; difficile à distinguer. (2) La Souris sylvestre est plus petite. (3) La Souris fauve est pâle; queue de moins de 65 mm. (4) La Souris de Nuttall est cannelle vif. (5) La Souris de Floride est plus grosse; crêtes sablonneuses.

Habitat : zones boisées le long des ruisseaux ou des champs; marécages.

Mœurs : grimpe aux arbres. Mange graines et insectes. Niche dans les arbres, sous les troncs morts, dans les bâtiments. Reproduction d'août à mai.

Jeunes : hab. 3-4 (1-7); 4 portées ou plus par an.

Carte ci-dessous

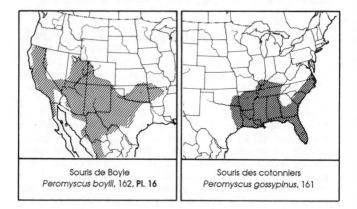

Souris de Boyle
Peromyscus boylii, 162, **Pl. 16**

Souris des cotonniers
Peromyscus gossypinus, 161

SOURIS DE BOYLE *Peromyscus boylii*   **Pl. 16**
(Brush Mouse)

Tête et corps 90-105 mm; queue 90-110 mm; 22-35 g. Du *brun grisâtre* au *brun foncé* à reflets *chamois* sur les flancs; *queue bien velue*, env. aussi longue que tête et corps réunis, souvent un peu plus longue. 6 mamelles.

P. attwateri est maintenant reconnue comme espèce distincte.

Espèces semblables : (1) la Souris à chevilles blanches est un peu plus petite, à chevilles blanches. Les Souris (2) de True et (3) des rochers ont des oreilles de 25 mm; difficiles à distinguer en Californie. Les Souris (4) des cactus et (5) de Merriam ont la queue peu velue. (6) La Souris de Californie est plus grosse; queue de plus de 125 mm. (7) La Souris des canyons est gris pâle ou chamois. Les Souris (8) sylvestre et (9) à pattes blanches ont la queue plus courte que le reste du corps. (10) La Souris de Nuttall est cannelle vif.

Habitat : zones à chaparral des régions arides et semiarides; zones rocheuses.

Mœurs : bonne grimpeuse. Mange noix de pins, glands, graines, petits fruits. Niche sous les pierres, dans les crevasses et sous les débris. Reproduction toute l'année, surtout au printemps et à l'été.

Jeunes : 2-6; probablement 4 portées ou plus.

Carte ci-dessus

SOURIS À CHEVILLES BLANCHES *Peromyscus pectoralis*
(White-ankled Mouse)

Tête et corps 85 mm; queue 95-110 mm; 22-40 g. Corps *gris pâle*; queue *plus longue* que tête et corps réunis; chevilles blanches. 6 mamelles.

Espèces semblables: (1) la Souris de Boyle, un peu plus grosse, a les chevilles noirâtres. (2) La Souris des cactus est hab. plus grosse, à chevilles noirâtres. Les Souris (3) sylvestre et (4) à pattes blanches ont la queue plus courte que le reste du corps.

Habitat : zones rocheuses à chênes et genévriers épars; chaparral.

Mœurs : vit parfois dans les bâtiments. Mange graines, petits fruits, glands. Reproduction d'avril à octobre.

Jeunes : 3-7; probablement plus d'une portée par an. Carte p. 164

SOURIS DE TRUE *Peromyscus truei* Pl. 16
(Piñon Mouse)

Tête et corps 90-100 mm; queue 85-120 mm; 20-30 g. Souris à *grandes oreilles* de près de 25 mm; *brun grisâtre* à forts reflets chamois; queue un peu plus courte à un peu plus longue que tête et corps réunis, *nettement bicolore*. 6 mamelles.

Espèces semblables : (1) la Souris des rochers est difficile à distinguer. (2) La Souris de Boyle a de petites oreilles, de moins de 20 mm; difficile à distinguer en Californie. (3) La Souris des cactus a la queue nettement poilue; déserts de basse altitude. (4) La Souris de Californie a une queue de plus de 125 mm. (5) La Souris des canyons est plus petite, gris pâle ou chamois. Les Souris (6) sylvestre et (7) à pattes blanches ont des oreilles de moins de 12 mm.

Habitat : terres rocheuses à pins pignons et genévriers épars.

Mœurs : bonne grimpeuse. Mange surtout graines et noix. Niche dans les arbres ou parmi les pierres. Reproduction surtout au printemps et en été.

Jeunes : 3-6; probablement plus d'une portée par an. Carte p. 164

SOURIS DES ROCHERS *Peromyscus difficilis* (Rock Mouse)

Tête et corps 90-100 mm; queue 90-110 mm; 24-32 g. Semblable à la Souris de True, intermédiaire entre celle-ci et la Souris de Boyle; difficile à distinguer, même par des experts. Caractères et espèces semblables décrits au paragraphe sur la Souris de True. 6 mamelles.

Habitat : rochers, falaises, parois des canyons.

Jeunes : hab. 3-4 (1-6) du début du printemps à octobre.

Carte p. 164

SOURIS DE FLORIDE *Podomys floridanus* (Florida Mouse)

Tête et corps 110-125 mm; queue 80-95 mm. *Grosse* souris à oreilles presque glabres et pieds postér. très grands. 6 mamelles.

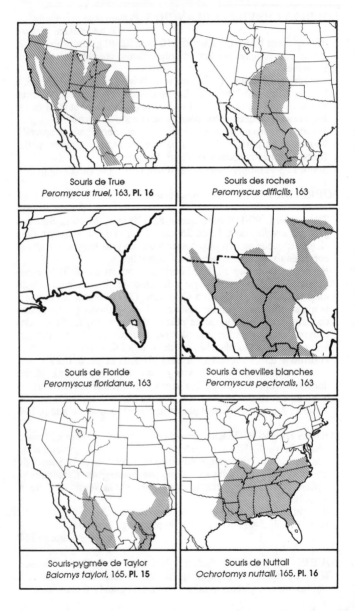

Souris de True
Peromyscus truei, 163, **Pl. 16**

Souris des rochers
Peromyscus difficilis, 163

Souris de Floride
Peromyscus floridanus, 163

Souris à chevilles blanches
Peromyscus pectoralis, 163

Souris-pygmée de Taylor
Baiomys taylori, 165, **Pl. 15**

Souris de Nuttall
Ochrotomys nuttalli, 165, **Pl. 16**

Récemment transférée du genre *Peromyscus* au genre *Podomys*.

Espèces semblables : (1) la Souris des cotonniers est plus petite et vit dans les bois. (2) La Souris fauve est plus petite, blanchâtre ou cannelle pâle. (3) La Souris de Nuttall est franchement cannelle.

Habitat : crêtes sablonneuses élevées, chênes des lieux arides et chênes buis, choux palmistes.

Mœurs : partage le nid d'une tortue, *Gopherus polyphemus*; se reproduit toute l'année en captivité.

Jeunes : 1-3; plusieurs portées par an.   Carte ci-contre

SOURIS DE NUTTALL *Ochrotomys nuttalli*   Pl. 16
(Golden Mouse)

Tête et corps 85-95 mm; queue 75-90 mm; 19-25 g. Jolie petite souris *cannelle dorée* à *ventre blanc*. 6 mamelles.

Espèces semblables : aucune autre souris n'a cette robe dorée. Dans les mêmes régions, on trouve les Souris (1) sylvestre, (2) fauve, (3) à pattes blanches, (4) des cotonniers, (5) de Boyle et (6) de Floride.

Habitat : forêts, bordures des cannaies, bosquets humides, chèvrefeuilles, smilax, épiphytes.

Mœurs : parfois grégaire; à l'aise dans les arbres, les plantes grimpantes, les broussailles. Construit un nid de feuilles et de fragments d'écorce, de 150-200 mm de diamètre, à 1,5-3 m du sol, dans les plantes grimpantes, bosquets ou épiphytes. Reproduction au printemps et à l'été.   Carte ci-contre

SOURIS-PYGMÉE DE TAYLOR *Baiomys taylori*   Pl. 15
(Northern Pigmy Mouse)

Tête et corps 50-65 mm; queue 35-45 mm; 7-9 g. La *plus petite* de nos souris; dos *brun grisâtre foncé*, ventre un peu plus clair. Un peu semblable à une jeune Souris commune, mais queue *plus claire dessous que dessus*, couverte de poils courts. 16 dents (Pl. 26).

Espèces semblables : (1) la Souris commune (p. 196) est plus grosse, à queue glabre. (2) Les Souris-moissonneuses (pp. 153-156) ont les incisives supér. creusées par un sillon.

Habitat : zones d'herbes ou de mauvaises herbes.

Mœurs : partiellement coloniale. Mange surtout des graines. Nid à la surface du sol ou dans le sol. Domaines de moins de 30 m. 15-20 individus/ha. Reproduction, janvier-octobre.

Jeunes : 1-5; plusieurs portées par an; gestation d'env. 20 jours.   Carte ci-contre

Souris-à-sauterelles

Vivent surtout dans les *prairies* et les régions *désertiques* du SO. Pelage court, *gris* ou *cannelle rosée* sur le dos, blanc dessous. Ressemblent parfois aux souris du genre *Peromyscus*. Leur queue *courte, à bout blanc,* et leur corps trapu permettent hab. de les distinguer. 6 mamelles.

Habitat : zones ouvertes; herbes, armoises, asclépiades; sols sablonneux ou graveleux.

Mœurs : carnivores; mangent insectes, scorpions, souris, lézards; des graines aussi. Vivent hab. dans les terriers d'autres animaux, spermophiles, chiens-de-prairies et gaufres. Cri, un sifflement perçant, probablement en guise d'appel.

Jeunes : hab. 4-5 (2-7), glabres, nés entre février et septembre; gestation, 32-47 jours; 2-3 portées par an.

Importance économique : bénéfiques ou inoffensifs; détruisent beaucoup d'insectes.

SOURIS-À-SAUTERELLES BORÉALE   Pl. 15
Onychomys leucogaster   (Northern Grasshopper Mouse)

Tête et corps 100-125 mm; queue 25-60 mm; 25-40 g. Trapue, à corps robuste, *grise ou cannelle rosée* à queue assez *courte, au bout blanc.* 16 dents (Pl. 26).

Espèces semblables : la Souris-à-sauterelles australe est plus

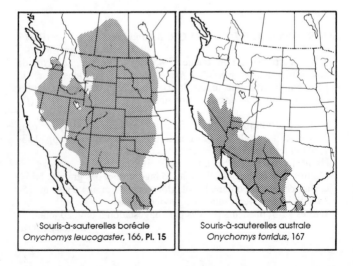

Souris-à-sauterelles boréale
Onychomys leucogaster, 166, **Pl. 15**

Souris-à-sauterelles australe
Onychomys torridus, 167

petite; queue hab. la moitié de la longueur du reste du corps; vallées basses.

Carte ci-contre

SOURIS-À-SAUTERELLES AUSTRALE *Onychomys torridus*
(Southern Grasshopper Mouse)

Tête et corps 90-100 mm; queue 40-50 mm; 20-25 g. Corps *grisâtre* ou *cannelle rosée*; ventre *blanc*; queue à bout *blanc*. 16 dents.

Très apparentée, *O. arenicola* habite le SO du Nouveau-Mexique.

Espèces semblables : la Souris-à-sauterelles boréale est plus grosse; vit hab. plus haut là où les répartitions se coupent.

Carte ci-contre

Néotomas

Connus surtout pour leur habitude d'entasser rameaux et brins de paille, les néotomas sont de la taille d'un Rat surmulot, mais ont la queue *poilue*, non écailleuse, et leur pelage est fin et doux. Leurs oreilles sont aussi plus *grandes* et ils ont hab. les pieds et le ventre *blancs*. En montagne, ils vivent hab. sur les escarpements rocheux et empilent rameaux et détritus sur les corniches. Dans les plaines, ils bâtissent des huttes de rameaux et de cactus de 60 à 120 mm de hauteur et de diamètre à la base, dans les bosquets de cactus, de yuccas ou de broussailles. Sur la côte O, leurs huttes sont parfois dans les chênes verts. Ils sont nocturnes et sortent rarement le jour. 16 dents. 4 mamelles.

Espèces semblables : les Rats (1) surmulot et (2) noir (p. 195) ont la queue écailleuse, sans poils. (3) Les Rats-cotonniers (pp. 173-174) ont le poil rugueux, brun noirâtre mêlé de chamois ou de blanc, et de petites oreilles.

Importance économique : inoffensifs; surtout dans les endroits sauvages; peuvent causer des dommages aux chalets non fréquentés.

NÉOTOMA DES APPALACHES *Neotoma floridana*   Pl. 18
(Eastern Woodrat)

Tête et corps 205-230 mm; queue 150-205 mm; 200-380 g. Grande espèce, *brun grisâtre*, à *ventre blanc ou grisâtre* et à queue *blanche ou grise dessous, brune dessus, plus courte* que tête et corps réunis.

Espèces semblables : (1) Le Néotoma des Plaines est gris acier, sans reflets bruns. (2) La queue du Néotoma à queue touffue est semblable à celle d'un écureuil. Les Rats (3) noir et (4) surmulot ont la queue écailleuse.

Habitat : falaises et escarpements rocheux du NE; monticules, marais, choux palmistes dans le SE; yuccas et cactus dans l'O.

Mœurs : semble en partie colonial. Mange surtout graines, noix et fruits. Huttes de branches, pierres, os et débris; niche dans la hutte, dans un terrier dessous ou dans une crevasse rocheuse; fait parfois sa hutte et son nid dans un arbre. Domaine vital hab. moins de 90

m. Population dense à 5-8 adultes/ha. Peut vivre 33 mois en nature. Reproduction toute l'année dans le S; pas en hiver dans le N.
Jeunes : hab. 2-4; gestation, 30-37 jours; 2-3 portées par an.

Carte p. 170

NÉOTOMA DES PLAINES *Neotoma micropus*   Pl. 18
(Southern Plains Woodrat)

Tête et corps 190-215 mm; queue 140-165 mm; 200-310 g. Parties dorsales *gris acier*; ventre gris; poils de la *gorge*, de la *poitrine* et des pieds *blancs jusqu'à la base*; queue noirâtre dessus, grise dessous.
Espèces semblables : (1) le Néotoma à gorge blanche a du fauve sur le dos. (2) Le Néotoma du désert est plus petit; poils gris à la base; dos à reflets fauves. Les Néotomas (3) du Mexique et (4) de Stephens ont les poils de la gorge gris à la base. (5) Le Néotoma des Appalaches a le dos brun-gris.
Habitat : zones broussailleuses semi-arides, cactus, mesquites, buissons épineux; vallées basses et plaines.
Mœurs : mange cactus, graines, glands. Huttes (1-1,5 m de haut) faites de cactus, de broussailles et de débris, hab. dans les cactus et la végétation épineuse. Reproduction tôt au printemps.
Jeunes : 2-4; gestation, 33 jours; probablement 1 portée par an.

Carte p. 170

NÉOTOMA À GORGE BLANCHE *Neotoma albigula*   Pl. 18
(White-throated Woodrat)

Tête et corps 190-215 mm; queue 140-185 mm; 135-285 g. Dos *gris* à reflets *fauves*; ventre *blanc ou grisâtre*; poils de la gorge *blancs jusqu'à la base*; pieds *blancs*; queue blanchâtre dessous, brune dessus. 16 dents (Pl. 26).
Espèces semblables : (1) le Néotoma des Plaines est gris acier dessus. Les Néotomas (2) du désert, (3) de Stephens et (4) du Mexique ont les poils de la gorge gris jusqu'à la base. (5) Le Néotoma à pattes sombres a la queue noire dessus; pattes arrière foncées près des chevilles. (6) La queue du Néotoma à queue touffue ressemble à celle d'un écureuil; hautes montagnes.
Habitat : zones broussailleuses, escarpements rocheux à grottes peu profondes.
Mœurs : mange cactus, gousses de mesquites et graines; peut faire des réserves dans sa hutte. Huttes de 60-90 cm de haut, hab. dans les cactus, broussailles, ou les grottes des escarpements. Domaine probablement moins de 30 m. 25-50/ha. Reproduction de janvier à août.
Jeunes : hab. 1-3; probablement plus d'une portée par an.

Carte p. 170

NÉOTOMA DU DÉSERT *Neotoma lepida*   Pl. 18
(Desert Woodrat)

Tête et corps 145-180 mm; queue 110-160 mm; 95-170 g. Corps

gris, pâle ou foncé, *à reflets fauves*; ventre *grisâtre* ou *fauve*; tous les poils *gris ardoise* à la base.

Espèces semblables : (1) le Néotoma du Mexique a la queue blanche dessous; difficile à distinguer sans le crâne. (2) Le Néotoma de Stephens a une tache noirâtre au haut des pattes arrière, sous les chevilles; queue un peu touffue. Les Néotomas (3) des plaines et (4) à gorge blanche ont les poils de la gorge blancs jusqu'à la base. (5) Le Néotoma à pattes sombres est plus gros; pieds arrière noirâtres dessus. (6) La queue du Néotoma à queue touffue ressemble à celle d'un écureuil.

Habitat : sols des déserts ou pentes rocheuses à cactus, yuccas ou autre végétation basse éparse.

Mœurs : mange surtout graines, fruits, glands, cactus. Huttes de débris, hab. au sol ou le long des escarpements, parfois dans les arbres. A déjà vécu 5 ans 7 mois en captivité.

Jeunes : hab. 2-3 (1-5); gestation de 30-36 jours; 4 portées ou plus par an. Partiellement pigmentés à la naissance; yeux ouverts à 13 jours; maturité sexuelle à 60 jours.   Carte p. 170

NÉOTOMA DE STEPHENS *Neotoma stephensi*
(Stephens' Woodrat)

Tête et corps 150-215 mm; queue 105-140 mm. Corps chamois grisâtre, plus foncé dessus; ventre à reflets chamois; *tache noirâtre au haut du pied arrière*, sous la cheville; queue *légèrement touffue* au bout, blanchâtre dessous, noirâtre dessus.

Espèces semblables : les Néotomas (1) du désert, (2) à gorge blanche et (3) du Mexique ont le haut du pied arrière blanc jusqu'à la cheville. (4) La queue du Néotoma à queue touffue est semblable à celle d'un écureuil et pas noirâtre dessus, là où les deux espèces cohabitent. (5) Le Néotoma des Plaines a les parties dorsales gris acier.   Carte p. 170

NÉOTOMA DU MEXIQUE *Neotoma mexicana*   **Pl. 18**
(Mexican Woodrat)

Tête et corps 165-195 mm; queue 150-165 mm. Hab. *gris* à *reflets fauves*, presque noir dans les zones de lave; ventre blanc grisâtre; queue nettement bicolore, *blanchâtre dessous, noirâtre dessus*.

Espèces semblables : (1) le Néotoma du désert est difficile à distinguer sans examen du crâne; queue moins nettement bicolore. (2) Le Néotoma de Stephens a la queue un peu touffue; pieds arrière gris noirâtre au haut, sous la cheville; difficile à distinguer. Les Néotomas (3) des Plaines et (4) à gorge blanche ont les poils de la gorge blancs à la base; vallées et plaines. (5) La queue du Néotoma à queue touffue rappelle celle d'un écureuil.

Habitat : rochers et escarpements, montagnes.

Mœurs : mange glands, noix, graines, fruits, champignons, des cactus lorsqu'il y en a; fait parfois des réserves. Ne bâtit pas de

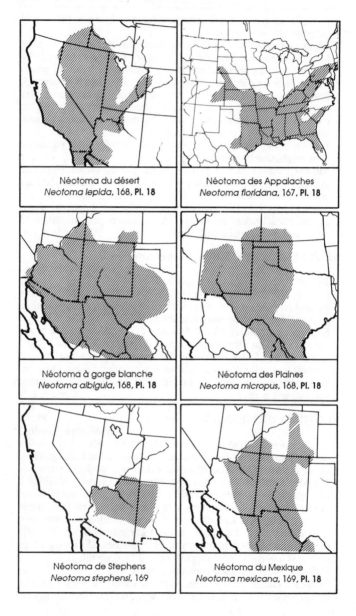

Néotoma du désert
Neotoma lepida, 168, **Pl. 18**

Néotoma des Appalaches
Neotoma floridana, 167, **Pl. 18**

Néotoma à gorge blanche
Neotoma albigula, 168, **Pl. 18**

Néotoma des Plaines
Neotoma micropus, 168, **Pl. 18**

Néotoma de Stephens
Neotoma stephensi, 169

Néotoma du Mexique
Neotoma mexicana, 169, **Pl. 18**

hutte comme les autres espèces, mais entasse rameaux et débris
dans les trous des rochers et des escarpements, sous les troncs ou
les racines des arbres, dans les bâtiments désaffectés.
Jeunes : 2-4, au printemps et en été.   Carte ci-contre

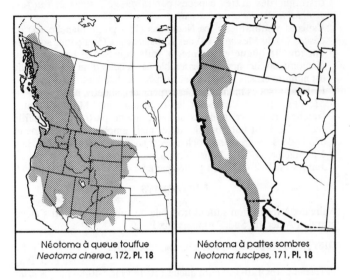

Néotoma à queue touffue
Neotoma cinerea, 172, **Pl. 18**

Néotoma à pattes sombres
Neotoma fuscipes, 171, **Pl. 18**

NÉOTOMA À PATTES SOMBRES *Neotoma fuscipes*   **Pl. 18**
(Dusky-footed Woodrat)

Tête et corps 195-230 mm; queue 175-220 mm; 225-390 g. Corps
brun grisâtre dessus, grisâtre ou blanchâtre dessous; queue
parfois un peu plus pâle dessous; pieds arrière à poils *noirâtres*
dessus; grosse espèce.
Espèces semblables : (1) le Néotoma à gorge blanche est hab.
plus petit; pieds arrière blancs dessus. (2) Le Néotoma du désert
est plus petit, à pieds arrière blancs. (3) Le Néotoma à queue
touffue a la queue semblable à celle d'un écureuil et a les pieds
arrière blancs.
Habitat : chaparral dense, bosquets le long des ruisseaux, forêts
décidues et mixtes.
Mœurs : mange graines, noix, glands, fruits, plantes fraîches,
champignons; stocke des aliments dans sa hutte près de son nid.
Bâtit une grosse hutte faite de rameaux, au sol ou dans un arbre, et
la défend (territorialité). Peut vivre 4 ans en nature.
Jeunes : hab. nés en mai et juin, parfois entre janvier et octobre;
1-3 par portée.   Carte ci-dessus

NÉOTOMA À QUEUE TOUFFUE *Neotoma cinerea*   **Pl. 18**
(Bushy-tailed Woodrat)

Tête et corps 180-245 mm; queue 130-190 mm; 210-580 g. Dos *gris pâle* à reflets fauves ou *presque noir*; pieds arrière blancs. Se distingue des autres espèces par sa *queue longue et touffue, semblable à celle d'un écureuil.*

Espèces semblables : les Néotomas (1) à gorge blanche, (2) du désert, (3) du Mexique, (4) des Appalaches et (5) à pattes sombres ont tous la queue en pointe, à poils courts. (6) La queue du Néotoma de Stephens ne ressemble pas à celle d'un écureuil; elle est noirâtre dessus là où les deux espèces cohabitent.

Habitat : hautes montagnes; escarpements, éboulis, pins.

Mœurs : très à l'aise sur les escarpements. Mange plantes fraîches, rameaux, pousses neuves; stocke parfois de la paille sèche. Ne bâtit hab. pas de hutte, mais empile bâtonnets, os et débris dans les crevasses rocheuses et sous les troncs tombés. Hab. 1 famille par éboulis. Reproduction, mai à septembre.

Jeunes : hab. 2-4 (1-5); 1 portée par an.   Carte p. 171

Oryzomys

Animaux à répartition surtout tropicale ou sub-tropicale qui s'étend jusqu'en Amér. du Sud. 2 espèces aux É.-U.

ORYZOMYS PALUSTRE *Oryzomys palustris*   **Pl. 16**
(Marsh Rice Rat)

Tête et corps 120-130 mm; queue 110-185 mm; 40-80 g. Dos *brun*

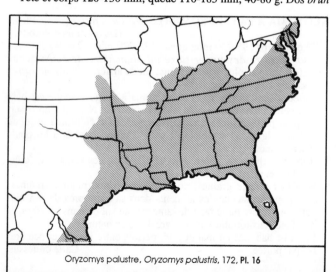

Oryzomys palustre, *Oryzomys palustris*, 172, **Pl. 16**

grisâtre, parfois à reflets fauves; ventre *gris ou fauve*; *queue longue*, *écailleuse*, un peu plus claire dessus; pieds *blanchâtres*; poil court et soyeux. 16 dents (Pl. 26). 8 mamelles.

Très semblable, *Oryzomys couesi*, qui ne vit que dans certains comtés du Texas, est maintenant reconnu comme espèce distincte.

Espèces semblables : (1) le Rat-cotonnier hirsute a le poil long et rugueux; queue noire dessus. Les Rats (2) surmulot et (3) noir n'ont pas la queue plus pâle dessous. (4) Toutes les espèces de souris sont plus petites.

Habitat : marécages, herbes, laîches.

Mœurs : surtout nocturne; semi-aquatique; réseaux de sentiers en surface. Mange végétation et graines. Niche sous des débris, au-dessus du niveau de l'eau. Reproduction toute l'année.

Jeunes : hab. 3-4 (1-7), presque nus, aveugles; gestation, env. 25 jours; plusieurs portées par an. Maturité sexuelle à 50 jours.

Importance économique : assez inoffensif; peut causer des dommages dans les rizières.   Carte ci-contre

Rats-cotonniers

De taille moyenne, à pelage brun-gris ou brun noirâtre *abondamment mêlé de poils chamois clairs*. Queue un peu velue, noirâtre dessus, pâle dessous, plus courte que tête et corps réunis. Pieds gris; oreilles presque cachées sous le long poil. Petits parfois semblables à des campagnols.

Espèces semblables : les néotomas (pp. 167-172) sont grisâtres, à grandes oreilles.

Habitat : herbes hautes, carex, mauvaises herbes; zones humides.

Importance économique : endommagent parfois les cultures de luzerne ou d'autres cultures.

RAT-COTONNIER HIRSUTE *Sigmodon hispidus*   **Pl. 17**
(Hispid Cotton Rat)

Tête et corps 125-205 mm; queue 80-150 mm; 115-200 g. Poil long et rugueux noir mêlé de chamois dessus, *blanchâtre dessous*; pâle dans l'O, foncé dans l'E. 16 dents (Pl. 26). 8-10 mamelles.

D'aspect identique, *S. arizonae* est reconnu comme une espèce distincte pour des raisons génétiques.

Espèces semblables : (1) le Rat-cotonnier à ventre fauve a le ventre jaune roussâtre; vit dans les montagnes. (2) Le Rat-cotonnier à museau jaune a le nez jaunâtre. (3) Les Oryzomys ont la queue écailleuse, plus longue.

Mœurs : réseaux de sentiers où il accumule de l'herbe en petits tas. Mange surtout des plantes fraîches, aussi des œufs d'oiseaux qui nichent au sol. Niche au sol ou dans un terrier. Domaine de 30-60 m. Densité, 25-30/ha, variable d'une année à l'autre. Vit

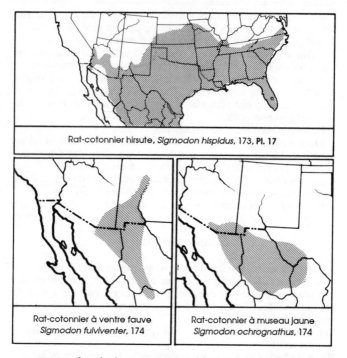

Rat-cotonnier hirsute, *Sigmodon hispidus*, 173, **Pl. 17**

Rat-cotonnier à ventre fauve
Sigmodon fulviventer, 174

Rat-cotonnier à museau jaune
Sigmodon ochrognathus, 174

rarement plus de 1 an en nature. Gagne de plus en plus le N. Reproduction toute l'année.

Jeunes : hab. 5-6 (2-12); quittent le nid à 4-7 jours; maturité sexuelle à 40 jours. Gestation, env. 27 jours; jusqu'à 9 portées par an. Carte ci-dessus

RAT-COTONNIER À VENTRE FAUVE *Sigmodon fulviventer*

(Tawny-bellied Cotton Rat)

Tête et corps 125-150 mm; queue 95-105 mm. Distinct par le mélange de poils noirs et jaunâtres de son dos et par son *ventre jaune roussâtre*. 16 dents.

Inclut maintenant *S. minimus*.

Espèces semblables : (1) le Rat-cotonnier hirsute a le ventre blanchâtre et vit dans les vallées. (2) Le Rat-cotonnier à museau jaune a le ventre gris. Carte ci-dessus

RAT-COTONNIER À MUSEAU JAUNE

Sigmodon ochrognathus (Yellow-nosed Cotton Rat)

Tête et corps 125-150 mm; queue 100-115 mm; 55-115 g. Espèce des *montagnes* et *contreforts*. Dos à pelage noir mêlé de chamois, *reflets jaunâtres sur le nez*, la face et la croupe; *ventre gris*. 16 dents.

Espèces semblables : (1) le Rat-cotonnier hirsute n'a pas de jaune sur le nez. (2) Le Rat-cotonnier à ventre fauve a le ventre jaune roussâtre.

Habitat : végétation dense; montagnes et contreforts.

Carte ci-contre

Lemmings

Petits mammifères très semblables aux campagnols, vivant surtout dans le Grand Nord. Pelage long et doux recouvrant presque totalement les petites oreilles. Queue hab. moins de 25 mm.

Importance économique : importante source de nourriture pour les renards, particulièrement dans la toundra.

LEMMING VARIABLE *Dicrostonyx* spp.   Pl. 17

(Collared Lemming)

Tête et corps 100-140 mm; queue 10-20 mm; 45-70 g. Dos gris jaunâtre orné d'une *rayure foncée* centrale; collier fauve durant l'été. Oreilles et queue à peine visibles dans la fourrure épaisse; *pelage blanc en hiver*; 3e et 4e griffes des pattes antér. très grandes, surtout en hiver. 16 dents (Pl. 26).

L'appellation Lemming variable regroupe en fait toute une série d'espèces pratiquement identiques qui ne se distinguent que par l'analyse de leurs chromosomes; l'une d'elles, le Lemming d'Ungava, *Dicrostonyx hudsonius*, se rencontre au Labrador et dans le Nord du Québec (carte p. 176). Les autres espèces maintenant considérées comme valides sont *D. exsul, D. groenlandicus, D. kilangmiutak, D. nelsoni, D. richardsoni, D. rubricatus* et *D. unalascensis* (son pelage n'est pas blanc en hiver), toutes très semblables et toutes de répartition arctique ou sub-arctique.

Espèces semblables : (1) le Campagnol-lemming boréal est gris brunâtre uniforme; sillons aux dents. (2) Chez les campagnols (pp. 178-192), la queue a plus de 25 mm.

Habitat : zones arctiques et sub-arctiques.

Mœurs : plus actifs le jour que la nuit en été. Mangent la végétation présente. Nids (diamètre env. 200 mm) dans le sol ou sous les pierres, ou bien, en hiver, sur le sol, sous la neige. Creusent de nombreux tunnels (30-60 cm de longueur); y déposent leurs fèces en des points précis; jusqu'à 3 litres de petites boulettes fécales par pile. Populations très variables. Peuvent vivre plus de 2 ans en captivité. Mâle et femelle s'occupent des petits.

Jeunes : hab. 3-4 (1-7); gestation de 19-21 jours; plusieurs portées par an.   Cartes p. 176 et 177

CAMPAGNOL-LEMMING DE COOPER   Pl. 17

Synaptomys cooperi   (Southern Bog Lemming)

Tête et corps 85-110 mm; queue 15-20 mm; 15-40 g. Dos gris brunâtre, ventre grisâtre; oreilles *à peine visibles*; queue, moins de 25 mm; *sillon peu profond* à la bordure externe des incisives supér. 16 dents (Pl. 26). 6-8 mamelles.

Espèces semblables : (1) la queue du Campagnol des champs a plus de 25 mm. (2) Le Campagnol des rochers a le nez jaune. (3) Les dents du Campagnol des Prairies n'ont pas de sillon. (4) Le Campagnol sylvestre est de couleur marron uniforme. (5) Le Campagnol-à-dos-roux de Gapper a la queue plus longue et le milieu du dos rougeâtre.

Habitat : tourbières humides et basses; prés à végétation dense.

Mœurs : actif jour ou nuit; mange surtout des plantes fraîches; coupe des tiges d'herbes de 25-50 mm de long qu'il dépose en petits tas le long de ses sentiers dans les herbes hautes; niche au sol ou dans le sol. Domaine d'env. 0,1 ha. Densité très variable, jusqu'à 87/ha. Reproduction toute l'année au S.

Jeunes : hab. 3-4 (2-6); gestation, env. 23 jours; 2-3 portées par an.   Carte ci-dessous

CAMPAGNOL-LEMMING BORÉAL *Synaptomys borealis*

(Northern Bog Lemming)

Tête et corps 100-115 mm; queue 20-25 mm. Un peu plus gros que le Campagnol-lemming de Cooper, mais très semblable.

Espèces semblables : (1) le Lemming brun a le dessous des pieds poilus; dents sans sillons. (2) Le Lemming variable, blanc en hiver, porte un collier fauve en été. Chez (3) les campagnols, il n'y a pas de sillons aux dents et/ou la queue a plus de 25 mm.

Habitat : prés alpins et subalpins humides, marécages, bruyères et zones à laîches.

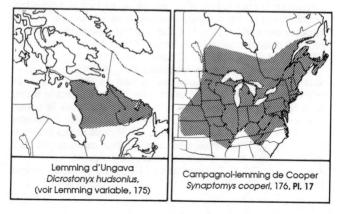

Lemming d'Ungava
Dicrostonyx hudsonius,
(voir Lemming variable, 175)

Campagnol-lemming de Cooper
Synaptomys cooperi, 176, **Pl. 17**

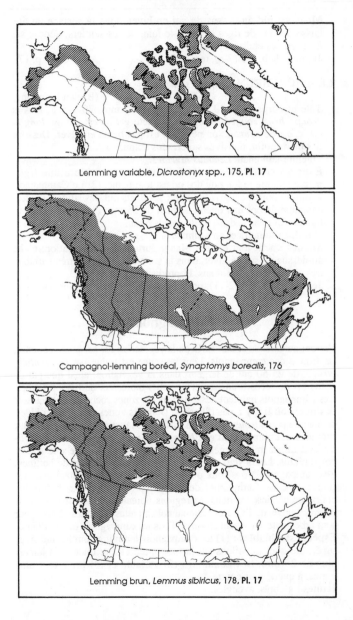

Lemming variable, *Dicrostonyx* spp., 175, **Pl. 17**

Campagnol-lemming boréal, *Synaptomys borealis*, 176

Lemming brun, *Lemmus sibiricus*, 178, **Pl. 17**

Mœurs : nid au-dessus du sol en hiver, sous la surface en été; laisse des tas de tiges coupées le long de ses sentiers; dépose ses fèces en des endroits précis.

Jeunes : hab. 4-5 (2-8), mai-août.   Carte p. 177

LEMMING BRUN *Lemmus sibiricus*   **Pl. 17**
(Brown Lemming)
Tête et corps 115-140 mm; queue 20-30 mm; 70-115 g. Dos et *croupe brun rougeâtre*; épaules et tête *grisâtres*; pelage *long et doux*; *queue courte*. Son pelage n'est pas blanc en hiver. Dessous des pieds poilu; incisives supér. sans sillon. 16 dents.
Inclut maintenant *Lemmus nigripes*.

Espèces semblables : (1) le Lemming variable a une ligne médiane noire le long du dos ou est tout blanc. (2) Le Campagnol-lemming boréal est gris brunâtre; ses dents ont des sillons. (3) Les campagnols ont une queue de plus de 25 mm ou sont de couleur terne; n'ont pas le dessous des pieds poilu.

Habitat : toundra et prés alpins.

Mœurs : actif jour et nuit. Mange surtout de la végétation; niche au-dessus du sol en hiver, dans le sol en été. Densité très variable, très élevée tous les 3-4 ans. Reproduction juin-août.

Jeunes : hab. 2-6 (2-11); probablement 2 portées ou plus par an.
Carte p. 177

Campagnols

Partout au Canada et aux É.-U où la *végétation est herbeuse* et dense, on trouve des campagnols. Leur présence est trahie par des *sentiers étroits*, de 25-50 cm de largeur, dans la végétation, ainsi que par de petits tas de fèces brunâtres et de petits morceaux de tiges d'herbes. Les campagnols habitent aussi parfois les zones rocheuses ou les sols des forêts où il n'y a pas d'herbes. Dans les zones enneigées l'hiver, ce sont de petits *trous ronds* à la surface de la neige qui indiquent leur présence. La plupart sont *gris brunâtre*, à *pelage long*, à *petites oreilles* et à *queue* relativement *courte*, toujours plus courte que tête et corps réunis. Leurs yeux sont petits, noirs et en «boutons de bottine». Les campagnols-à-dos-roux ont le *dos roussâtre* contrastant avec les flancs gris. Le Campagnol des bruyères (*Phenacomys*) habite les clairières d'éricacées dans les régions boréales canadiennes et dans les montagnes de l'O. Les Campagnols à pattes blanches et grimpeur sont arboricoles et vivent en forêt. Tous les campagnols ont 16 dents.

Espèces semblables : (1) les campagnols-lemmings ont les incisives supér. creusées de sillons sur la face antér. et leur queue n'a jamais plus de 25 mm. Les Lemmings (2) variable et (3) brun sont plus trapus, à queue plus courte.

Jeunes : glabres, aveugles.

Importance économique : peuvent causer d'importants dommages dans les vergers en rongeant l'écorce des troncs ou en dénudant les racines, surtout en hiver sous la couche de neige. Endommagent aussi les récoltes de foin et de céréales, surtout lorsque celles-ci sont laissées en meulettes durant l'hiver. En revanche, ils servent à nourrir les prédateurs, surtout les espèces à fourrure, mais aussi les oiseaux de proie et les hiboux.

CAMPAGNOL DES BRUYÈRES   Pl. 17
Phenacomys intermedius   (Heather Vole)

Tête et corps 90-115 mm; queue 25-40 mm; 30-40 g. Corps *gris* à reflets *brun pâle ou foncé*, pieds *blancs*, ventre *argent* parfois teinté de chamois; parfois, nez ou face jaunâtre; queue bicolore. 16 dents (Pl. 26). 8 mamelles.

Espèces semblables : (1) le Campagnol montagnard a la queue hab. plus longue; difficile à distinguer. (2) Le Campagnol longicaude a la queue plus longue que 50 mm. Les Campagnols (3) à joues jaunes et (4) des rochers ont la queue plus longue que 40 mm. (5) Le Campagnol nordique est plus gros. (6) Les campagnols-à-dos-roux ont le dos roussâtre et n'ont pas le nez jaune. (7) Les autres campagnols n'habitent pas les cimes des montagnes ou alors n'ont pas la même taille.

Habitat : zones ouvertes herbeuses près des cimes; forêts de pins et d'épinettes, pentes rocheuses, toundra, zones sèches ou près de l'eau; occupe plusieurs habitats.

Mœurs : actif surtout au crépuscule et à la nuit. Mange l'écorce des bouleaux et saules nains, des graines, lichens, petits fruits, végétation fraîche; fait des réserves. Niche au-dessus du sol en hiver, dans le sol, sous des pierres, souches et débris en été.

Jeunes : 2-8, nés entre juin et septembre, nus, aveugles; gestation env. 21 jours; 2 portées ou plus par saison. Femelles adultes à 4-6 semaines. Se reproduisent dès la 1ère année.   Carte p. 180

CAMPAGNOL À PATTES BLANCHES *Arborimus albipes*
(White-footed Vole)

Tête et corps 95-110 mm; queue 65-70 mm. Dos *brun foncé chaud*;ventre gris à reflets chamois; queue brune dessus, plus claire dessous. 16 dents.

Anciennement *Phenacomys albipes*. Les formes arboricoles du genre *Phenacomys* ont été transférées au genre *Arborimus*.

Espèces semblables: (1) le Campagnol montagnard vit dans les prés de haute montagne. Chez les Campagnols (2) de Townsend et (3) longicaude, tête et corps réunis mesurent plus de 115 mm. (4) La queue du Campagnol d'Oregon mesure moins de 50 mm. (5) Le Campagnol-à-dos-roux de l'Ouest a le dos châtain. (6) Le

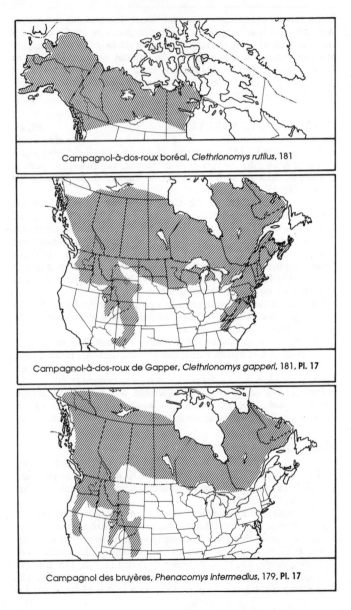

Campagnol-à-dos-roux boréal, *Clethrionomys rutilus*, 181

Campagnol-à-dos-roux de Gapper, *Clethrionomys gapperi*, 181, **Pl. 17**

Campagnol des bruyères, *Phenacomys intermedius*, 179, **Pl. 17**

Campagnol grimpeur est roux à queue noire. (7) Le Campagnol de Californie est plus gros, brun grisâtre.

Habitat : forêts denses; près de petits ruisseaux.   Carte p. 182

CAMPAGNOL GRIMPEUR   Pl. 17
Arborimus longicaudus   (Red Tree Vole)
Tête et corps 100-110 mm; queue 60-85 mm; 30 g. Très distinctif: *brun roux vif* à queue noirâtre *bien poilue* contrastant avec le corps. Distinct aussi par sa taille. 16 dents. 4 mamelles.
  Inclut maintenant *Arborimus silvicola*.

Habitat : forêts d'épinettes, de pruches et de sapins.

Mœurs : arboricole. Mange surtout les aiguilles des arbres où il vit, épinette, pruche ou sapin. Nid de très grande taille construit sur des branches, hab. près du tronc, à 5-30 m du sol; le nid s'agrandit avec le temps; certains nids servent peut-être à plusieurs générations.

Jeunes : 1-3, en tout temps de l'année; nus, aveugles.
                                                       Carte p. 187

CAMPAGNOL-À-DOS-ROUX BORÉAL
Clethrionomys rutilus   (Northern Red-backed Vole)
Tête et corps 100-115 mm; queue 30-40 mm; 30-35 g. Flancs à reflets jaunâtres; bande *roussâtre* (parfois brune) *le long du dos*; coloration argent ou reflets jaunâtres sur le ventre; queue jaunâtre dessous, brun foncé dessus; pelage d'hiver plus clair. 16 dents. 8 mamelles.

Espèces semblables : (1) les lemmings sont plus gros et n'ont pas de bande rougeâtre contrastante au dos. (2) La plupart des autres campagnols ont le dos et les flancs de couleur uniforme.

Habitat : toundra et sols des forêts humides; conditions alpines.

Jeunes : 4-9, nés entre mai et septembre; probablement 2 portées par an.   Carte ci-contre

CAMPAGNOL-À-DOS-ROUX DE GAPPER   Pl. 17
Clethrionomys gapperi   (Southern Red-backed Vole)
Tête et corps 95-120 mm; queue 30-50 mm; 15-40 g. Deux formes, une rouge, une grise, dans le N et l'E (très pâle au Labrador). Se distingue presque partout par son *dos roussâtre* et ses *flancs gris*, mais dans le N et l'E, la forme grise n'a pas toujours le dos roux et devient difficile à distinguer des autres campagnols sans examen du crâne. Incisives supér. sans sillons. 16 dents (Pl. 26). 8 mamelles.

Espèces semblables : (1) les lemmings sont plus gros et ont la queue plus courte. (2) Les autres campagnols ont le dos et les flancs de la même teinte.

Habitat : forêts de conifères, de décidus ou forêts mixtes; préfère les lieux humides.

Mœurs : actif jour ou nuit; bon grimpeur. Mange surtout des plantes fraîches, mais aussi des graines, des noix, de l'écorce, des champignons et quelques insectes. Nid, une simple plate-forme, hab. sous des racines ou un tronc couché. Domaine d'env. 0,1 ha. Jusqu'à 25 individus/ha, hab. moins.

Jeunes : 4-6 (3-8), nés entre mars et octobre; nus, aveugles; gestation, 17-19 jours; probablement 2 portées ou plus par an.

Carte p. 180

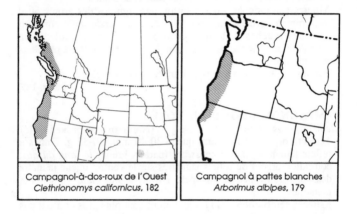

Campagnol-à-dos-roux de l'Ouest
Clethrionomys californicus, 182

Campagnol à pattes blanches
Arborimus albipes, 179

CAMPAGNOL-À-DOS-ROUX DE L'OUEST

Clethrionomys californicus   (Western Red-backed Vole)

Tête et corps 110 mm; queue 50-55 mm. *Sépia foncé*; dos *châtain foncé*, sans contraste avec les flancs; ventre *chamois* ou *blanc crème*; pieds *blanchâtres* ou *noirâtres*. 16 dents. 8 mamelles.

Espèces semblables : (1) le Campagnol montagnard est grisâtre et vit dans les prairies de hautes montagnes. (2) Le Campagnol de Californie est brun grisâtre. Chez les Campagnols (3) de Townsend, (4) de Richardson et (5) longicaude, tête et corps réunis mesurent plus de 115 mm. (6) La queue du Campagnol d'Oregon a moins de 50 mm. (7) Le Campagnol des bruyères vit en haute montagne et sa queue a moins de 50 mm. Chez les Campagnols (8) grimpeur et (9) à pattes blanches, la queue a plus de 55 mm.

Habitat : sols humides des forêts jonchées d'arbres tombés.

Jeunes : 2-4; embryons observés en juillet et août.

Carte ci-dessus

CAMPAGNOL DES CHAMPS *Microtus pennsylvanicus*   **Pl. 17**
(Meadow Vole)

Tête et corps 90-125 mm; queue 35-65 mm; 30-70 g. Le plus répandu des campagnols; varie du gris à pâles reflets bruns dans l'O au brun foncé dans l'E. Ventre *argent* ou *chamois* ou *gris foncé*; queue *bicolore*. Pelage long et doux. Incisives supér. sans sillons. 16 dents (Pl. 26). 8 mamelles. Populairement appelé «mulot».

Selon les classifications récentes, *Microtus breweri*, de l'île Muskeget au Massachusetts, et *M. nesophilus*, de l'île Gull, au large de Long Island, N. Y., sont des espèces distinctes.

Espèces semblables : (1) le Campagnol montagnard est difficile à distinguer; vit dans les prairies de haute montagne. (2) Le Campagnol nordique est plus gros là où les deux espèces cohabitent. (3) La queue du Campagnol longicaude a plus de 50 mm; difficile à distinguer. (4) Chez le Campagnol des Prairies, la queue a hab. moins de 35 mm; parfois difficile à distinguer. (5) Chez le Campagnol chanteur, la queue a moins de 35 mm; vit au-delà de la ligne des arbres. Les Campagnols (6) à joues jaunes et (7) des rochers ont le museau jaune. (8) Chez le Campagnol de Richardson, tête et corps ont plus de 140 mm. (9) Les campagnols-à-dos-roux ont le dos roux et les flancs gris ou jaunâtres. (10) Chez le Campagnol des bruyères, la queue a hab. moins de 35 mm; vit en haute montagne. Chez les Campagnols (11) à pattes blanches et (12) grimpeur, la queue a moins de 25 mm.

Habitat : zones basses, humides ou zones herbeuses élevées à végétation luxuriante; près des ruisseaux, lacs, marais, parfois dans les forêts à sol nu; vergers à sols herbeux.

Mœurs : actif jour ou nuit. Bon nageur. Mange herbes, laîches, graines, céréales, écorce, probablement aussi des insectes. Niche au-dessus du sol ou dans le sol; fait des tunnels sous ses sentiers de surface. Domaine de 0,04-0,4 ha. Densité très variable; sommets tous les 3-4 ans. Vit 1-3 ans en nature. Batailleur; défend probablement son territoire une partie de l'année. Reproduction toute l'année.

Jeunes : 1-9 (hab. 3-5), nés en tout temps de l'année; gestation de 21 jours; plusieurs portées par an (en captivité, une femelle a eu 17 portées en 1 an).

Carte p. 184

CAMPAGNOL MONTAGNARD *Microtus montanus*
(Montane Vole)

Tête et corps 100-140 mm; queue 30-65 mm; 30-85 g. Dos *brun grisâtre ou noirâtre*, ventre blanchâtre; *pieds* hab. *noirâtres*.

Habite surtout les *vallées* des parties montagneuses du Grand Bassin aride des É.-U. 8 mamelles.

Espèces semblables : (1) le Campagnol longicaude a hab. la queue plus longue; difficile à distinguer. Les Campagnols (2) des champs et (3) de Californie ne fréquentent hab. pas les prairies de montagne; difficiles à distinguer. (4) Le Campagnol des bruyères vit près des sommets; difficile à distinguer. (5) Le Campagnol d'Oregon a le pelage court, brun foncé. (6) Chez le Campagnol de Richardson, tête et corps ont 140 mm ou plus. (7) Le Campagnol des Prairies vit dans les prairies basses. (8) Le Campagnol du Mexique a le ventre jaunâtre, pas blanc. (9) Le Campagnol de Townsend a la queue noirâtre. (10) Le Campagnol-à-dos-roux de l'Ouest est sépia foncé et marron. (11) Le Campagnol à pattes blanches ne vit pas en haute montagne.   Carte p. 187

CAMPAGNOL DE CALIFORNIE
Microtus californicus   (California Vole)
Tête et corps 120-145 mm; queue 40-70 mm; 40-100 g. *Brun grisâtre*, (noirâtre près de la côte, roussâtre dans le désert), *queue bicolore*, pieds pâles contrastant avec la couleur du dos. 8 mamelles.

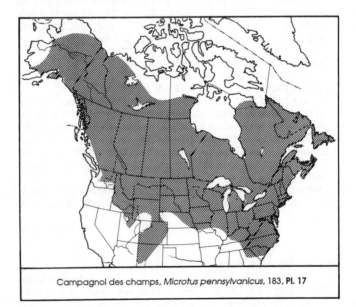

Campagnol des champs, *Microtus pennsylvanicus*, 183, **Pl. 17**

Espèces semblables : (1) le Campagnol longicaude a hab. la queue plus longue; difficile à distinguer. (2) Le Campagnol montagnard a les pieds noirâtres; vit dans les prés de montagne. (3) Le Campagnol de Townsend a la queue et les pieds noirâtres. (4) Le Campagnol d'Oregon a le pelage court, brun foncé. (5) Le Campagnol-à-dos-roux de l'Ouest est sépia à dos marron. (6) Chez le Campagnol des bruyères, la queue a hab. moins de 40 mm; vit en haute montagne. (7) Le Campagnol à pattes blanches est plus petit et brun foncé. (8) Le Campagnol grimpeur est roussâtre à queue noirâtre.

Habitat : sols des marais d'eau douce ou salée; prés humides, flancs secs et herbeux des collines. De la côte aux montagnes.

Mœurs : mange herbes, laîches, autres plantes fraîches. Reproduction toute l'année.

Jeunes : 4-8; gestation, 21 jours; plus d'une portée par an.

Carte p. 187

CAMPAGNOL DE TOWNSEND *Microtus townsendii* **Pl. 17**
(Townsend's Vole)

Tête et corps 120-160 mm; queue 50-75 mm. Gros campagnol *brun noirâtre, ventre gris, queue et pieds noirâtres*. Oreilles bien visibles. Vit aussi dans les îles San Juan et Shaw, au large du Washington, et Bowen, C.-B. (pas sur la carte). Très distinctif par sa taille et sa couleur. 8 mamelles.

Habitat : champs humides; laîches, scirpes, prairies; de la côte aux prés alpins. Hab. près de l'eau.

Jeunes : hab. 4-5 (1-9), nés entre mars et septembre; gestation, 21 jours. Carte p. 187

CAMPAGNOL NORDIQUE *Microtus oeconomus*
(Tundra Vole)

Tête et corps 125-175 mm; queue 35-55 mm; 35-80 g. *Corps brun terne* à reflets chamois ou fauves. Ventre *grisâtre*, queue *bicolore*. Distinct des autres petits rongeurs de la région par sa coloration assez uniforme et sa taille. 8 mamelles. Iles St. Lawrence, Big Punuk, Amak, Unalaska, Popof, Afognak, Kodiak, Chichagof, Montague, Baranof et Barter, Alaska, aussi bien que sur le continent.

Espèces semblables : (1) le Campagnol à joues jaunes est gros, à museau jaune. (2) Le Campagnol des champs est plus petit là où les deux espèces cohabitent. (3) Le Campagnol chanteur a une queue de moins de 35 mm. (4) Le Campagnol longicaude a la queue plus longue que 50 mm. (5) Les campagnols-à-dos-roux ont le dos roux. (6) Le Campagnol des bruyères est plus petit. (7) Chez les lemmings, la queue a moins de 25 mm ou la couleur est vive.

Habitat : toundra humide ou détrempée.

Mœurs : fait des sentiers dans la végétation de la toundra; fait parfois des réserves. Nid dans un terrier peu profond ou dans les débris.

Jeunes : 3-11 embryons observés.   Carte ci-contre

CAMPAGNOL LONGICAUDE *Microtus longicaudus*

(Long-tailed Vole)

Tête et corps 115-135 mm; queue 50-90 mm; 35-55 g. Plutôt *gros à longue queue*. Pelage *gris foncé à reflets bruns ou noirâtres*; pieds *blanchâtres*; queue *bicolore*. 8 mamelles.

Espèces semblables: (1) la queue du Campagnol des champs a hab. moins de 50 mm; difficile à distinguer. (2) Le Campagnol de Californie a la queue hab. plus courte; vit surtout sur les contreforts et dans les vallées; difficile à distinguer. (3) Le Campagnol montagnard a le ventre blanchâtre; parfois difficile à distinguer. La queue des Campagnols (4) du Mexique, (5) des Prairies, (6) d'Oregon, (7) chanteur et (8) nordique a hab. moins de 50 mm. (9) Le Campagnol de Townsend est gros; à queue noire. (10) Chez le Campagnol de Richardson, tête et corps réunis ont plus de 140 mm. Les Campagnols (11) des bruyères, (12) à pattes blanches et (13) grimpeur sont rougeâtres ou d'un brun chaud ou ont la queue plus courte que 50 mm. (14) Les Campagnols-à-dos-roux ont le dos roussâtre et les flancs gris ou jaunâtres. (15) Les autres ont une queue de moins de 50 mm.

Habitat : rives des ruisseaux et prairies de montagne, parfois en zone sèche; zones broussailleuses en hiver.

Mœurs : mange herbes, bulbes, écorce de petits rameaux. Niche sur le sol en hiver, dans un terrier en été.

Jeunes : 4-8, nés entre mai et septembre.   Carte p. 189

CAMPAGNOL DE L'ÎLE DU COURONNEMENT

Microtus coronarius   (Coronation Island Vole)

Tête et corps 125-140 mm; queue 70-90 mm. Semblable au Campagnol longicaude. Certains auteurs croient que c'est la même espèce.

Répartition : îles du Couronnement, Forrester et Warren, Alaska.

CAMPAGNOL DU MEXIQUE *Microtus mexicanus*

(Mexican Vole)

Tête et corps 100-115 mm; queue 25-35 mm; 30-40 g. *Petit, brunâtre*, pieds *noirâtres*, queue *courte*. 4 mamelles.

Espèces semblables : (1) le Campagnol montagnard a le ventre blanchâtre. (2) Le Campagnol longicaude a une queue de 50 mm ou plus. (3) Le Campagnol-à-dos-roux boréal a le dos roux et les flancs gris.

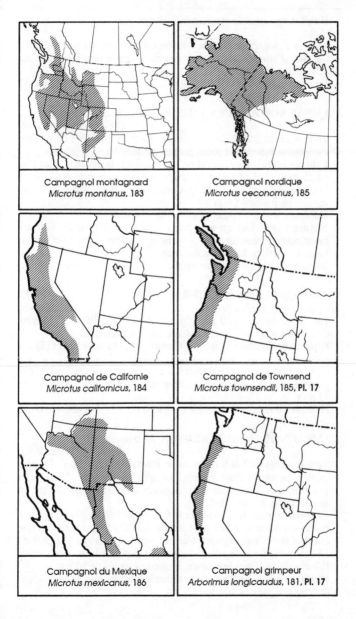

Campagnol montagnard
Microtus montanus, 183

Campagnol nordique
Microtus oeconomus, 185

Campagnol de Californie
Microtus californicus, 184

Campagnol de Townsend
Microtus townsendii, 185, **Pl. 17**

Campagnol du Mexique
Microtus mexicanus, 186

Campagnol grimpeur
Arborimus longicaudus, 181, **Pl. 17**

Habitat : prairies de montagne, forêts de pins jaunes; hab. en zone sèche.

Mœurs : diurne; peut nicher sur le sol en hiver, dans le sol l'été; fait des sentiers et des tunnels dans la couverture herbeuse des sols.

Jeunes : hab. 3-4 (2-5). Carte p. 187

CAMPAGNOL À JOUES JAUNES *Microtus xanthognathus*

(Yellow-cheeked Vole)

Tête et corps 150-180 mm; queue 45-50 mm; 115-170 g. Gros campagnol brun mat à joues jaunes. 8 mamelles.

Espèces semblables : (1) chez les lemmings, la queue n'a pas plus de 25 mm. (2) Les autres campagnols sont plus petits et n'ont pas les joues jaunes. (3) Chez le Campagnol des bruyères, la queue mesure moins de 45 mm.

Habitat : forêts d'épinettes et toundra avoisinante.

Mœurs : actif jour ou nuit, mais surtout au crépuscule. Fait des monticules de terre de 60 à 300 cm de diamètre et de 30-60 cm de hauteur; sentiers dans les sphaignes.

Jeunes : 7-10 embryons observés. Carte ci-contre

CAMPAGNOL DES ROCHERS   Pl. 17

Microtus chrotorrhinus (Rock Vole)

Tête et corps 100-120 mm; queue 45-50 mm; 30-55 g. Moyen. Coloration *brun grisâtre*, *nez jaune* doré. 8 mamelles.

Espèces semblables : chez les Campagnols (1) sylvestre et (2) des champs, (3) le Campagnol-à-dos-roux boréal, et (4) les campagnols-lemmings, le corps n'est pas brun grisâtre, ni le nez jaune doré. (5) La queue du Campagnol des bruyères a moins de 45 mm.

Habitat : boisés frais, humides, rocailleux. Carte ci-contre

CAMPAGNOL DE RICHARDSON *Microtus richardsoni*

(Water Vole)

Tête et corps 140-165 mm; queue 60-90 mm; 70-100 g. Le *plus gros* campagnol dans les régions qu'il fréquente. Corps *brun grisâtre* mat, *ventre gris clair*, *queue bicolore*. Se distingue par sa grande taille. 8 mamelles.

Espèces semblables : (1) chez le Campagnol d'Oregon, la queue a moins de 50 mm. Chez les Campagnols (2) longicaude, (3) des champs et (4) montagnard, tête et corps réunis n'ont pas plus de 140 mm. (5) Le Campagnol-à-dos-roux boréal a le dos roux et les flancs gris. (6) Chez les autres, la queue a moins de 50 mm.

Habitat : bords des ruisseaux et marécages; montagnes, jusqu'au-delà de la ligne des arbres.

Mœurs : semi-aquatique; bon nageur qui aime l'eau. Fait son terrier le long d'un ruisseau; certaines entrées sous l'eau. Niche sous les racines, les vieilles souches ou troncs couchés.

Jeunes : hab. 4-6; saison de reproduction inconnue.   Carte p. 190

CAMPAGNOL D'OREGON *Microtus oregoni*

(Creeping Vole)

Tête et corps 100-110 mm; queue 30-40 mm; 17-20 g. Petit campagnol *brun*, *à poil court*, queue *bicolore*, ventre gris *argent*. 8 mamelles.

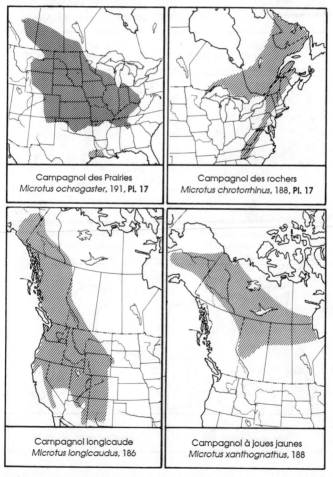

Campagnol des Prairies
Microtus ochrogaster, 191, **Pl. 17**

Campagnol des rochers
Microtus chrotorrhinus, 188, **Pl. 17**

Campagnol longicaude
Microtus longicaudus, 186

Campagnol à joues jaunes
Microtus xanthognathus, 188

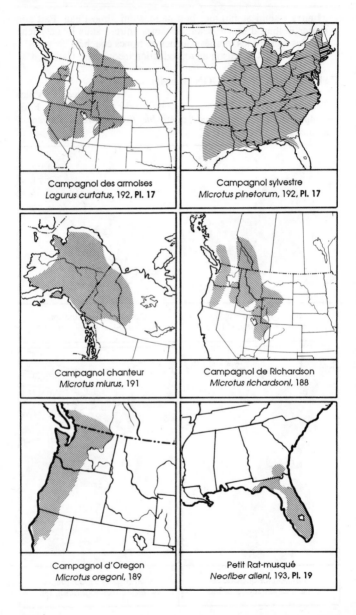

Campagnol des armoises
Lagurus curtatus, 192, **Pl. 17**

Campagnol sylvestre
Microtus pinetorum, 192, **Pl. 17**

Campagnol chanteur
Microtus miurus, 191

Campagnol de Richardson
Microtus richardsoni, 188

Campagnol d'Oregon
Microtus oregoni, 189

Petit Rat-musqué
Neofiber alleni, 193, **Pl. 19**

Espèces semblables : les Campagnols (1) de Californie et (2) montagnard ont le poil long. Les Campagnols (3) de Townsend, (4) longicaude, (5) de Richardson, (6) à pattes blanches, (7) grimpeur et (8) le Campagnol-à-dos-roux de l'Ouest, ont une queue de plus de 50 mm. (9) Le Campagnol des bruyères vit près des sommets.

Habitat : forêts, broussailles, zones herbeuses; hab. sur les pentes sèches.

Mœurs : fait des tunnels dans la litière du sol des forêts ou parmi les racines des herbes; sort rarement de terre. Reproduction de mai à août, peut-être plus longtemps.

Jeunes : probablement 3-5 par portée.   Carte ci-contre

CAMPAGNOL CHANTEUR *Microtus miurus*

(Singing Vole)

Tête et corps 90-125 mm; queue 25-35 mm; 30-55 g. Queue courte; corps *chamois*. Distinct par sa *petite taille* et sa *queue courte*. 8 mamelles.

Espèces semblables : (1) les lemmings sont plus gros, leur queue n'a pas plus de 25 mm ou leur corps est de couleur vive. (2) Le corps du Campagnol des bruyères n'est pas chamois. (3) Les autres campagnols ont le dos roussâtre ou sont plus gros; leur queue a hab. plus de 40 mm.

Habitat : pentes hautes, bien drainées, talus de la toundra, saules nains épars.

Mœurs : actif jour ou nuit. À l'automne, entasse des provisions en amas de 1 à 30 litres de volume. Creuse un terrier ou utilise celui d'un spermophile. Reproduction, juin-août.

Jeunes : 4-12 embryons observés.   Carte ci-contre

CAMPAGNOL DE ST. MATTHEWS *Microtus abbreviatus*

(St. Matthews Island Vole)

Tête et corps 135-145 mm; queue 25-30 mm. Très apparenté au Campagnol chanteur. Certains auteurs croient qu'il s'agit de la même espèce.

Répartition : îles Hall et St. Matthews, mer de Béring, Alaska.

CAMPAGNOL DES PRAIRIES *Microtus ochrogaster*   Pl. 17

(Prairie Vole)

Tête et corps 90-125 mm; queue 30-40 mm; 30-40 g. Campagnol le plus commun des *Prairies*. Corps de *grisâtre* à *brun foncé*, mêlé de poils à bout fauve; foncé dans le S et l'E, plus pâle dans le NO. Queue *courte*; ventre *blanchâtre ou jaunâtre*. 6 mamelles.

Inclut maintenant *Microtus ludovicianus*.

Espèces semblables : (1) la queue du Campagnol des champs a hab. plus de 40 mm; difficile à distinguer. (2) La queue du

Campagnol longicaude a plus de 50 mm. Les Campagnols (3) montagnard et (4) des bruyères vivent en montagne. (5) Le Campagnol-à-dos-roux boréal a le dos roux. (6) Le Campagnol des armoises est gris cendré. (7) Le Campagnol sylvestre est marron; sa queue a moins de 25 mm. (8) Le campagnol-lemming de Cooper a des sillons aux incisives supér.

Habitat : prairies découvertes; le long des clôtures et voies ferrées, dans les cimetières; hab. dans les endroits secs.

Mœurs : actif jour et nuit. Réseaux importants de galeries et sentiers; niche hab. dans le sol.

Jeunes : hab. 3-4 (2-6), nés entre mars et septembre surtout; gestation, 21 jours; 3-4 portées par saison. Les femelles s'accouplent à 30 jours.   Carte p. 189

CAMPAGNOL SYLVESTRE *Microtus pinetorum*   **Pl. 17**
(Pine Vole)

Tête et corps 70-105 mm; queue 15-25 mm; 20-35 g. Joli petit campagnol qui, malgré son nom latin, vit rarement dans les pins, mais plutôt dans les *forêts décidues* de l'E. *Pelage marron dense et doux*, sans les longs poils de garde (jarres) trouvés chez les autres espèces. Petites oreilles, queue *courte*. Incisives supér. lisses. 16 dents (Pl. 26). 4 mamelles.

Autrefois du genre *Pitymys*; comprend maintenant *M. parvulus*.

Espèces semblables : chez les Campagnols (1) des champs et (2) des rochers, la queue a plus de 25 mm. (3) Le Campagnol des Prairies n'est pas marron. (4) Le Campagnol-à-dos-roux boréal a la queue plus longue. (5) Le Campagnol-lemming de Cooper a les incisives supér. ornées de sillons.

Habitat : recherche hab. les sols à litière épaisse, surtout dans les forêts décidues; fréquente d'autres endroits, notamment des vergers.

Mœurs : actif jour ou nuit. Galeries dans la litière de feuilles ou le terreau meuble, sous la surface; creuse parfois autour des arbres des vergers et mange les racines; mange aussi bulbes, tubercules et graines. Niche sous les souches, les troncs couchés ou autres points protégés. Domaine, env. 0,1 ha. Densité très variable. Reproduction de janvier à octobre dans le N, probablement toute l'année dans le S.

Jeunes : hab. 3-4 (2-7); gestation, env. 21 jours; 3-4 portées par an.   Carte p. 190

CAMPAGNOL DES ARMOISES *Lagurus curtatus*   **Pl. 17**
(Sagebrush Vole)

Tête et corps 95-115 mm; queue 15-30 mm; 25-35 g. Très pâle, *gris cendré* à *ventre et pieds blanchâtres*; queue, hab. *moins de 25 mm.* Un campagnol trouvé dans les *armoises* appartient sûrement à cette espèce. Le plus pâle des campagnols et celui qui habite dans les endroits le plus sec. 16 dents (Pl. 26). 8 mamelles.

Espèces semblables : (1) le Campagnol des Prairies a la queue plus longue que 30 mm. (2) Les autres campagnols ont la queue plus longue et n'habitent pas dans les armoises.

Habitat : armoises dispersées, sols friables; lieux arides.

Mœurs : actif jour ou nuit. Fait des galeries peu profondes, hab. au voisinage des armoises. Mange des plantes fraîches, surtout des armoises. Reproduction toute l'année.

Jeunes : hab. 4-6 (3-8); plus d'une portée par an.   Carte p. 190

Rats-musqués

Les plus gros rongeurs parmi les Muridae. Ils passent presque toute leur vie dans l'eau et près de l'eau. Une seule espèce dans chaque genre.

PETIT RAT-MUSQUÉ *Neofiber alleni*   **Pl. 19**
(Round-tailed Muskrat)

Tête et corps 20-22 cm; queue 11-17 cm; 155-330 g. Copie à queue ronde du Rat-musqué commun; *fourrure d'un brun vif à jarres rugueux* sur un duvet épais; sa taille et sa fourrure le distinguent des autres rongeurs aquatiques de son milieu. 16 dents (Pl. 26). 6 mamelles.

Habitat : tourbières, marais, rives broussailleuses des lacs; savanes en bordure des ruisseaux.

Mœurs : construit de gros nids dans les souches, dans les mangroves ou dans les savanes ouvertes. Se fait une plate-forme en eau peu profonde pour manger; mange des plantes aquatiques et des écrevisses. Se reproduit probablement toute l'année.

Jeunes : 1-3 observés.

Importance économique : aucune; peut parfois endommager les récoltes; animal très intéressant.   Carte p. 190

RAT-MUSQUÉ COMMUN *Ondatra zibethicus*   **Pl. 19**
(Muskrat)

Tête et corps 25-35 cm; queue 20-30 cm; 1-2 kg. *Pelage épais, brun acajou,* mêlé de longs jarres; ventre *argent*; queue longue, *glabre,* écailleuse et noire, *aplatie latéralement.* Sa queue le distingue de tous les autres mammifères. Sa présence dans un marais est indiquée par une *hutte conique* de 60-90 cm au-dessus de l'eau, faite de plantes de marécage. 16 dents (Pl. 26). 6 mamelles.

Le rat-musqué de Terre-Neuve, anciennement *O. obscurus,* est maintenant reconnu comme appartenant à cette espèce.

Habitat : marécages, bords des étangs, lacs et ruisseaux; joncs, quenouilles, nénuphars, surfaces d'eau découvertes.

Mœurs : surtout aquatique; vient à terre surtout en automne. Mange plantes aquatiques, mollusques, grenouilles, même des poissons. Construit son nid en eau peu profonde; fait aussi des galeries dans les berges; les entrées sont hab. sous l'eau; 1 famille par hutte. Reproduction entre avril et août dans le N, en hiver dans le S.

Jeunes : hab. 5-6 (1-11), nus, aveugles; gestation de 22-30 jours; 2-3 portées par an.

Importance économique : l'un des plus importants animaux à fourrure d'Amér. du N; entrave parfois les travaux d'irrigation en creusant.   Carte ci-dessous

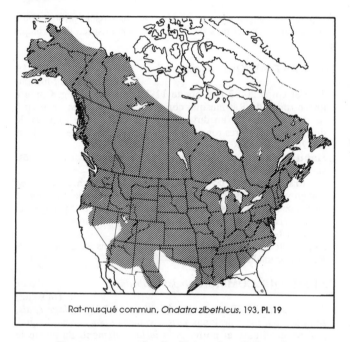

Rat-musqué commun, *Ondatra zibethicus*, 193, Pl. 19

Rats et souris de l'Ancien Monde

On parle ici du Rat surmulot, du Rat noir et de la Souris commune, qui ne vivent qu'au voisinage des populations humaines. Animaux à pelage *brun grisâtre* ou *noirâtre* mat, à *queue longue et glabre*, de couleur assez uniforme. Des mutants albinos du Rat surmulot et de la

Souris commune sont des formes très utilisées dans les laboratoires pour des expériences génétiques et médicales. 16 dents.

Habitat : entrepôts, bâtiments de ferme, partout où des aliments sont gardés; associés de très près aux activités humaines.

Importance économique : en liberté ils sont nuisibles; ils détruisent les denrées entreposées et endommagent les bâtiments; ils sont aussi vecteurs de maladies transmissibles à l'homme; les dommages qu'ils causent équivalent à des millions de dollars chaque année. Leur introduction en Amérique a été accidentelle, mais les résultats doivent nous mettre en garde contre l'introduction d'espèces étrangères sans des études préalables très complètes. Les souches de laboratoire sont très utiles.

RAT SURMULOT *Rattus norvegicus*   Pl. 18
(Norway Rat)

Tête et corps 180-255 mm; queue 130-205 mm; 200-285 g. Avant tout un habitant des *villes et des fermes*; distinct par sa couleur *brun grisâtre* et sa queue *plutôt longue* et *écailleuse*. Ventre grisâtre, pas blanc. 16 dents (Pl. 26). 12 mamelles.

Espèces semblables : (1) les néotomas ont hab. le ventre jaune et la queue et les pieds poilus. (2) Le Rat noir a la queue plus longue que tête et corps réunis. (3) L'Oryzomys palustre a la queue bicolore.

Habitat : colonial. Fait des tunnels le long des fondations ou des bâtiments ou sous les tas d'immondices. Omnivore. Domaine vital, hab. moins de 30 m. Les populations comptent hab. 1 rat pour 5 ou 6 personnes dans les grandes villes, peut-être plus dans les petites agglomérations.

Jeunes : hab. 8-10 (6-22); gestation de 21-22 jours; possibilité de 12 portées par an. Les femelles se reproduisent à 3 mois.

Répartition : partout où il y a des agglomérations.

RAT NOIR *Rattus rattus*   Pl. 18
(Black Rat)

Tête et corps 180-205 mm; queue 215-255 mm; 140-285 g. Il existe deux formes (une *brune*, une *noire*) de cette espèce. Ventre grisâtre, *jamais blanc*, queue *glabre*, *plus longue* que tête et corps réunis. Vit surtout autour des *habitations*; rare dans le N, commun dans l'extrême S. 16 dents. 10 mamelles.

Espèces semblables : (1) le Rat surmulot a la queue moins longue que tête et corps réunis. (2) Les néotomas et (3) l'Oryzomys palustre ont la queue bicolore.

Mœurs : vit surtout au haut des bâtiments; n'a pas besoin de sol pour creuser; s'éloigne parfois dans les champs avoisinants.

Répartition : surtout dans les villes côtières; a été vu jusqu'à Urbana, en Illinois.

SOURIS COMMUNE *Mus musculus* **Pl. 15**
(House Mouse)

Tête et corps 80-85 mm; queue 70-95 mm; 10-20 g. Petite souris *brun grisâtre* à *ventre gris ou chamois*; *queue écailleuse*, de *teinte à peu près uniforme*; pelage assez court. Incisives supér. sans sillons. 16 dents (Pl. 26). 10 mamelles.

Espèces semblables : (1) les souris à pattes blanches ont le ventre blanc. (2) La Souris-pygmée de Taylor est plus petite et a la queue velue. (3) Les souris-moissonneuses ont les incisives supér. creusées de sillons. (4) Les souris-sauteuses ont le ventre blanc.

Mœurs : parfois dans les champs, hab. dans les bâtiments. Omnivore. Très prolifique; se reproduit toute l'année.

Jeunes : 3-11; gestation 18-21 jours; plusieurs portées par an. Se reproduit à 6 semaines.

Répartition : partout où il y a des agglomérations.

Souris-sauteuses : Zapodidae

Souris petites ou *de taille moyenne* à *queue extrêmement longue* et à *pattes postér. très grandes*. Flancs *jaunâtres ou orangé*s, dos plus foncé, *ventre blanc*; oreilles petites, à mince *bordure de poils chamois ou blancs*. Pas d'abajoues. Incisives supér. ornées de *sillons* à l'avant. Préfèrent les prairies humides et les forêts et hibernent durant l'hiver.

Espèces semblables : (1) les souris-à-abajoues et (2) les rats-kangourous ont des abajoues.

Importance économique : rarement assez abondantes pour causer des dommages.

SOURIS-SAUTEUSE DES CHAMPS *Zapus hudsonius* **Pl. 13**
(Meadow Jumping Mouse)

Tête et corps 75-85 mm; queue 100-145 mm; 15-22 g. Souris *jaune-olivâtre* qui saute dans l'herbe à la manière d'une grenouille. Son corps *bicolore*, sa queue presque glabre *très longue* et ses *pieds postér. très grands* la distinguent de tous les autres petits mammifères. 18 dents (Pl. 26). 8 mamelles.

Espèces semblables : (1) La Souris-sauteuse des bois a le bout de la queue blanc. (2) Chez la Souris-sauteuse de l'Ouest, qui vit en montagne, tête et corps ont plus de 85 mm.

Habitat : préfère les prairies basses pour s'alimenter, mais fréquente plusieurs types d'habitats terrestres.

Mœurs : surtout nocturne. Mange graines, insectes, fruits. Hiberne à 60-90 cm sous la surface, dans les sols bien drainés, en octobre ou novembre, jusqu'en avril-mai; en été, niche à la surface du sol ou sous des broussailles, troncs couchés, souches. Domaine vital de 0,2-0,8 ha. Populations fluctuantes, jamais très denses. Vit 1-2 ans en nature. Reproduction, juin-août.

Jeunes : hab. 4-5 (3-7); gestation, 18-21 jours; 2-3 portées par
saison.   Carte ci-dessous

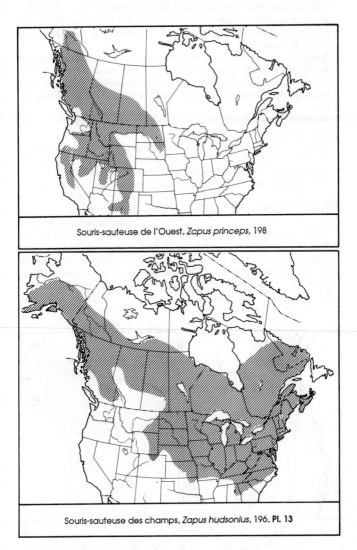

Souris-sauteuse de l'Ouest, *Zapus princeps*, 198

Souris-sauteuse des champs, *Zapus hudsonius*, 196, **Pl. 13**

SOURIS-SAUTEUSE DE L'OUEST *Zapus princeps*

(Western Jumping Mouse)

Tête et corps 90-100 mm; queue 125-150 mm; 20-35 g. Surtout *en montagne*. *Flancs jaunâtres, dos plus foncé, ventre blanc* (ou chamois), *queue longue, grands pieds postér.*; pas d'abajoues. 18 dents. 8 mamelles.

Espèces semblables : (1) la Souris-sauteuse des champs mesure moins de 90 mm (tête et corps); hab. pas en montagne. (2) La Souris-sauteuse du Pacifique est semblable mais de coloration plus vive; les deux espèces ne cohabitent que dans le col d'Allison, C.-B.

Habitat : près des ruisseaux et dans les bosquets denses et les prés d'herbacées.

Mœurs : surtout nocturne. Bonne nageuse. Surtout granivore. Hiberne en septembre ou octobre jusqu'à avril-mai. Niche à la surface, sous couvert d'herbes. Peut sauter 1-2 m.

Jeunes : 2-7, en juin-juillet; une portée par saison.   Carte p. 197

SOURIS-SAUTEUSE DU PACIFIQUE *Zapus trinotatus*

(Pacific Jumping Mouse)

Tête et corps 90-95 mm; queue 130-155 mm. Semblable à la Souris-sauteuse de l'Ouest, mais de couleur plus vive. *Queue longue, grands pieds postér.*, pas d'abajoues. Répartition distincte de celle des autres souris-sauteuses, sauf au col d'Allison, C.-B.

Habitat : zones détrempées, marécageuses, prairies découvertes, bois; jusqu'à la ligne des arbres.   Carte ci-dessous

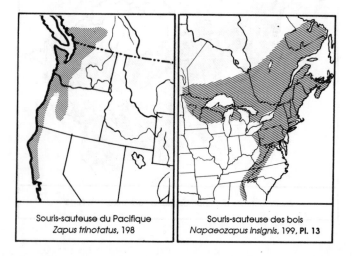

Souris-sauteuse du Pacifique
Zapus trinotatus, 198

Souris-sauteuse des bois
Napaeozapus insignis, 199, **Pl. 13**

SOURIS-SAUTEUSE DES BOIS *Napaeozapus insignis*   **Pl. 13**

(Woodland Jumping Mouse)

Tête et corps 90-100 mm; queue 125-155 mm; 20-30 g. Joli petit animal. Caractères distinctifs: *flancs jaune vif, dos brunâtre, ventre blanc, grands pieds postér., queue longue à bout blanc.* 16 dents (Pl. 26). 8 mamelles.

Espèces semblables : la Souris-sauteuse des champs n'a pas le bout de la queue blanc.

Habitat : zones boisées ou broussailleuses près de l'eau; tourbières humides, bords des ruisseaux.

Mœurs : nocturne. Mange graines, fruits et insectes. Hiberne de novembre à avril. Domaine de 0,4 à 0,8 ha. Densité normale: 7 individus/ha.

Jeunes : hab. 3-5 (1-6), nés entre juin et septembre; gestation de 29 jours ou plus; peut-être 2 portées par saison.

Carte ci-contre

Porc-épic d'Amérique : Erethizontidae

Gros rongeur noirâtre à pelage entremêlé de longs poils à bout jaune; de la taille d'un petit chien; corps, surtout la croupe et la queue, à *longues épines pointues.* Fossiles de l'Oligocène.

PORC-ÉPIC D'AMÉRIQUE *Erethizon dorsatum*   **Pl. 19**

(Porcupine)

Tête et corps 45-55 cm; queue 20-25 cm; 4-13 kg. Animal *lourd et trapu* à *pattes courtes*, plutôt balourd, qui nous apparaît, grimpé aux arbres, comme une grosse boule de poil noir. Souvent vu le long des routes, surtout celles où il y a épandage de sel, le soir ou au petit matin. Des arbres aux cimes dénudées de leur écorce indiquent la présence d'un porc-épic dans les environs. Seul mammifère nord-amér. à posséder de longues épines. Yeux à reflets rouge foncé. 20 dents (Pl. 28). 4 mamelles.

Habitat : hab. zones boisées, mais parfois dans les régions broussailleuses.

Mœurs : actif surtout la nuit, mais se voit parfois le jour, surtout au haut des arbres; grimpeur balourd, mais plus à l'aise dans un arbre qu'au sol. Solitaire en été; parfois colonial en hiver. Mange bourgeons, petits rameaux, couche interne de l'écorce des arbres; friand de sel. S'abrite dans les arbres creux ou les grottes dans les rochers; n'hiberne pas. Émet plaintes, grognements et cris aigus, surtout à l'automne durant le rut. Reproduction en septembre-octobre.

Jeunes : 1, né en avril-mai, env. 450 g à la naissance, velu, yeux ouverts, épines molles d'env. 6 mm qui durcissent et sont fonctionnelles immédiatement. Peut grimper aux arbres et manger des aliments solides qqs heures après sa naissance. Gestation d'env. 7 mois. Maturité sexuelle à 3 ans.

Importance économique : peut endommager les bâtiments, les câbles de communication et les arbres. Les épines sont utilisées comme ornements par les Indiens; chair comestible, meilleure si l'animal ne se nourrit pas de pin. Visible dans la plupart des parcs de l'O des É.-U. et partout au Canada.   Carte ci-dessous

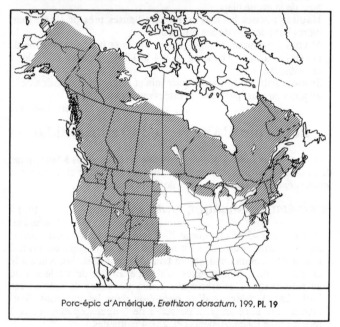

Porc-épic d'Amérique, *Erethizon dorsatum*, 199, **Pl. 19**

Ragondin : Myocastoridae

Gros rongeur sud-amér. introduit en Louisiane pour tenter d'en exploiter la fourrure et maintenant répandu un peu partout aux É.-U. Fait l'objet d'élevages pour obtenir des stocks reproducteurs et exploiter la fourrure. Abondant surtout dans les marécages de la Louisiane et en Oregon.

RAGONDIN *Myocastor coypus*   **Pl. 19**
(Nutria)

Tête et corps 55-65 cm; queue 30-45 cm; 7-9 kg. *Gros* rongeur *brun grisâtre* à *longue queue ronde, presque glabre.* Pieds postér. palmés. 20 dents.

Espèces semblables : (1) le Castor du Canada (p. 151) et (2) le Rat-musqué commun (p. 193) ont la queue aplatie, glabre. (3) L'Opposum d'Amérique du Nord (p. 1) a la face blanche, le nez pointu et n'a pas les pieds palmés.

Habitat : marécages, étangs et lacs.

Mœurs : nocturne. Mange toutes sortes de plantes aquatiques qu'il transporte à son point d'alimentation: tronc couché, broussailles, toute végétation qui peut le supporter. Creuse, dans les rives, des tunnels dont l'entrée est au-dessus du niveau d'eau; construit pour l'hiver des plates-formes de repos de 50-75 cm de largeur, à 15-25 cm au-dessus de l'eau, dans la végétation dense; fait son nid dans la végétation qui croît en eau peu profonde. Peut vivre 4 ans en nature, 12 en captivité. Reproduction toute l'année dans le S.

Jeunes : 2-11, d'env. 225 g, capables de nager et de manger des aliments solides à 24 heures. Gestation, 127-132 jours. Maturité sexuelle à 5 mois.

Importance économique : la fourrure des Ragondins en nature a peu de valeur. Pour sa nourriture, le Ragondin fait compétition au Rat-musqué commun dont la fourrure est plus recherchée. Voilà un cas d'espèce introduite qui est devenue plus nuisible qu'utile.

Répartition : vit dans plusieurs états où il a été relâché et aux endroits où il s'est échappé des élevages.

Picas, lièvres et lapins : Lagomorpha

Picas : Ochotonidae

Petits, *de la taille d'un rat*, grisâtres, chamois ou brunâtres, à petites oreilles larges et rondes et à *petite queue à peine visible*. Ne vivent que dans les *traînées d'éboulis* et près de la ligne des arbres en haute montagne. Fossiles de l'Oligocène supérieur.

PICA D'AMÉRIQUE *Ochotona princeps*   **Pl. 21**
(Pika)

Tête et corps 155-215 mm; 115-180 g. De petits tas de *paille fraîche* dans les traînées d'éboulis indiquent sa présence. *Grisâtre, chamois* ou *brunâtre*, il se tient tapi sur un rocher, avec lequel il se confond presque, en émettant de petits cris aigus courts. *Queue non apparente*. Les autres mammifères présents dans les mêmes milieux durant le jour sont les marmottes, le Spermophile à mante dorée et les tamias, tous à queue bien visible. 26 dents (Pl. 28). 6 mamelles.

Habitat : pentes des talus, éboulis; hab. près de la ligne des arbres en montagne, jusqu'à la côte dans le N.

Mœurs : strictement diurne. Colonial. Mange des herbages; fait des réserves en petits tas sous les pierres; n'hiberne pas. Défend un territoire au sein de la colonie, au moins en automne. Reproduction au printemps, parfois aussi en été.

Jeunes : 2-5, nés en mai-juin et juillet-août; gestation, 30-31 jours.

Importance économique : négligeable; vit loin des humains; élément intéressant de notre faune. On peut l'apercevoir sur les pentes des talus le long des routes et dans les éboulis dans plusieurs des parcs nationaux américains et canadiens, dans les montagnes.   Carte ci-dessous

PICA À COLLIER *Ochotona collaris*

(Collared Pika)

Semblable au Pica d'Amérique; répartition géographique différente.   Carte ci-dessous

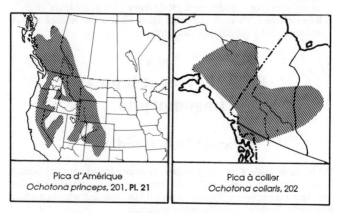

Pica d'Amérique
Ochotona princeps, 201, **Pl. 21**

Pica à collier
Ochotona collaris, 202

Lièvres et lapins : Leporidae

Hab. à *longues oreilles*, *longues pattes postér.*, fourrure douce et *petite queue courte floconneuse*. La plupart des espèces, surtout en climat chaud, sont porteuses de la tularémie, maladie infectieuse. Les lapins malades devraient être évités. La viande doit être bien cuite; en cas de doute, porter des gants pour la préparer. 28 dents. Fossiles de l'Éocène supérieur.

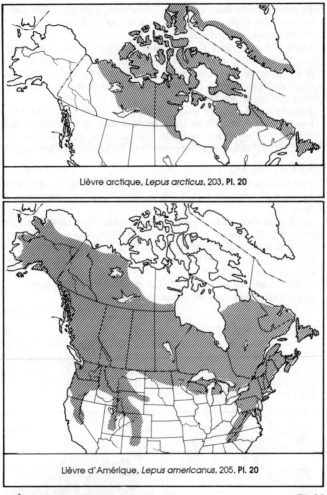

Lièvre arctique, *Lepus arcticus*, 203, **Pl. 20**

Lièvre d'Amérique, *Lepus americanus*, 205, **Pl. 20**

LIÈVRE ARCTIQUE *Lepus arcticus*

Pl. 20
(Arctic Hare)

Tête et corps 45-60 cm; oreilles, 75-100 mm; 2,5-5,5 kg.
Strictement *arctique*, dans la toundra. Dans l'île Ellesmere et au N
de l'île de Baffin et du Groenland, il est *toujours blanc*; dans les
autres zones qu'il habite, il est *gris ou brun en été*, mais sa queue
reste *blanche*. En hiver, ses poils sont *blancs jusqu'à la base* (sauf
au bout des oreilles où ils sont noirs).

Espèces semblables : le Lièvre d'Amérique, plus petit, a la queue brune en été; poils pas blancs jusqu'à la base en hiver.
Habitat : toundra arctique.
Mœurs : actif toute l'année; plutôt grégaire. Souvent sur ses pattes de derrière, il saute à la façon d'un kangourou, sans toucher le sol de ses pattes avant. Mange la végétation basse de la toundra. Densités très variables. Ne fait pas de nid; les petits sont regroupés dans une cavité peu profonde.
Jeunes : 4-8, nés en juin-juillet, très velus, yeux ouverts.
Importance économique : sert de nourriture aux renards et aux chiens; les Esquimaux mangent aussi sa chair, qui n'est pas très nourrissante, et font des vêtements avec les peaux.   Carte p. 203

LIÈVRE D'ALASKA *Lepus othus*   (Alaskan Hare)
Tête et corps 50-60 cm; oreilles 75-90 mm; 4-4,5 kg. Devient *brun en été*, mais sa *queue reste blanche*. En hiver, *poils blancs jusqu'à la base*.
   Est peut-être un représentant nord-amér. du Lièvre variable européen, *L. timidus*.
Espèces semblables : chez le Lièvre d'Amérique, tête et corps réunis ont moins de 50 mm; queue brune en été, pelage pas blanc jusqu'à la base en hiver.
Mœurs : semblables à celles du Lièvre arctique; petits entassés les uns sur les autres dans une dépression; pas de nid.

                                                   Carte ci-dessous

LIÈVRE DE TOWNSEND *Lepus townsendii*   **Pl. 20**
                                      (White-tailed Jack Rabbit)
Tête et corps 45-55 cm; oreilles 13-15 cm; 2-4,5 kg. Le plus gros lièvre des *plaines* du N et des *montagnes de l'O. Gris brunâtre* l'été, *blanc ou gris pâle* en hiver. Queue presque toujours *toute blanche*. 8 mamelles.

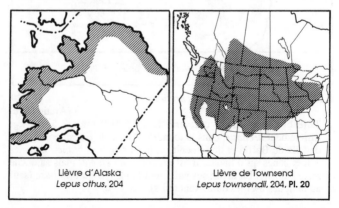

Lièvre d'Alaska
Lepus othus, 204

Lièvre de Townsend
Lepus townsendii, 204, **Pl. 20**

Espèces semblables : (1) le Lièvre d'Amérique est plus petit, brun foncé en été; préfère forêts et marécages. (2) Le Lièvre de Californie a le dessus de la queue noir. (3) Les lapins sont plus petits et ne sont pas blancs en hiver.

Habitat : plaines découvertes, à herbes ou à armoises.

Mœurs : nocturne. Reste dans son refuge le jour; ne creuse pas le sol, mais fait des tunnels dans la neige épaisse. Mange des herbes et de la végétation fraîche l'été, ajoute des bourgeons, de l'écorce et des rameaux l'hiver. Peut faire des sauts de 6 m de longueur et courir à 65 km/h.

Jeunes : 3-6, velus, yeux ouverts. Cachés dans la végétation, pas dans un nid.

Importance économique : peut endommager récoltes de foin et petits arbres; gibier apprécié pour sa viande.   Carte ci-contre

LIÈVRE D'AMÉRIQUE *Lepus americanus*   Pl. 20
(Snowshoe Hare)

Tête et corps 35-45 cm; oreilles 90-100 mm; 1-2 kg. Lièvre à *grands pieds* qui devient *blanc* en hiver; *brun foncé* l'été. En hiver, les poils sont blancs seulement au bout, plus jaunes au fond. Oreilles plutôt petites pour un lièvre. Yeux à reflets orangés. 8-10 mamelles.

Espèces semblables : les Lièvres (1) arctique et (2) d'Alaska ont la queue toujours blanche; pelage blanc jusqu'à la base l'hiver. (3) Le Lièvre de Townsend est plus gros, à queue presque toujours blanche et à longues oreilles. (4) Les lapins des mêmes régions ont tous une queue blanche bien voyante. (5) Le Lièvre de Californie a une bande noire sur la croupe et le dessus de la queue; dans les endroits ouverts. (5) Le Lièvre d'Europe est plus gros à queue noire dessus; fréquente les lieux ouverts.

Habitat : marécages, forêts, bosquets; montagnes de l'O.

Mœurs : nocturne. Reste à son refuge, sous des broussailles ou un arbre le jour. Mange des plantes grasses l'été, des rameaux, bourgeons et écorces l'hiver; aime la viande gelée. Ne fait pas de nid. Domaine d'env. 4 ha, mais peut s'en éloigner de 1,5 km. Densités très variables, sommets tous les 11 ans env. Vit rarement plus de 3 ans en nature, jusqu'à 8 ans en captivité. Parfois territorial durant le rut. Tourne en rond lorsque menacé par un chien.

Jeunes : hab. 2-4 (1-7), nés entre avril et août; gestation, 36-37 jours; 2-3 portées. Levrauts poilus; yeux ouverts.

Importance économique : gibier très important; endommage parfois nouvelles plantations d'arbres et jardins.

Carte p. 203

LIÈVRE D'EUROPE *Lepus europaeus*   Pl. 20
(European Hare)

Tête et corps 65-70 cm; oreilles 11-13 cm; 3-4,5 kg. Gros lièvre introduit d'Europe; *gris brunâtre* toute l'année. Dessus de la queue noir. Distinct des autres lièvres par sa grande taille.

Habitat : endroits ouverts et collines basses, découvertes.

Importance économique : gibier recherché; de trop grands nombres peuvent endommager les récoltes.　　　Carte ci-dessous

LIÈVRE ANTILOPE *Lepus alleni*　　　**Pl. 20**
(Antelope Jack Rabbit)

Tête et corps 50-55 cm; oreilles 18-20 cm; 2,5-6 kg. Un éclair blanc bondissant parmi les mesquites et les cactus géants, ou une paire d'*énormes oreilles, sans coloration noire,* dressées sur une tête plutôt petite et vous voilà en présence de ce lièvre à longues pattes du désert. Ses *flancs et hanches blanchâtres* aident à le reconnaître. 6 mamelles.

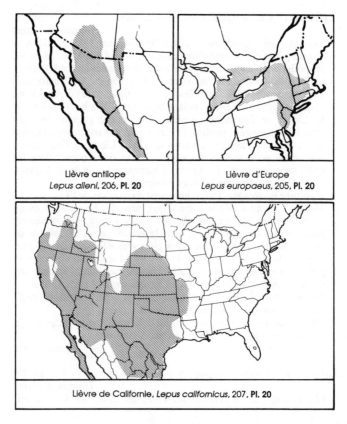

Lièvre antilope
Lepus alleni, 206, **Pl. 20**

Lièvre d'Europe
Lepus europaeus, 205, **Pl. 20**

Lièvre de Californie, *Lepus californicus*, 207, **Pl. 20**

La population qui occupe l'extrême S du Nouveau-Mexique est maintenant considérée comme une espèce distincte, *L. callotis.*

Espèces semblables : (1) le Lièvre de Californie est brun sur les flancs et les hanches; ses oreilles sont bordées de noir. (2) Les lapins sont plus petits, brunâtres ou grisâtres, à oreilles plus petites.

Habitat : herbacées, mesquites et mimosacées; sur les pentes d'altitude moyenne; déserts de jarillas.

Mœurs : actif dès la tombée du jour jusqu'au matin; reste à l'ombre d'un buisson le jour; groupes de 2-25 individus parfois. Peut s'éloigner de son point de repos pour se nourrir. Mange diverses plantes du désert, y compris des cactus. Domaine vital, rarement plus de 300 m. Ne fait pas de nid. Densités variables atteignant parfois plus de 25/ha. Peut courir à 50-65 km/h. Souvent porteur de kystes de cestodes (vers cystiques). Reproduction, de décembre à septembre.

Jeunes : hab. 1-3 (1-5); velus, yeux ouverts, dispersés dans les broussailles.

Importance économique : 8 individus peuvent manger en moyenne autant qu'un mouton, 41, autant qu'une vache; dans les pâturages du désert, font compétition au bétail. Gibier intéressant.

Carte ci-contre

LIÈVRE DE CALIFORNIE *Lepus californicus* Pl. 20
(Black-tailed Jack Rabbit)

Tête et corps 45-55 cm; oreilles 15-18 cm; 1-3 kg. Commun dans les *prairies* et les *endroits découverts* de l'O. Son corps brun grisâtre, ses *grandes oreilles à bout noir* et sa *bande noire* sur la queue le distinguent des espèces apparentées. Yeux à reflets rouges. 28 dents (pl. 28). 6 mamelles.

Espèces semblables : (1) le Lièvre antilope a les flancs blancs et n'a pas de noir aux oreilles. (2) Le Lièvre de Townsend n'a hab. pas de noir à la queue; blanchâtre en hiver. (3) Le Lièvre d'Amérique n'a pas la queue noire; corps blanc en hiver; vit en forêt. (4) Les lapins sont plus petits, sans noir aux oreilles.

Habitat : prairies ouvertes et déserts à végétation éparse.

Mœurs : actif surtout du crépuscule au petit matin; passe le jour dans son refuge, au pied d'un buisson ou d'une touffe d'herbe. Mange souvent des plantes fraîches le long des routes. Densité souvent variable. Peut courir à 50-55 km/h. Reproduction de décembre à septembre dans le S.

Jeunes : hab. 2-4 (1-6), velus, yeux ouverts. Probablement pas de nid.

Importance économique : 12 de ces lièvres consomment autant qu'un mouton et 59, autant qu'une vache; font donc compétition au bétail dans les pâturages. Gibier assez recherché. Souvent aperçu le long des routes matin et soir.

Carte ci-contre

LAPIN À QUEUE BLANCHE *Sylvilagus floridanus*   **Pl. 21**

(Eastern Cottontail)

Tête et corps 35-45 cm; oreilles 65-75 mm; 1-2 kg. Brunâtre ou grisâtre, *queue touffue blanche*, tache nucale roussâtre, pieds pâles. 28 dents (Pl. 28). 8 mamelles.

Espèces semblables : (1) le Lapin d'Audubon est plus petit, à oreilles plus longues; pas en forêt. (2) Le Lapin de Nouvelle-Angleterre est rougeâtre en été, parfois à tache nucale roussâtre pâle; en montagne. Les Lapins (3) aquatique et (4) des marais n'ont pas de tache nucale distincte et n'ont pas les pieds blanchâtres. (5) Le Lièvre d'Amérique est plus gros, brun foncé en été, blanc en hiver. Les Lièvres (6) d'Europe, (7) de Townsend, (8) antilope et (9) de Californie sont plus gros, à longues oreilles, et fréquentent les endroits ouverts.

Habitat : broussailles denses, bois bordés de clairières, bords des marécages.

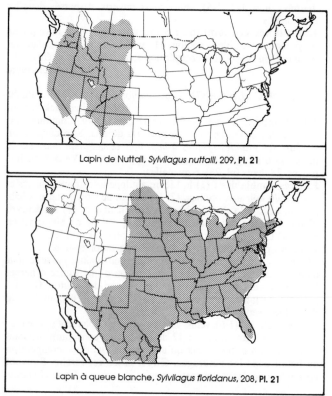

Lapin de Nuttall, *Sylvilagus nuttalli*, 209, **Pl. 21**

Lapin à queue blanche, *Sylvilagus floridanus*, 208, **Pl. 21**

Mœurs : actif du crépuscule au matin tard; passe la journée dans un endroit protégé (cavité du sol), dans un terrier ou sous un tas de broussailles. Mange des plantes fraîches en été, écorce et rameaux en hiver. Domaine de 1-8 ha. Densité variable: 1 ou plus par ha, surtout l'hiver. Femelles territoriales durant la saison de reproduction.

Jeunes : 4-7, aveugles, hab. nés entre mars et mai, aussi en septembre, dans un nid, dans une cavité du sol que la mère visite pour allaiter; gestation 26-30 jours; 3-4 portées par an.

Importance économique : gibier très important; endommage jardins, buissons, petits arbres. Carte ci-contre

LAPIN DE NUTTALL *Sylvilagus nuttalli* Pl. 21
(Nuttall's Cottontail)

Tête et corps 30-35 cm; oreilles 55-65 cm; 1-1,5 kg. Semblable au Lapin à queue blanche, mais plus clair. 8 mamelles.

Espèces semblables : (1) le Lapin d'Audubon, à oreilles plus longues, vit dans les vallées et les déserts bas. (2) Le Lapin pygmée est plus petit et vit dans les *déserts* bas. (3) Le Lièvre d'Amérique est brun ou blanc, jamais gris. (4) Les autres lièvres sont plus gros, à oreilles plus longues.

Habitat : bosquets, armoises, éboulis et falaises; forêts dans le S, montagnes.

Mœurs : semblables à celles du Lapin à queue blanche.

Jeunes : 4-6, nés entre avril et juillet.

Importance économique : petit gibier recherché; viande comestible. Carte ci-contre

LAPIN DE NOUVELLE-ANGLETERRE
Sylvilagus transitionalis (New-England Cottontail)

Tête et corps 45 cm; oreilles 65 mm; 1-1,3 kg. Lapin de montagne, *rougeâtre* en été, semé de poils blancs en hiver, ce qui lui donne une apparence *gris rougeâtre*. Tache nucale *pâle*, *petite*, ou *absente*; *tache foncée* entre les oreilles.

Espèces semblables : (1) le Lapin à queue blanche a une tache nucale roussâtre distincte; zones plus basses. (2) Le Lièvre d'Amérique, blanc en hiver, a les pieds bruns en été. (3) Le Lièvre d'Europe est plus gros; queue noire dessus.

Habitat : zones broussailleuses, forêts clairsemées, terrains accidentés en montagne. Carte p. 210

LAPIN D'AUDUBON *Sylvilagus auduboni* Pl. 21
(Desert Cottontail)

Tête et corps 30-40 cm; oreilles 75-100 mm; 0,5-1 kg. Commun dans les *vallées* désertiques du SO. *Gris pâle, à reflets jaunâtres.* Grandes oreilles. 8 mamelles.

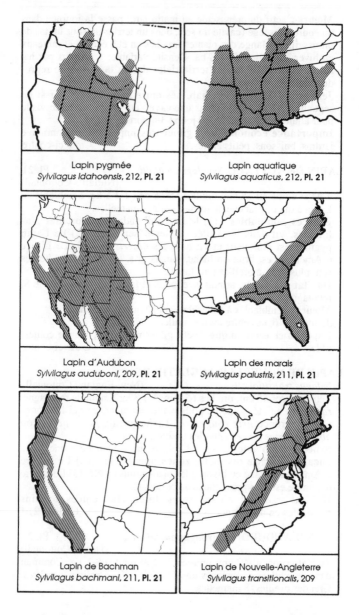

Lapin pygmée
Sylvilagus idahoensis, 212, **Pl. 21**

Lapin aquatique
Sylvilagus aquaticus, 212, **Pl. 21**

Lapin d'Audubon
Sylvilagus auduboni, 209, **Pl. 21**

Lapin des marais
Sylvilagus palustris, 211, **Pl. 21**

Lapin de Bachman
Sylvilagus bachmani, 211, **Pl. 21**

Lapin de Nouvelle-Angleterre
Sylvilagus transitionalis, 209

Espèces semblables : (1) le Lapin de Nuttall a les oreilles plus courtes; en montagne. (2) Le Lapin à queue blanche est plus gros, à oreilles plus courtes. (3) Le Lapin de Bachman est plus petit, brun foncé, à oreilles plus courtes; dans les broussailles denses. (4) Le Lapin pygmée est plus petit, dans les broussailles denses. (5) Le Lièvre d'Amérique est brun foncé ou blanc; haut en montagne. (6) Les autres lièvres sont plus gros et vivent dans les lieux découverts.

Habitat : plaines, contreforts des montagnes, vallées basses; herbes, armoises, genévriers et pins pignons épars.

Mœurs : actif de la fin de l'après midi au matin; se voit aussi le jour. Se réfugie dans les bosquets ou un terrier. Domaine de 0,5 (femelle) à 6 (mâle) ha. Vit 2 ans ou plus en nature.

Jeunes : 2-6, nés en tout temps de l'année en certains endroits; aveugles; déposés dans un nid tapissé d'herbes dans une cavité du sol que la mère visite pour allaiter.

Importance économique : petit gibier apprécié; endommage peu les jardins et les récoltes. Carte ci-contre

LAPIN DE BACHMAN *Sylvilagus bachmani* **Pl. 21**
(Brush Rabbit)

Tête et corps 30 cm; oreilles 50-65 mm; 0,5-1 kg. *Petit et brun*; oreilles et queue plutôt *petites*. 8 mamelles.

Espèces semblables : (1) le Lapin d'Audubon est grisâtre, plus gros, à oreilles plus longues. (2) Le Lièvre de Californie est plus gros et vit en zone ouverte.

Habitat : chaparral ou zones à broussailles denses.

Mœurs : moins actif le jour, mais peut se nourrir de végétation fraîche en tout temps. Ne s'éloigne jamais de la végétation dense. Utilise rarement des tunnels; fait des sentiers dans la végétation épaisse. Domaine de 0,1-0,4 ha. 2-7 individus/ha. Reproduction de janvier à juin.

Jeunes : 2-5, aveugles, couverts d'un duvet fin et court.

Importance économique : viande excellente, mais trop petit pour être recherché; inoffensif; en ville, mange sur les pelouses, jamais loin d'un bosquet de végétation. Carte ci-contre

LAPIN DES MARAIS *Sylvilagus palustris* **Pl. 21**
(Marsh Rabbit)

Tête et corps 35-40 cm; oreilles 65-75 mm; 1-1,5 kg. Pelage rugueux, *brun foncé*; *petits pieds brun rouge* dessus, plus foncés dessous; queue petite, peu visible, blanc crème dessous.

Espèces semblables : le Lapin à queue blanche, à pieds postér. blancs, a une grande tache nucale rousse; queue blanche bien visible.

Habitat : lieux bas, humides, marécages, monticules boisés.

Mœurs : surtout nocturne. Mange la végétation des marais, notamment rhizomes et bulbes. Reproduction, février-septembre.
Jeunes : hab. 2-4 (2-5). Nid dans une cavité du sol.
Importance économique : petit gibier; inoffensif.   Carte p. 210

LAPIN AQUATIQUE *Sylvilagus aquaticus*   **Pl. 21**
(Swamp Rabbit)

Tête et corps 35-45 cm; oreilles 90-100 mm; 1,5-2,5 kg. Pelage rugueux, *gris brunâtre* chaud; pieds *roux*; tache nucale *petite* et peu visible.
Espèces semblables : (1) le Lapin à queue blanche, à tache nucale bien visible, a les pieds arrière blanchâtres. (2) Le Lièvre de Californie a du noir aux oreilles et à la queue.
Habitat : marécages, lieux bas et humides.
Mœurs : bon nageur, aime l'eau; utilise rarement des tunnels; niche sous les troncs couchés, les souches ou dans les cavités du sol. Tourne en rond lorsque menacé par un chien. Domaine de 4,5-11 ha. Vit 1-4 ans. Reproduction, janvier-septembre.
Jeunes : hab. 2-3 (1-5), velus, yeux ouverts à 2-3 jours. Gestation, 36-40 jours.
Importance économique : endommage parfois les récoltes près des marécages; petit gibier recherché.   Carte p. 210

LAPIN PYGMÉE *Sylvilagus idahoensis*   **Pl. 21**
(Pigmy Rabbit)

Tête et corps 20-30 cm; oreilles 55-65 mm; 0,2-0,5 kg. *Gris ardoise* à *reflets rosés*; se camoufle bien dans la végétation dense; *le plus petit* des lapins, distinct par sa seule taille. 28 dents (Pl. 28). 10 mamelles.
Espèces semblables : les autres lapins sont plus gros; certains ont une queue blanche bien visible.
Habitat : bosquets d'armoises de grande taille.
Mœurs : surtout nocturne et crépusculaire, mais se voit aussi le jour. Creuse des terriers simples à 2 entrées ou plus. Mange surtout des armoises. Son domaine se limite à env. 30 m autour de son terrier. Jappe parfois à l'entrée de son terrier.
Jeunes : 5-8, nés en juin.   Carte p. 210

LAPIN DE GARENNE *Oryctolagus cuniculus*
(European Rabbit)

De coloration très variable; introduit comme gibier en plusieurs points sur la côte O et dans certains états de l'E, il a envahi plusieurs régions rurales et banlieues partout en Amér. du N. Ses mœurs coloniales font que des populations peuvent ravager les récoltes par les quantités qu'elles consomment et par les réseaux importants de tunnels qu'elles creusent.

Ongulés à nombre pair de doigts : Artiodactyla

Masse répartie également sur les doigts 3 et 4; 2 ou 4 doigts à chaque pied (sauf les pécaris); de taille moyenne ou grande; les jeunes peuvent marcher quelques minutes après la naissance.

Pécari à collier : Tayassuidae

Famille surtout tropicale et sub-tropicale, retrouvée jusqu'en Amér. du S. Seuls porcins vraiment indigènes d'Amérique.

PÉCARI À COLLIER *Tayassu tajacu*   **Pl. 19**
(Collared Peccary)

Tête et corps 85-90 cm; hauteur 50-60 cm; 20-25 kg. *Apparenté au cochon.* Pelage rude, noir mêlé de gris, plus clair en avant des épaules; *3 orteils* aux pattes arrière. Défenses supér. orientées vers le bas. Jeunes rougeâtres à bande noire le long du dos. 38 dents (Pl. 31). 2 mamelles.

Espèces semblables : le Sanglier a les défenses courbées vers le haut et a 4 orteils aux pattes arrière.

Habitat : semi-déserts broussailleux, cactus, chênes, chaparral, mesquites; le long des escarpements; près des trous d'eau.

Mœurs : actif surtout le matin et en fin d'après-midi; bandes de 2-25 individus. Omnivore; mange noix, gousses de mesquites, fruits, cactus, larves d'insectes, œufs d'oiseaux. Semble se reproduire toute l'année.

Jeunes : hab. 2 (1-5); peuvent suivre leur mère 1 jour après la naissance. Gestation, 142-148 jours.

Importance économique : bénéfique; ne fait pas compétition au bétail; détruit beaucoup de figues de barbarie; gibier intéressant. Pour manger la viande, il faut enlever la glande à musc de la croupe. La peau donne un beau cuir. Peut être observé dans les parcs Organ Pipe Cactus et Saguaro Natl. Monuments, Arizona.

Carte p. 214

Porcins de l'Ancien Monde : Suidae

Les Suidae ont été introduits surtout comme animaux domestiques dans les fermes. Certains d'entre eux sont devenus sauvages. De

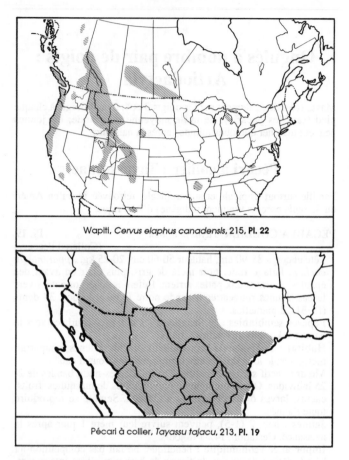

Wapiti, *Cervus elaphus canadensis*, 215, **Pl. 22**

Pécari à collier, *Tayassu tajacu*, 213, **Pl. 19**

plus, des individus de certains stocks sauvages (même espèce) ont été capturés en Europe et introduits en plusieurs endroits comme gros gibier.

SANGLIER *Sus scrofa*

(Pig, Boar)

Tête et corps 1-1,5 m; hauteur 90 cm; jusqu'à 180 kg. Poil rude et mince, *défenses supér. courbées vers le haut*, 4 orteils aux pattes. 44 dents. Hab. 12 mamelles.

Espèces semblables : le Pécari à collier a les défenses supér. orientées vers le bas; 3 orteils aux pattes arrière.

Jeunes : 4-12; gestation de 16-17 semaines.
Répartition : des cochons domestiques devenus sauvages ou des sangliers d'Europe se retrouvent dans plusieurs états et provinces.

Cerfs : Cervidae

Ces animaux ont des *sabots* et des *bois* qui tombent *chaque année.* Ce sont tous des ruminants. Ils n'ont pas d'incisives supér. Les fossiles remontent à l'Oligocène inférieur.

WAPITI *Cervus elaphus* Pl. 22
(Wapiti)

Hauteur 1,2-1,5 m; mâles 315-450 kg; femelles 225-270 kg. Longueur du merrain (tige centrale des bois) 165 cm; envergure record, 188 cm. Grand cerf de couleur *brun rougeâtre* (cou marron à crinière chez les mâles) à tache jaune pâle à la croupe et petite queue blanche; *bois énormes* chez les mâles à la fin de l'été et en automne. 34 dents (Pl. 32). 4 mamelles.

Le Wapiti, *Cervus elaphus canadensis*, est une race américaine du Cerf européen.
Espèces semblables : (1) l'Orignal a un gros museau pendant et la croupe brune. (2) Le Cerf mulet est plus petit et a du noir sur la queue. (3) Le Cerf de Virginie, plus petit, n'a pas de tache à la croupe. (4) Le Caribou a le cou blanchâtre.
Habitat : forêts clairsemées, prairies de montagne (en été), contreforts, plaines et vallées.
Mœurs : actif surtout le matin et le soir. Groupes de 25 individus ou plus; mâles et femelles ensemble en hiver, vieux mâles en groupes séparés l'été. Mange des herbes, des rameaux et de l'écorce. Migre vers les montagnes en été, redescend à l'automne; les mâles rejettent leurs bois en février-mars; le velours est rejeté en août. Dentition adulte à 2 1/2-3 ans. Les petits ont un cri plaintif aigu en cas de danger; les femelles aussi, mais elles émettent des «jappements» lorsqu'elles migrent en troupeaux; durant le rut, les mâles ont un beuglement aigu, grave au début et se terminant par des grognements sourds, surtout la nuit. Vit 14 ans (25 en captivité). Les femelles se reproduisent à 2 1/2 ans. Le rut commence en septembre; les vieux mâles rassemblent les harems.
Jeunes : hab. 1, parfois 2, nés en mai-juin; tachetés, capables de marcher presque tout de suite. Gestation env. 8 1/2 mois.
Importance économique : peut faire des ravages dans les potagers, pâturages, cultures de céréales, champs de foin; gibier très recherché pour sa viande et pour les trophées; autrefois répandu partout sur le continent, maintenant plus rare. Plusieurs

tentatives de réintroduction ont réussi, d'autres pas. Commun dans les parcs nationaux suivants: Grand Teton, Yellowstone, Olympic, Glacier, Rocky Mountain, Banff et Jasper; aussi, en certains endroits où il a été réintroduit. Apparemment établi aussi dans l'île Afognak, Alaska (pas sur la carte). Carte p. 214

CERF MULET *Odocoileus hemionus* Pl. 23
(Mule Deer)

Hauteur 90-110 cm. Mâles 55-180 kg; femelles 45-70 kg. Envergure record des bois, dans les Rocheuses, 121 cm. *Roussâtre* en été, *gris bleuté* en hiver; certains ont la croupe blanchâtre. Queue *à bout noir* ou *noire dessus*. *Grandes* oreilles. Les bois des mâles se ramifient *également* et ne sont pas des fourchons sur une tige centrale. 32 dents. 4 mamelles.

Le Cerf à queue noire est une sous-espèce du Cerf mulet.

Espèces semblables : (1) le Cerf de Virginie a la queue large et blanche dessous; les bois sont faits d'une tige centrale avec des rameaux. (2) Le Wapiti est plus gros et n'a pas de noir sur la queue. (3) Le Caribou a le cou blanchâtre et n'a pas de noir sur la queue. (4) L'Orignal est plus gros, brun foncé, et a le museau pendant. (5) L'Antilope d'Amérique n'a pas de noir sur la queue et a les flancs partiellement blancs.

Habitat : forêts de conifères, zones désertiques buissonneuses, chaparral, prairies buissonneuses; occupe plusieurs types de milieux et y broute les plantes.

Mœurs : actif surtout le matin, le soir et les nuits de lune; solitaire ou en petits groupes; grégaire surtout l'hiver. Brouteur; mange surtout des rameaux d'arbres et de buissons, mais aussi des herbages. En montagne, migre parfois vers les sommets au printemps et redescend à l'automne; dans les plaines, ne fait pas de migration. Les mâles rejettent leur ramure en janvier-février. Cri des petits et des biches, un bêlement qu'on entend rarement; les mâles émettent des grogements gutturaux, surtout pendant le rut; mâles et femelles renâclent en cas de danger. Suit des sentiers définis, surtout l'hiver. Domaine de 35-240 ha ou plus. Vit hab. environ 16 ans (25 en captivité). Les femelles se reproduisent à 1 1/2 an. Rut, octobre-décembre.

Jeunes : hab. 2 (1-3) nés en juin-juillet; tachetés, capables de marcher presque tout de suite. Gestation d'env. 7 mois.

Importance économique : gros gibier le plus recherché dans l'O; peut endommager cultures, pâturages et forêts lorsque les populations sont trop nombreuses. Commun dans la plupart des parcs de l'O.Carte ci-contre

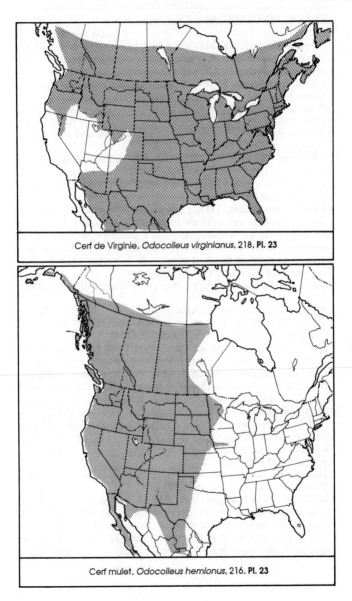

Cerf de Virginie, *Odocoileus virginianus*, 218, **Pl. 23**

Cerf mulet, *Odocoileus hemionus*, 216, **Pl. 23**

CERF DE VIRGINIE *Odocoileus virginianus*   **Pl. 23**
(White-tailed Deer)

Hauteur 90-105 cm. Mâles 35-180 kg; femelles 20-115 kg. Populairement appelé «chevreuil» (terme qui désigne en fait une espèce européenne de cervidé). Plus grand dans le N. Envergure record de la ramure, 85 cm. Dresse sa queue plusieurs fois pour en montrer le *grand panache blanc* avant de disparaître dans les bois. *Roussâtre* en été, *gris bleuté* en hiver. Les bois des mâles sont faits d'une *tige centrale et de rameaux.* Un *renâclement perçant* dans les bois, le matin ou le soir, vous signalera que le cerf a senti votre présence. 32 dents (Pl. 32). 4 mamelles.

Il existe une race naine d'environ 25 kg dans les Keys de la Floride. Très menacée auparavant, cette race est en bonne voie de récupération grâce à l'établissement d'un refuge spécialement aménagé dans les îles.

Espèces semblables : (1) le Cerf mulet a le bout de la queue noir; les rameaux de ses bois ne semblent pas émaner d'une tige principale. (2) Le Wapiti, plus gros, a la croupe jaunâtre. (3) Le Caribou a la croupe et le cou blanchâtres. (4) L'Orignal est plus gros, a le museau pendant et n'a pas de taches blanches. (5) L'Antilope d'Amérique a la croupe blanche.

Habitat : forêts, marécages et régions broussailleuses avoisinantes.

Mœurs : se comporte comme le Cerf mulet, mais est plus un animal des forêts. Brouteur; mange rameaux et arbustres, champignons et glands, herbages en été. Groupes de 25 ou plus en hiver; solitaire ou en groupes de 2-3 (biche et faons) en été et à l'automne; dans le N, migre parfois vers les marécages en hiver. Domaine, rarement plus de 1,5 km. Cris (rarement entendus): bêlement grave chez les faons, grogement guttural chez les vieux mâles, renâclement chez les mâles et les femelles en cas de danger. Dentition adulte a 13 mois; les mâles ont parfois des canines supér. Peut courir à 55-65 km/h, faire des sauts de 9 m de longueur et de 2,5 m de hauteur. Vit env. 16 1/2 en nature. Les femelles se reproduisent à 1 1/2 an, parfois à 6 mois; reproduction de novembre à février.

Jeunes : hab. 2 (1-3); sevrés à 4 mois. Gestation d'env. 6 1/2 mois. Suivent leur mère pendant près de 1 an.

Importance économique : gros gibier le plus important de l'Est; peut endommager les vergers jeunes et les potagers si les populations ne sont pas contrôlées. Commun et très apprivoisé dans le parc provincial Algonquin en Ontario. Souvent aperçu le long des routes secondaires le soir ou le matin.   Carte p. 217

ORIGNAL *Alces alces*   **Pl. 22**
                                                                  (Moose)
Hauteur 1,5-2 m. Mâles 380-530 kg; femelles 270-360 kg.
Envergure record de la ramure, 197 cm. Gros animal brun foncé à
pattes grises. Sa *grande taille*, son *museau pendant*, son *long
fanon* sur la gorge et son allure plutôt inélégante le distinguent des
autres ongulés. Les mâles ont des bois massifs dont les merrains
palmés, en palettes, émettent de petites projections. Souvent *près
de l'eau* ou *dans l'eau*. 32 dents (Pl. 32). 4 mamelles.
Espèces semblables : (1) le Wapiti a la croupe jaune pâle et son
museau n'est pas gros. (2) Les Cerfs sont plus petits et ont
certaines parties du corps blanches. (3) Le Caribou a la croupe et
le cou blanchâtres et n'a pas le museau pendant.
Habitat : forêts, près des lacs ou des marécages.
Mœurs : actif à peu près tout le temps, surtout à l'obscurité.
Solitaire ou en groupes de 2 (mère et petit) ou trois (père, mère et
petit), rarement plus. Broute plusieurs types de plantes ligneuses
l'hiver, rameaux, écorce, jeunes pousses; mange surtout des
plantes aquatiques en été. Les mâles rejettent leurs bois entre
décembre et février; le velours est rejeté en août-septembre. Son
cri, entendu rarement, est un long *mugissement* plus aigu à la fin;
émet aussi des grognements sourds. Dentition adulte à 16 mois. Sa
nage rapide atteint la vitesse d'un canot conduit par deux

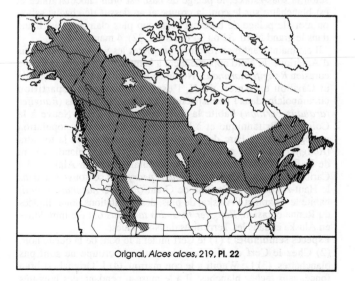

Orignal, *Alces alces*, 219, **Pl. 22**

personnes; peut courir à 55 km/h sur terre. Une densité de 1 animal/60 ha est élevée. Vit 20 ans ou plus en nature. Les femelles se reproduisent à 2-3 ans. Rut en septembre-octobre.

Jeunes : hab. 1, parfois 2, nés en mai-juin; brun-rouge clair, bande noire le long du dos. Gestation, env. 8 mois. Les petits suivent leur mère à 3 jours.

Importance économique : gibier magnifique recherché pour la viande et les trophées dans les zones de chasse; animal spectaculaire intéressant des points de vue esthétique et scientifique. Commun aux abords des forêts et dans les lacs peu profonds des parcs, Grand Teton, Yellowstone, Glacier, Banff, Jasper, Isle Royale, Algonquin etc.   Carte p. 219

CARIBOU *Rangifer tarandus*   **Pl. 22**
(Caribou)

Hauteur 1-1,25 m. Mâles 110-270 kg; femelles 65-160 kg. Envergure maximum de la ramure, 152 cm. Cerf massif à *gros pieds* et à sabots *arrondis*. Tous les mâles et plus de la moitié des femelles ont des *bois semipalmés* dont un merrain surplombe le nez; selon la sous-espèce, les bois peuvent être brun acajou foncé à merrains plats et à velours brun foncé ou alors brun pâle ou ivoire à merrains cylindriques et à velours brun clair ou gris. De même, selon la sous-espèce, le pelage de base est brun chocolat foncé et est blanchâtre sur le cou, la croupe et au-dessus de chaque sabot, ou alors le pelage de base est beaucoup plus clair, presque blanc dans le grand Nord. 32 ou 34 dents (Pl. 32). 4 mamelles.

Il est maintenant bien reconnu que toutes les variétés de caribous d'Amérique du Nord appartiennent à la même espèce que le Renne eurasien *Rangifer tarandus*. Nommée Renne dans l'Ancien Monde et Caribou en Amér. du N, l'espèce a donc une répartition circumpolaire dans l'hémisphère N. Le Caribou des bois (*Rangifer tarandus caribou*) habite la forêt boréale, de Terre-Neuve à la Colombie-Britannique et à l'Alaska; on trouve une population protégée dans le Parc de la Gaspésie. Le Caribou de la toundra (*Rangifer tarandus groenlandicus*) vit dans le Groenland, la terre de Baffin et dans la toundra continentale jusqu'en Alaska. Le Caribou de Peary (*Rangifer tarandus pearyi*) ne se trouve que dans le Haut-Arctique; le Caribou de Grant (*Rangifer tarandus granti*) habite le Yukon et l'Alaska; de plus, des populations domestiquées du Renne eurasien, *Rangifer tarandus tarandus* ont été introduites en Alaska et dans les Territoires du Nord-Ouest.

Espèces semblables : (1) le Cerf mulet a le bout de la queue noir. (2) Chez le Cerf de Virginie, le cou et la croupe ne sont pas blanchâtres. (3) Le Wapiti a le cou marron. (4) L'Orignal est brun foncé, sans taches blanches; il a le museau pendant, des bois très

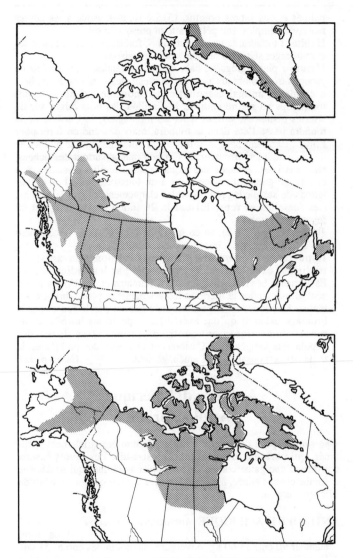

(Les trois cartes)
Caribou, *Rangifer tarandus*, 220, **Pl. 22**

palmés et des sabots pointus. (5) Le Bœuf-musqué a les cornes massives, simples; son pelage atteint presque le sol.

Habitat : toundra, taïga, et, plus au S, forêts de conifères ouvertes et marécages selon les races et selon les saisons.

Mœurs : plutôt grégaire, hab. en petites bandes, mais parfois en groupes très nombreux pouvant contenir des dizaines de milliers d'animaux; animal essentiellement nomade qui ne reste pas longtemps au même endroit; le Caribou des bois migre sur de courtes distances, surtout dans les montagnes; le Caribou de la toundra passe l'été dans la toundra, mais descend en forêt pour l'hiver. Excellent nageur, il traversera volontiers un lac plutôt que de le contourner. Brouteur, le Caribou mange surtout des lichens, mais aussi des herbages, des mousses et des feuilles de saules. Son cri, un grognement ressemblant à un toussottement. Les articulations de ses pieds produisent des claquements durant la marche. Les femelles se reproduisent la 2e année. Polygame; rut en septembre-octobre.

Jeunes : 1 (parfois 2), né en mai-juin, brun grisâtre, suit sa mère dès qu'il est asséché. Gestation d'env. 8 mois.

Importance économique : habite les régions sauvages; par tradition, excellent gibier recherché par les Indiens et les Esquimaux; la viande sert à nourrir humains et chiens; les peaux sont utilisées pour la literie et les vêtements et pour fabriquer des tentes. La réduction importante de l'habitat par le feu et par le broutage excessif qu'ont exercé les populations introduites de rennes domestiques ont contribué fortement au déclin des populations indigènes de Caribous et cela pose des problèmes de taille aux responsables de l'aménagement.   Cartes p. 221

Antilope d'Amérique :
Antilocapridae

Une seule espèce dans cette famille. Mammifère strictement nordamér. qui porte de vraies cornes, c'est-à-dire des pivots osseux couverts d'une gaine cornée faite de poils agglutinés qui se détache et tombe chaque année. *Mâles et femelles ont des cornes*. Fossiles du Miocène moyen.

ANTILOPE D'AMÉRIQUE *Antilocapra americana*   **Pl. 23**
(Pronghorn)

Hauteur 90 cm; 33-60 kg; envergure maximum des cornes 57 cm. De taille moyenne, jaune doré; se reconnaît à *sa croupe blanche*, à la couleur blanche au bas de ses flancs, à la présence de deux larges *bandes blanches transverses sur sa gorge*, à ses cornes légèrement recourbées, chacune portant une *seule fourche pointant vers l'avant*; 2 doigts à chaque pied. 32 dents (Pl. 32). 4 mamelles.

Espèces semblables : (1) le Mouflon d'amérique a d'énormes cornes enroulées; pas de bande blanche sur la gorge. (2) Le Cerf mulet a du noir sur la queue; pas de blanc sur les flancs. (3) Le Cerf de Virginie n'a pas la croupe toute blanche; pas de blanc sur les flancs.

Habitat : prairies ouvertes et plaines à armoises.

Mœurs : strictement diurne, active surtout le matin et le soir. Se tient hab. en petits groupes. Surtout brouteuse, elle mange des mauvaises herbes, de l'herbe et des armoises. En certaines régions, migre d'un gagnage d'été à un gagnage d'hiver. Le domaine vital d'un troupeau a hab. 3-6,5 km. Peut courir à 65 km/h. Les poils de sa croupe blanche se dressent et la rendent encore plus visible, surtout en cas de danger. Dentition adulte à 3 1/2 ans. Vit 14 ans en nature. Se reproduit à 1 1/2 an, entre août et octobre; les mâles peuvent rassembler de petits harems. Le revêtement des cornes est rejeté après la saison de reproduction.

Jeunes : hab. 2 (1-3), nés en avril-mai dans le S, mai-juin dans le N; bruns grisâtres; restent seuls quelques jours sauf pendant l'allaitement, puis suivent leur mère. Gestation 230-240 jours.

Importance économique : font un peu compétition aux troupeaux de bovins et de moutons, mais mangent surtout de la végétation que ne mangent pas les animaux domestiques. Bon gibier. Élément intéressant de notre faune. Commun dans les plaines de l'O et dans les parcs nationaux Yellowstone et Wind Cave et le parc Petrified Forest Natl. Monument.   Carte ci-dessous

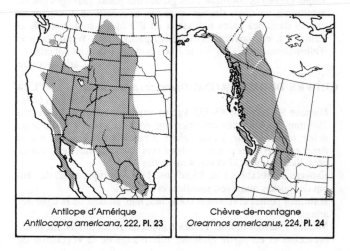

Antilope d'Amérique
Antilocapra americana, 222, **Pl. 23**

Chèvre-de-montagne
Oreamnos americanus, 224, **Pl. 24**

Bovidés : Bovidae

Famille à laquelle appartiennent nos bovins, moutons et chèvres domestiques. *Mâles et femelles* possèdent de *vraies cornes* qui ne sont *jamais rejetées* et qui sont *simples*. Les fossiles remontent au Miocène inférieur.

BISON D'AMÉRIQUE *Bison bison*   Pl. 24
(Bison)

Hauteur 1-1,85 m; 360-900 kg; envergure maximum des cornes, 90 cm. Gros animal brun foncé à *tête massive; bosse haute sur les épaules, crinière longue aux épaules et pattes avant.* 32 dents (Pl. 32). 4 mamelles fonctionnelles.

Espèces semblables : le Bœuf domestique est rarement brun foncé.

Habitat : plaines découvertes; prairies dans le S, bois et clairières dans le N.

Mœurs : diurne; grégaire. Autrefois reconnu pour ses migrations massives vers le N au printemps et vers le S à l'automne. Fait des trous dans le sable ou la boue et s'y roule. Brouteur, il mange surtout des herbages, mais aussi des pousses de jeunes arbres. Peut vivre près de 30 ans, hab. 15-20. Reproduction à 2-3 ans, de juillet à octobre.

Jeunes : hab. 1, roux clair; suit sa mère peu après la naissance. Gestation d'environ 9 mois.

Importance économique : les grands troupeaux sauvages ont été exterminés au siècle dernier; quelques troupeaux sont maintenant gardés dans des parcs nationaux de l'O où ils sont protégés et contrôlés, en particulier dans les parcs Platt, Wind Cave et Yellowstone aux É.-U., Wood Buffalo et Elk Island en Alberta.

Carte ci-contre

CHÈVRE-DE-MONTAGNE *Oreamnos americanus*   Pl. 24
(Mountain Goat)

Hauteur 90-105 cm; 45-135 kg; envergure maximum des cornes 290 mm. Le long des *escarpements rocheux près de la ligne de neige; toute blanche,* à long pelage, à barbichon et à *cornes noires lisses et courtes* un peu recourbées vers l'arrière. Rarement vue de près. Sabots noirs. 32 dents. 4 mamelles.

Espèces semblables : les Mouflons (1) d'Amérique et (2) de Dall ont des cornes massives, jaunâtres et en spirale.

Habitat : pentes abruptes et corniches; hab. au-delà de la ligne des arbres.

Mœurs : surtout diurne. Petites bandes de 10 ou moins. En partie brouteuse et en partie râcleuse, elle mange de la végétation de montagne; hab. au-delà de la ligne des arbres en été, migre vers les régions plus basses en hiver. Son domaine a 5-10 km. Dentition adulte à 3 ^{1}/2-4 ans. Peut vivre 12 ans ou plus en nature. Se reproduit à 2 ^{1}/2 ans, entre octobre et décembre.

Jeunes : hab. 1-2, parfois 3, nés en mai-juin.

Importance économique : mammifère inoffensif, intéressant par sa valeur esthétique autant que scientifique. Présente dans les Black Hills, Dakota du Sud, et dans les parcs nationaux Mt. Rainier, Glacier, Olympic, Banff et Jasper.   Carte p. 223

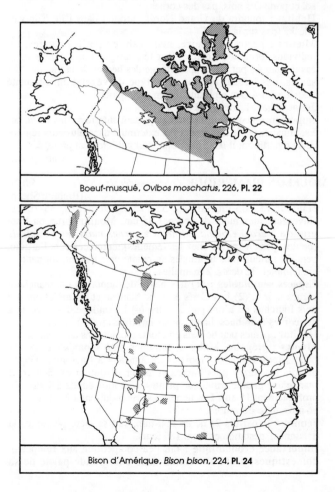

Boeuf-musqué, *Ovibos moschatus*, 226, **Pl. 22**

Bison d'Amérique, *Bison bison*, 224, **Pl. 24**

BŒUF-MUSQUÉ *Ovibos moschatus* **Pl. 22**
(Muskox)
Hauteur 90-150 cm; 225-405 kg; envergure maximum des cornes, entre les pointes, 76 cm. Seulement dans le Grand Nord, cet animal *brunâtre* se reconnaît à son pelage brun long et soyeux qui *pend comme une jupe jusqu'à ses pieds.* Cornes larges et plates *très près de la tête,* à pointe recourbée vers l'avant; mâles et femelles ont des cornes. 32 dents. 4 mamelles.
Espèces semblables : le Caribou n'a pas le pelage long jusqu'au sol et porte des bois, pas des cornes.
Habitat : toundra du Grand Nord; introduit dans l'île Nunivak, Alaska (pas sur la carte).
Mœurs : parfois solitaire, mais hab. en petites bandes; les individus forment un cercle, leur tête dirigée vers l'extérieur, en cas d'attaques par des loups. Mange des herbes de la toundra, des saules, des laîches et tout autre type de végétation. Maturité sexuelle à 3-4 ans; reproduction en juillet-août.
Jeunes : hab. 1, tous les 2 ans.
Importance économique : très important autrefois dans la vie des Esquimaux; facile à tuer, il a été exterminé dans plusieurs régions de sa répartition; il reste des populations strictement protégées.
Carte p. 225

MOUFLON D'AMÉRIQUE *Ovis canadensis* **Pl. 24**
(Bighorn Sheep)
Hauteur 75-105 cm. Mâles, 55-125 kg; femelles, 35-70 kg. Envergure maximum des cornes 84 cm. Mouflon brun ou brun grisâtre à *croupe blanc crème* et à *cornes massives en spirale* (petites, pas en spirale chez les femelles), enroulées vers l'arrière, vers l'extérieur, puis terminées en pointe vers l'avant, formant un arc complet. 32 dents. 2 mamelles.
Espèces semblables : (1) la Chèvre-de-montagne est blanche à cornes noires. (2) Les Cerfs à queue blanche et (3) mulet ont des bois fourchus ou n'ont pas de bois. (4) L'Antilope d'Amérique a des cornes fourchues; bandes blanches transverses à la gorge.
Habitat : pentes peu boisées en montagne, terrains accidentés.
Mœurs : grégaire. Mâles et femelles hab. séparés en été; les béliers retrouvent les brebis et les agneaux à l'automne. Gagne parfois les terres plus basses en hiver. Brouteur et râcleur, il mange une grande variété de plantes. Dentition adulte à 4 ans. Vit probablement 15 ans. Les femelles se reproduisent à 2 1/2 ans. Rut en novembre-décembre.
Jeunes : 1 (parfois 2) né en mai-juin; suit sa mère peu après la naissance; gestation environ 180 jours.
Importance économique : fait peu compétition aux troupeaux domestiques; a été exterminé dans une grande partie de sa

répartition. On peut voir des troupeaux dans plusieurs des parcs de
l'O.   Carte ci-dessous

MOUFLON DE DALL *Ovis dalli*   **Pl. 24**

(Dall Sheep)

Hauteur 90-100 cm; 55-90 kg; envergure maximum des cornes 89
cm. Mouflon trapu, *blanc ou blanchâtre*, presque noir dans le S de

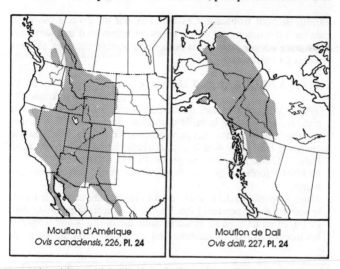

Mouflon d'Amérique	Mouflon de Dall
Ovis canadensis, 226, **Pl. 24**	*Ovis dalli*, 227, **Pl. 24**

sa répartition, qui habite les *régions inaccessibles des montagnes
du NO*. Cornes jaunâtres, massives chez les mâles, plus petites
chez les femelles. Hab. en bandes de 6 individus ou plus. Deux
formes, la forme blanche typique, et la forme noirâtre, appelée
Mouflon noir de Stone; aussi, une forme intermédiaire, le Mouflon
de Fannin. 32 dents (Pl. 32). 2 mamelles.
Espèces semblables : la Chèvre-de-montagne a le pelage long,
porte une barbe et a des cornes noires légèrement recourbées.
Habitat : terrains accidentés, pentes des montagnes.
Mœurs : semblables à celles du Mouflon d'Amérique.

Carte ci-dessus

MOUFLON À MANCHETTES *Ammotragus lervia*

(Barbary Sheep)

Espèce nord-africaine introduite comme gibier dans le SO des É.-
U. au cours des années '50. Certaines populations sont maintenant
établies dans les régions montagneuses arides et semi-arides du SO
américain.

Édentés : Edentata

Tatou à neuf bandes : Dasypodidae

Famille surtout tropicale. Ces animaux ont les *dents dégénérées* réduites à des moignons, et leur corps est recouvert d'une «*armure*» *protectrice cornée*. De petits poils épars sortent entre les plaques. Fossiles du Paléocène.

TATOU À NEUF BANDES *Dasypus novemcinctus*   **Pl. 19**
(Nine-banded Armadillo)
Tête et corps 40-45 cm; queue 35-40 cm; 3-8 kg. Animal très curieux, «*armé*», de la taille d'un chat. Seul mammifère de nos régions a avoir cette carapace protectrice de plaques; souvent aperçu le long des routes la nuit, souvent victime de la route aussi. Hab. 32 (28-32) dents en moignons (Pl. 31). 4 mamelles.
Habitat : forêts, régions broussailleuses, tas de pierres, escarpements.
Mœurs : parfois actif le jour, surtout l'hiver, mais surtout le matin, le soir et la nuit pendant l'été. En cas de danger, se précipite dans un terrier ou un bosquet épais; se roule parfois en boule; fréquente les trous d'eau et les ruisseaux où il boit et prend des bains de

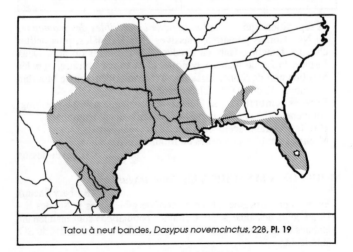

Tatou à neuf bandes, *Dasypus novemcinctus*, 228, **Pl. 19**

boue. Mange presque esclusivement des insectes et des petits invertébrés, mais parfois des fruits et des œufs d'oiseaux; fouille dans la litière de feuilles pour trouver sa nourriture. Son refuge est dans un tas de roche ou dans un terrier de 3-4,5 m de longueur qu'il creuse lui-même. Hab. 1 ind./1-4 ha.

Jeunes : toujours 4 du même sexe, nés en mars-avril; gestation d'env. 150 jours.

Importance économique : presque seulement bénéfique; détruit beaucoup d'insectes; son terrier sert souvent à d'autres mammifères; chair comestible.   Carte ci-contre

Siréniens : Sirenia

Mammifères strictement aquatiques *non apparentés* aux baleines. Deux espèces existantes classifiées en deux familles distinctes.

Lamantin des Caraïbes : Trichechidae

La seule espèce de cette famille vit dans les eaux côtières chaudes. Les fossiles remontent au Pléistocène.

LAMANTIN DES CARAÏBES *Trichechus manatus*   **p. 244**
(Manatee)

Longueur 2-4 m; 585 kg. Gros animal aquatique plutôt léthargique à *tête large*, à *lèvre supér. fendue, épaisse*; nageoires antér., mais pas de nageoires postér., queue large et ronde, aplatie horizontalement. Museau orné de vibrisses raides. 24 dents toutes semblables (p. 265), remplacées à partir de l'arrière, les dents d'en arrière migrant vers l'avant. 2 mamelles.

Espèces semblables : (1) les baleines et (2) les marsouins se tiennent hab. en eau profonde, loin du rivage; queue non arrondie.

Habitat : eaux saumâtres, lagunes, embouchures des rivières; hab. en eau peu profonde.

Mœurs : animal léthargique qui se tient hab. en petits groupes; ne tolère pas les eaux de moins de 7,5°C; peut rester sous l'eau 30 minutes. Mange de la végétation aquatique.

Jeunes : 1 petit; reproduction peu connue. Gestation, env. 11 mois.

Importance économique : inoffensif; chair comestible, mais l'espèce, menacée, est protégée et étudiée, du moins aux É.-U.

Répartition : à partir de Beaufort, Caroline du Nord, sur la côte de la Floride et dans les Keys et le long de la côte du Golfe du Mexique.

Baleines, dauphins et marsouins : Cetacea

Mammifères strictement *marins* en Amér. du Nord. Ont l'allure de gros *poissons*, mais leur *nageoire caudale est horizontale* plutôt que verticale. De plus, ils doivent venir respirer en surface périodiquement. Juste avant d'arriver en surface, ils rejettent l'air réchauffé et plein d'humidité de leurs poumons en un «jet» de vapeur, ou «souffle», qui résulte de la condensation dans l'air. Les grosses baleines s'approchent rarement des rives, sauf si elles y sont repoussées par la vague, et sont difficiles à identifier pour un novice. Marsouins et dauphins jouent souvent au large des embarcations et sont plus faciles à voir. Ils peuvent nager à une vitesse de 26-32 km/h. Les gros rorquals atteignent 37 km/h. Certains peuvent rester submergés pendant 2 heures. Les baleines ont hab. un seul petit (baleineau) tous les 2 ans; certaines font des migrations de milliers de kilomètres chaque année. 2 mamelles. Fossiles de l'Éocène supérieur.

Importance économique : la pêche à la baleine a longtemps été une industrie importante et très profitable. L'absence de contrôle du nombre d'animaux et des espèces capturées ont amené certaines grandes espèces près de l'extinction. Il y a maintenant un contrôle international sur l'espèce, la taille et le nombre de baleines qui peuvent être capturées et les restrictions sont en général assez respectées. Il est regrettable que certains pays continuent néanmoins de chasser ces bêtes magnifiques. En plus de leur valeur commerciale, ces animaux sont une richesse esthétique et scientifique. Qui n'a pas été émerveillé par le spectacle d'une grande baleine qui fait surface ou par les bancs de dauphins ou de marsouins qui viennent jouer près des bateaux?

Baleines à dents : Odontoceti

Ce sous-ordre contient les baleines-à-bec et les cachalots, de même que les dauphins et les marsouins. Ils ont tous de petites dents simples, en moignons (nombre variable).

Baleines-à-bec : Ziphiidae

Ces baleines portent des *dents réduites* à la mâchoire supér., des dents fonctionnelles (2-4) à la mâchoire infér. (certaines femelles et baleineaux sans dents visibles). 2 sillons sur la gorge convergent vers l'avant et forment un V. Museau allongé en bec; petite nageoire dorsale entre la queue et le milieu du dos; membres antér. petits, très à l'avant. Mangent poissons et calmars. Fossiles du Miocène inférieur.

GRANDE BALEINE-À-BEC *Berardius bairdii*   **p. 235**
(North Pacific Bottle-nosed Whale)

Jusqu'à 12,8 m. Rare et peu connue. Noire à *tache blanchâtre au bas du ventre*. Bec bien distinct; la mâchoire infér. dépasse la mâchoire supér.; nageoire dorsale petite, insérée loin à l'arrière. Mâchoire infér. à 4 dents fonctionnelles de 50-75 mm de longueur, aplaties latéralement.

Espèces semblables : les Baleines-à-bec (1) de Stejneger et (2) de Cuvier sont plus petites.

Mœurs : bancs de 20 ind. ou plus. Élève ses membres avant au-dessus de l'eau en plongeant. Mange sébastes, harengs, calmars et pieuvres. Gestation d'env. 10 mois.

Répartition : côte du Pacifique, jusqu'en Californie au S.

BALEINE-À-BEC DE SOWERBY *Mesoplodon bidens*
(North Atlantic Beaked Whale)

Jusqu'à 4,9 m. Espèce rare, peu connue. Nageoire dorsale loin derrière. Tête et bec très pointus; queue sans échancrure médiane. Dos *gris foncé*, flancs et ventre plus clairs. *2 petites dents* aplaties latéralement à l'avant de la mâchoire infér.

Espèces semblables : (1) la Baleine-à-bec de True a le dos noir ardoise. (2) La Baleine-à-bec de Blainville a 2 grosses dents d'env. 150 mm à l'avant de la mâchoire infér.

Répartition : côte de l'Atlantique Nord, jusqu'au Massachusetts.

BALEINE-À-BEC DE BLAINVILLE *Mesoplodon densirostris*
(Dense-beaked Whale)

Jusqu'à 4,6 m; jusqu'à 1 100 kg. Presque toute noire; taches claires sous les membres antér. et sur le ventre. Le mâle porte *2 grosses* dents d'env. 150 mm à l'avant de la mâchoire infér. Front fuyant.

Espèces semblables : les Baleines-à-bec (1) de Sowerby et (2) de True ont 2 petites dents à l'avant de la mâchoire infér.

Répartition : côte atlantique.

BALEINE-À-BEC DE GERVAIS *Mesoplodon europaeus*
(Gervais' Beaked Whale)

Jusqu'à 6,7 m. Dos noir, flancs et ventre plus clairs. Le mâle porte 2 petites dents à l'avant de la mâchoire infér. Front peu dessiné; queue sans échancrure médiane.

Espèces semblables : les autres *Mesoplodon* sont plus petits.

Répartition : côte atlantique, jusqu'à New York au N.

BALEINE-À-BEC DE TRUE *Mesoplodon mirus* **p. 235**
(True's Beaked Whale)
Jusqu'à 5,2 m. Dos noir ardoise, ventre plus clair. Le mâle a 2 *petites* dents aplaties latéralement à l'avant de la mâchoire infér. Front bien visible. Queue sans échancrure.
Espèces semblables : (1) la Baleine-à-bec de Sowerby n'a pas le dos noir ardoise. (2) La Baleine-à-bec de Blainville a 2 *grosses dents* d'env. 150 mm à l'avant de la mâchoire infér.
Répartition : N de la côte atlantique, parfois jusqu'en Floride.

BALEINE-À-BEC DE STEJNEGER *Mesoplodon stejnegeri*
(Stejneger's Beaked Whale)
Jusqu'à 5,2 m. Noirâtre; avant du corps, surtout la tête, grisâtre ou blanchâtre. 2 *grosses* dents comprimées latéralement, d'env. 200 mm de longueur, à l'avant de la mâchoire infér.
Espèces semblables : (1) la Grande Baleine-à-bec est beaucoup plus grande. (2) La Baleine-à-bec de Moore a le bec blanchâtre.
Répartition : côte du Pacifique jusqu'en Californie au S.

BALEINE-À-BEC JAPONAISE *Mesoplodon ginkgodens*
(Ginkgo-toothed Whale)
Jusqu'à 5,2 m. 2 grosses dents (65 x 100 mm) en «oignons» à la mâchoire infér., visibles au dehors. Adulte gris foncé; immature blanchâtre dessous. Queue sans échancrure, égale à 30 pour cent de la longueur du corps.
Espèces semblables : (1) la Baleine-à-bec de Stejneger a la tête grisâtre ou blanchâtre. (2) La Baleine-à-bec de Moore a le bec blanchâtre.
Répartition : 1 individu égaré aperçu près de Delmar, Californie.

BALEINE-À-BEC DE MOORE *Mesoplodon carlhubbsi*
(Arch-beaked Whale)
Jusqu'à 5,2 m. *Corps noir*, sauf le *bec* qui est *blanc*. Mâchoire infér. très protubérante. Bordures supér. et infér. du pédoncule de la queue fortement carénées. Nageoire dorsale loin derrière, à bordure arrière concave.
Espèces semblables : (1) la Baleine-à-bec de Stejneger a l'avant du corps et la tête grisâtres; difficile à distinguer. (2) La Baleine-à-bec japonaise n'a pas le museau blanc.
Répartition : côte du Pacifique, du Washington à la Californie.

BALEINE-À-BEC DE CUVIER *Ziphius cavirostris* **p. 235**
(Goose-beaked Whale)
Jusqu'à 8,5 m. Variable; grise ou noire avec parfois des taches blanches sur la tête et le milieu du dos; flancs noirs, brunâtres ou tachetés; ventre hab. blanchâtre. Corps trapu; *carène distincte de la nageoire dorsale à la queue*; longueur museau-narine env. $1/8$ à

^{1}/10 de la longueur totale. 2 dents de 65 mm de longueur sur la mâchoire infér. du mâle, parfois de la femelle.

Espèces semblables : la Grande Baleine-à-bec est plus grande.

Mœurs : bancs de 30-40 individus. Se nourrit de calmars. Gestation d'env. 1 an.

Répartition : côte atlantique, depuis le Rhode Island vers le S; côte du Pacifique, jusqu'en Californie au S.

BALEINE-À-BEC COMMUNE *Hyperoodon ampullatus* **p. 235**
(North Atlantic Bottle-nosed Whale)

Jusqu'à 9,1 m; 3 m à la naissance. Noir grisâtre, brun clair ou jaunâtre; *blanchâtre près de la tête* et sur le ventre. Front du mâle *bien dessiné* au-dessus du bec court; vieux mâles distincts par *leur tache blanchâtre au front* et leur *nageoire dorsale blanche*. Longueur museau-narine ^{1}/5-^{1}/7 de la longueur totale. 2 *petites* dents d'env. 40 mm. au *bout* de la mâchoire infér.

Espèces semblables : chez le Globicéphale noir, la nageoire dorsale est grande et sur la moitié avant du corps.

Mœurs : bancs de 4-10.

Répartition : côtes de l'Arctique et de l'Atlantique Nord.

Cachalots : Physeteridae

Tous les cachalots ont été réunis dans la même famille. Ils vivent dans l'Atlantique et dans le Pacifique. Ils ont le museau large et protubérant et un réservoir de spermaceti (blanc de baleine) dans le crâne. Fossiles du Miocène inférieur.

CACHALOT MACROCÉPHALE *Physeter catodon* **p. 240**
(Sperm Whale)

Mâles jusqu'à 18,3 m; femelles, jusqu'à 9,1 m; 3,5-4,5 m à la naissance. 53 tonnes. *Museau carré*; tête longue, ^{1}/3 de la longueur totale; *mâchoire infér., petite, étroite. Pas de nageoire dorsale*; nageoire pectorale ^{1}/2 de la longueur totale; rangée de bosses sur la moitié postér. du dos. Dos gris bleuté, ventre plus pâle. 20-25 dents de chaque côté de la mâchoire infér.; dents jusqu'à 200 mm de long. Évent allongé *orienté vers l'avant* à angle. Seule baleine à avoir ces caractéristiques.

Mœurs : femelles et jeunes restent en eau chaude, les mâles vont en eau plus froide en été. Maturité sexuelle à 8 ans. Gestation env. 16 mois. Peut rester submergé 75 minutes. Mange surtout des calmars et des pieuvres.

Importance économique : l'une de nos grandes baleines, chassée durant des siècles, même encore, pour l'ambre gris (utilisé en parfumerie) et le spermaceti (blanc de baleine) contenu dans sa tête. Pêche maintenant contrôlée par entente internationale.

Répartition : côtes de l'Atlantique et du Pacifique.

CACHALOT PYGMÉE *Kogia breviceps* **p. 240**
(Pygmy Sperm Whale)
Jusqu'à 4 m. Taille plutôt petite; *museau large, protubérant*; *mâchoire infér. étroite.* Noir dessus, blanc grisâtre dessous; tache pâle en forme de parenthèse derrière l'œil. Nageoire dorsale petite. 18-30 dents en aiguilles à la mâchoire infér.
Espèces semblables : (1) chez le Dauphin à gros nez, la mâchoire infér. dépasse un peu la mâchoire supér. (2) Le Dauphin gris a la nageoire dorsale proéminente et le corps strié de plusieurs rayures irrégulières. (3) Le Cachalot nain est plus petit et n'a pas de marques derrière les yeux.
Répartition : eaux chaudes des deux côtes, depuis la Nouvelle-Écosse et le Washington vers le S.

CACHALOT NAIN *Kogia simus* (Dwarf Sperm Whale)
Jusqu'à 2,6 m. Corps noir dessus, blanchâtre dessous, *tacheté de gris* de la lèvre supér. à l'insertion des membres avant et, au milieu des flancs, des membres antér. à la queue. *Nageoire* dorsale *haute*, insérée près du milieu du dos. 9 paires de dents à la mâchoire infér., 2 paires à la mâchoire supér.
Espèces semblables : le Cachalot pygmée est plus gros et a une petite tache pâle en forme de parenthèse derrière l'œil.
Mœurs : maturation sexuelle à 2 ans. Gestation env. 9 mois
Répartition : milieu des côtes américaines de l'Atlantique et du Pacifique.

Béluga et Narval : Monodontidae

Sans nageoire dorsale. Museau aplati; pas de sillons à la gorge. Dans les eaux arctiques froides. Mangent poissons, pieuvres, calmars. Gestation env. 14 mois. Dents. Fossiles du Pléistocène.

BÉLUGA *Delphinapterus leucas* **p. 235**
(White Whale)
Jusqu'à 4,3 m. Petite baleine *blanche* reconnaissable à sa taille et à sa couleur. Aucun autre cétacé n'a ces caractéristiques. Jeunes gris bleuté. Museau très court et front haut. 32-40 dents, petites, pointues (p. 265); dents aux deux mâchoires.
Espèces semblables : le Narval mâle a une longue défense orientée vers l'avant; mâle et femelle ont le dos tacheté.
Mœurs : bancs de 5-30, parfois en paires. Nage à 10 km/h. Peut remonter les rivières, hab. en eau peu profonde.
Jeunes : nés entre mars et mai; gestation de 14 mois.
Répartition : côtes de l'Arctique et de l'Atlantique Nord; Baie d'Hudson, Alaska; surtout en eau froide, parfois au S jusqu'au cap

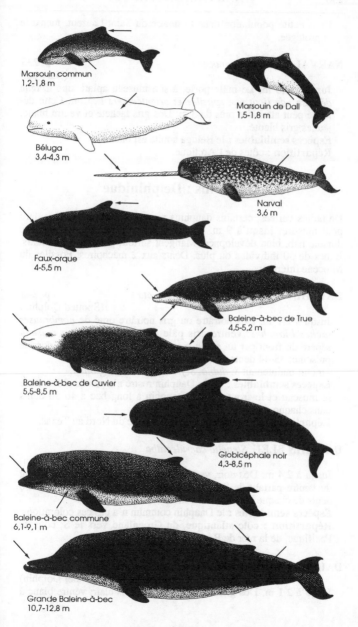

Marsouin commun
1,2-1,8 m

Marsouin de Dall
1,5-1,8 m

Béluga
3,4-4,3 m

Narval
3,6 m

Faux-orque
4-5,5 m

Baleine-à-bec de True
4,5-5,2 m

Baleine-à-bec de Cuvier
5,5-8,5 m

Globicéphale noir
4,3-8,5 m

Baleine-à-bec commune
6,1-9,1 m

Grande Baleine-à-bec
10,7-12,8 m

Cod. Petite population dans l'estuaire du Saint-Laurent, menacée et protégée.

NARVAL *Monodon monoceros* **p. 235**
(Narwhal)

Jusqu'à 3,6 m. Le mâle porte, à son museau aplati, une *longue défense «de licorne», spiralée et orientée vers l'avant*. Cette défense peut atteindre près de 3 m. Dos gris tacheté et ventre blanc; jeunes gris bleuté.
Espèces semblables : le Béluga adulte est blanc.
Répartition : côtes de l'Arctique.

Dauphins : Delphinidae

De tailles variées; certains dauphins mesurent 2 m, mais l'Épaulard peut mesurer jusqu'à 9 m. Queue échancrée au milieu; nageoire dorsale hab. bien développée. Mangent surtout poissons et calmars. Bancs de 50 individus ou plus. Dents aux 2 mâchoires. Fossiles du Miocène inférieur.

DAUPHIN TACHETÉ *Stenella attenuata* **p. 240**
(Spotted Dolphin)

Jusqu'à 2.1 m. Dos noirâtre ou gris noirâtre orné de *nombreuses taches blanches*; ventre gris pâle ou blanchâtre; *long museau* séparé du front par un *sillon transverse* profond; nageoire dorsale présente; 35-44 dents de chaque côté des deux mâchoires.
  Inclut maintenant *S. dubia*, *S. frontalis* et *S. plagiodon*.
Espèces semblables : (1) le Dauphin rostré n'a pas de sillon entre le museau et le front. (2) Le Dauphin à long bec a 46-56 dents dans chaque rangée.
Répartition : côte atlantique de la Caroline du Nord au Texas.

DAUPHIN BLEU *Stenella caeruleoalba*
(Striped Dolphin)

Jusqu'à 2,4 m. Dos noir, ventre blanc; rayure étroite noire le long du ventre partant de l'œil, une autre de l'œil à la nagoire; 44-50 dents de chaque côté des deux mâchoires.
Espèces semblables : le Dauphin commun n'a pas ces colorations.
Répartition : côte atlantique, du Groenland vers le S; côte du Pacifique, de la mer de Bering à l'Oregon.

DAUPHIN À LONG BEC *Stenella longirostris*
(Long-snouted Spinner Dolphin)

Jusqu'à 2.1 m. Dos gris foncé tacheté de gris clair; ventre blanc à grandes taches grisâtres; petites nageoires; rostre 2 fois plus long que la portion crânienne de la tête; 46-56 dents dans chaque rangée.

Espèces semblables : le Dauphin tacheté a 35-44 dents de chaque côté des deux mâchoires.

Répartition : eaux tropicales du Pacifique et de l'Atlantique.

DAUPHIN ROSTRÉ *Steno bredanensis*

(Rough-toothed Dolphin)

Jusqu'à 2,4 m. Noir dessus, blanc (y compris le bec) dessous; flancs tachetés; *pas de sillon transverse* entre le bec et le front; bec mince *comprimé* d'un côté à l'autre; 20-27 dents, rugueuses et creusées, de chaque côté des deux mâchoires.

Espèces semblables : le Dauphin tacheté a un sillon entre le bec et le front.

Répartition : côtes de l'Atlantique et du Pacifique, de la Virginie et de la Californie vers le S.

DAUPHIN COMMUN *Delphinus delphis*   p. 240

(Saddle-backed Dolphin)

Jusqu'à 2,6 m. Dos et nageoires noirs; flancs jaunâtres; ventre blanc; 2 lignes blanches croisent le sillon qui sépare le museau du front; bec env. 150 mm de longueur; nageoire dorsale présente. 30-40 petites dents de chaque côté des deux mâchoires.

Espèces semblables : (1) le Dauphin à dents obliques a le bec aplati; pas de blanc entre le bec et le front. (2) Le Dauphin à nez blanc a le bec aplati.

Mœurs : bancs grands ou moyens. Peut nager à 40 km/h. Souvent vu à jouer près des embarcations; fait de grands bonds hors de l'eau lors de ses ballades. L'un des dauphins d'aquarium à Marinelands en Californie et en Floride.

Répartition : côtes de l'Atlantique et du Pacifique; eaux chaudes et tempérées, hab. assez loin des rives.

DAUPHIN À GROS NEZ *Tursiops truncatus*   p. 240

(Bottle-nosed Dolphin)

Jusqu'à 3,6 m. Dauphin le plus commun de la côte atlantique. Distinct par sa *grande taille* ainsi que sa couleur *grisâtre*, un peu plus claire dessous. *Bec* plutôt *court* (75 mm), séparé du front par un *sillon transverse*. Mâchoire infér. un peu plus longue que la mâchoire supér.; 20-26 dents de chaque côté des deux mâchoires.

Dans le Pacifique, *T. gillii*, anciennement reconnu comme une espèce distincte, appartient à la même espèce.

Espèces semblables : les autres dauphins sont plus petits ou de coloration différente.

Mœurs : ce dauphin réjouit par ses prouesses les visiteurs des aquariums Marinelands de Californie et de Floride. Les femelles atteignent leur maturité sexuelle à 4 ans.

Jeunes : 1; période de gestation de 10-12 mois.

Répartition : côte de l'Atlantique du cap Cod vers le S, côte du Pacifique de la Californie vers le S.

DAUPHIN À DOS LISSE *Lissodelphis borealis* p. 240
(Northern Right-whale Dolphin)

Jusqu'à 2,4 m. Petit dauphin noir qui porte une étroite *rayure blanche sur le ventre*, de la poitrine à la queue; *nageoire dorsale absente*. 43-45 dents de chaque côté des deux mâchoires.

Espèces semblables : les autres dauphins ont une nageoire dorsale.

Répartition : côte du Pacifique, depuis la mer de Bering.

DAUPHIN À FLANCS BLANCS *Lagenorhynchus acutus*
(Atlantic White-sided Dolphin)

Jusqu'à 2,7 m. Distinct par son dos noirâtre, son ventre blanchâtre et par la présence d'une *région plus pâle* de chaque côté, sous la *nagoire dorsale proéminente*. Rayures jaunâtres sur les flancs. *Nez court et aplati*. 30-37 dents de chaque côté des deux mâchoires.

Espèces semblables : (1) le Dauphin commun a le bec pointu et blanc à la base du front. (2) le Dauphin à nez blanc a le nez blanc.

Répartition : côte de l'Atlantique jusqu'au cap Cod au S.

DAUPHIN À DENTS OBLIQUES p. 240
Lagenorhynchus obliquidens (Pacific White-sided dolphin)

Jusqu'à 2,7 m. Une femelle de 1,8 m qu'on a pesée faisait 85,5 kg. Dos noir verdâtre, *bande pâle le long de chaque flanc*, ventre blanc. Nageoire dorsale en crochet. Nez aplati. 29-31 dents de chaque côté des deux mâchoires.

Espèces semblables : le Dauphin commun a le bec pointu et la base du front blanc.

Mœurs : fréquente les eaux côtières en hiver, s'éloigne au large en été; bancs énormes contenant parfois jusqu'à 1 000 individus. Mange surtout anchois, harengs, calmars et autres espèces aquatiques. En captivité peut faire des prouesses, mais n'est pas aussi versatile que le Dauphin à gros nez; un pensionnaire de l'aquarium Marineland du Pacifique.

Répartition : dans le Pacifique.

DAUPHIN À NEZ BLANC p. 240
Lagenorhynchus albirostris (White-beaked Dolphin)

Jusqu'à 3 m. Dauphin moyen de l'Atlantique Nord, à *bande claire*

sur chaque flanc, ventre blanc et bec blanc d'environ 50 mm de
longueur. 26-27 dents de chaque côté des deux mâchoires.
Espèces semblables : (1) le Dauphin à flancs blancs n'a pas de
blanc au museau. (2) Le Dauphin commun a le museau pointu.
Mœurs : bancs énormes.
Répartition : côte de l'Atlantique Nord, jusqu'au Labrador.

ORQUE NAIN *Feresa attenuata*

(Pygmy Killer Whale)
Jusqu'à 2,7 m. Presque tout noir, sauf les lèvres et des plages sur
le ventre qui sont blanches. Nageoire dorsale proéminente. 22-23
dents de chaque côté des deux mâchoires. Museau large; mâchoire
supér. légèrement proéminente.
Répartition : golfe du Mexique.

ÉPAULARD *Orcinus orca*   p. 240

(Killer Whale)
Jusqu'à 9,1 m. En mer, la première indication de sa présence est sa
grande nageoire dorsale qui fend la surface de l'eau. Le reste de
son dos est noir de jais, le *blanc* de son ventre *s'étend aussi sur les
flancs*. Tache blanche nette derrière chaque œil. Museau aplati.
Les membres avant mesurent env. $1/6$ de la longueur totale. 10-15
dents de chaque côté sur les deux mâchoires.
Espèces semblables : (1) tous les dauphins sont plus petits. (2)
Les autres baleines ne sont pas de cette couleur.
Mœurs : bancs de 5 à 40 individus. Se nourrit d'autres baleines
(même beaucoup plus grandes), de phoques, d'otaries et de
poissons. C'est le «loup» de la mer. Sa vitesse de nage atteint 37
km/h. Gestation d'env. 1 an.
Répartition : côtes de l'Atlantique et du Pacifique.

DAUPHIN GRIS *Grampus griseus*   p. 240

(Risso's Dolphin)
Jusqu'à 4 m, 1,5 à la naissance. *Museau* plutôt *aplati*, corps gris
foncé ou noirâtre à nombreuses *rayures irrégulières*. Tête teintée
de *jaune*, ventre blanc grisâtre; *membres avant minces*, gris
marbré. Nageoire dorsale proéminente. 2-7 dents de chaque côté
de la mâchoire infér., hab. aucune sur la mâchoire supér.
Espèces semblables : les autres dauphins sont plus petits ou
colorés différemment. (2) Les baleines sont plus grosses ou leur
mâchoire infér. s'étend au-delà de leur mâchoire supér.
Répartition : côtes de l'Atlantique et du Pacifique.

FAUX-ORQUE *Pseudorca crassidens*   p. 235

(False Killer Whale)
Jusqu'à 5,5 m. Petite baleine noire, *svelte*, à *nageoire dorsale*

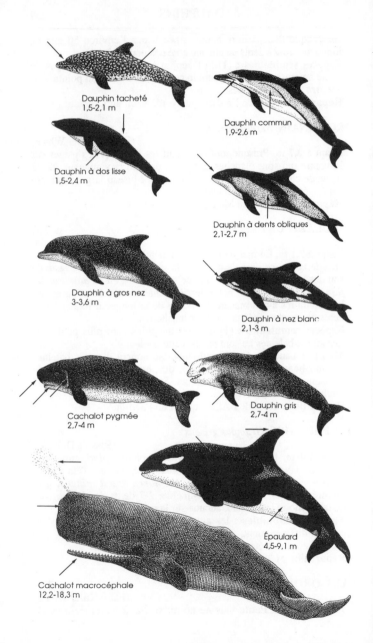

Dauphin tacheté
1,5-2,1 m

Dauphin commun
1,9-2,6 m

Dauphin à dos lisse
1,5-2,4 m

Dauphin à dents obliques
2,1-2,7 m

Dauphin à gros nez
3-3,6 m

Dauphin à nez blanc
2,1-3 m

Cachalot pygmée
2,7-4 m

Dauphin gris
2,7-4 m

Épaulard
4,5-9,1 m

Cachalot macrocéphale
12,2-18,3 m

plutôt petite, *recourbée*, juste en-deça du milieu du corps. Museau aplati et arrondi, tête aplatie. 8-10 dents de chaque côté des deux mâchoires.

Espèces semblables : les globicéphales ont le front bulbeux et une nageoire dorsale proéminente.

Mœurs : hab. en bancs importants.

Répartition : côte atlantique, de la Caroline du Nord vers le S; côte du Pacifique, du Washington vers le S.

GLOBICÉPHALE NOIR *Globicephala melaena*   **p. 235**
(Long-finned Pilot Whale)

Jusqu'à 8,5 m. *Tout noir*; nageoire dorsale grande, recourbée bien en avant; membres avant env. $1/5$ de la longueur totale. Front *haut*, *protubérant*; 7-12 dents de chaque côté des deux mâchoires.

Espèces semblables : (1) le Faux-Orque n'a ni le front protubérant, ni la nageoire dorsale proéminente. (2) Le Globicéphale à gros nez a les membres avant plus courts, mais est difficile à distinguer.

Mœurs : grands bancs; parfois échoué sur une plage. Les femelles atteignent la maturité sexuelle à 6-7 ans, les mâles à 12 ans. Gestation de 16 mois.

Répartition : côte atlantique, jusqu'en Virginie au S.

GLOBICÉPHALE À GROS NEZ *Globicephala macrorhynchus*
(Short-finned Pilot Whale)

Jusqu'à 6,1 m; nageoires antérieures 75-90 cm. Espèce difficile à distinguer du Globicéphale noir. Nageoires avant environ $1/6$ de la longueur totale.

Espèces semblables : le Globicéphale noir est difficile à distinguer; voir ci-haut.

Mœurs : ses prouesses équivalent presque celles du Dauphin à gros nez en captivité.

Répartition : côte du Pacifique; côte de l'Atlantique du New Jersey vers le S.

Marsouins : Phocoenidae

Petits cétacés des eaux côtières, à tête arrondie et nageoire triangulaire, qui fréquentent souvent baies et ports. Connus pour leurs prouesses. Très apparentés aux Delphinidae avec lesquels certains auteurs les regroupent d'ailleurs. Fossiles du Miocène moyen.

MARSOUIN COMMUN *Phocoena phocoena*   **p. 235**
(Harbor Porpoise)

Jusqu'à 1,8 m; 45-55 kg. Animal trapu, *petit*, à museau aplati, dos *noir*, nageoire dorsale triangulaire, flancs *rosés* et ventre *blanc*.

Ligne noire du coin de la bouche aux nageoires antér.; 16-27 dents en spatules de chaque côté aux deux mâchoires. Commun près des rives et des ports.
Espèces semblables : tous les autres cétacés sont plus gros ou ont des marques caractéristiques.
Répartition : côte atlantique jusqu'à l'embouchure du fleuve Delaware au S; côte du Pacifique.

MARSOUIN DE DALL *Phocoenoides dalli*　　　　**p. 235**
(Dall's Porpoise)
Jusqu'à 1,8 m. Marques très distinctives: *noir* avec une *grande plage blanche* qui part de la région de l'anus, recouvre un peu plus de la moitié des flancs et se termine à l'avant à peu près au niveau de la nageoire dorsale. 23-27 dents de chaque côté aux deux mâchoires.
Espèces semblables : (1) le Marsouin commun n'a pas ces marques. (2) Tous les autres cétacés sont plus gros.
Répartition : côte du Pacifique, atteint parfois Long Beach en Californie au S.

Baleines à fanons : Mysticeti

Baleines sans dents (p. 265), mais avec des *lames osseuses*, les fanons, qui pendent du palais, sont disposées en frange le long des côtés et servent à filtrer les petits organismes dont se nourrissent les plus grosses baleines. 2 évents sur le dessus de la tête. Fossiles de l'Oligocène moyen.

Baleine grise : Eschrichtiidae

Une seule espèce, dans le N du Pacifique. Pas de fossiles connus.

BALEINE GRISE *Eschrichtius robustus*　　　　**p. 244**
(Gray Whale)
Jusqu'à 13,7 m; de 15 à 33 tonnes. Baleine de taille moyenne, *marbrée*, *noir grisâtre*, plutôt élancée; jets *rapides et bas* (env. 3 m de hauteur). 2-4 *replis longitudinaux* sur la gorge; légère bosse, mais *pas de nageoire* sur le dos. Fanons pouvant atteindre 300 mm de longueur. Crâne, p. 265.
Autrefois connue sous les noms d'*E. glaucus* et *E. gibbosus*.
Espèces semblables : (1) la Baleine noire et (2) le Cachalot macrocéphale ont une grosse tête, environ le $1/3$ de la longueur totale. (3) Les autres baleines ont une nageoire dorsale.

Mœurs : migre vers le S à partir de la fin de décembre jusqu'au début de février; revient en mars et en avril après env. 3 mois de séjour dans les eaux de la Basse Californie, Mexique, pour se reproduire. Grands bancs parfois visibles au large des côtes de San Diego, Californie, au cours des migrations. Maturité sexuelle à 8-9 ans; gestation d'env. 12 mois.
Répartition : côte du Pacifique.

Rorquals : Balaenopteridae

Cette famille comprend les plus grosses baleines. Elles portent plusieurs sillons longitudinaux à la gorge et une petite nageoire dorsale située loin à l'arrière. Gestation env. 12 mois. Fossiles du Miocène supérieur.

RORQUAL COMMUN *Balaenoptera physalus* **p. 244**
(Fin Whale)

Jusqu'à 21,3 m; 6,7 m à la naissance. Grosse baleine *grise à tête plate*, à ventre *blanc*; face interne des nageoires avant et dessous de la queue blancs. Jet de 4,5-6 m de hauteur, qui s'élève comme une colonne étroite et s'étend en ellipse; jet accompagné d'un *sifflement très fort*. Fanons *pourpre et blanc*. 320-420 fanons de chaque côté de la mâchoire supér.
Espèces semblables : (1) le Rorqual boréal est plus petit et (2) le Rorqual bleu est plus gros; les deux ont des fanons noirs.
Répartition : Atlantique et Pacifique.

RORQUAL BORÉAL *Balaenoptera borealis* **p. 244**
(Sei Whale)

15,2 m ou plus. Semblable au Rorqual commun, mais plus petit et plus foncé et muni d'une nageoire dorsale relativement plus grande; face infér. de la queue jamais blanche. Fanons noirs, sauf en bordure où ils deviennent blancs.
Répartition : Atlantique et Pacifique.

PETIT RORQUAL *Balaenoptera acutorostrata* **p. 244**
(Minke Whale)

Jusqu'à 9,1 m; 2,7 m à la naissance. Petit rorqual qui préfère les eaux côtières. Gris bleuté dessus, blanc dessous. Nageoire dorsale à *bout recourbé. Bande blanche* large en travers de la nageoire antér., sur le dessus. *Fanons blanchâtres*. 260-325 fanons de chaque côté de la mâchoire.
Espèces semblables : toutes les autres baleines à fanons sont plus grosses et aucune n'a de bande blanche large sur le dessus de la nageoire antér.
Répartition : côtes de l'Atlantique et du Pacifique.

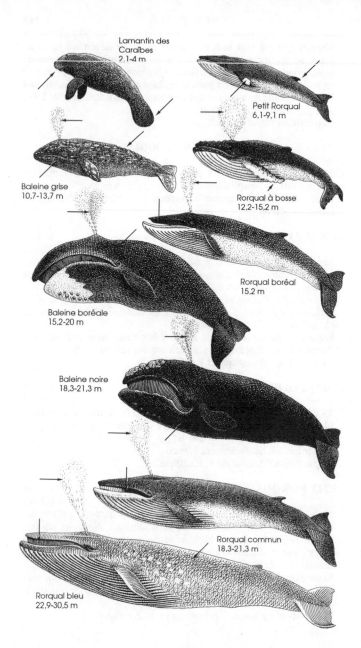

Lamantin des Caraïbes
2,1-4 m

Petit Rorqual
6,1-9,1 m

Baleine grise
10,7-13,7 m

Rorqual à bosse
12,2-15,2 m

Baleine boréale
15,2-20 m

Rorqual boréal
15,2 m

Baleine noire
18,3-21,3 m

Rorqual commun
18,3-21,3 m

Rorqual bleu
22,9-30,5 m

RORQUAL BLEU *Balaenoptera musculus*   **p. 244**
(Blue Whale)

Jusqu'à 30,5 m, 136 tonnes; 7-7,6 m à la naissance. La *plus grande espèce animale* connue à ce jour. Ardoise ou *gris bleuté* dessus, *jaunâtre* ou *blanchâtre* sur le ventre; dessous des nageoires antér. blanc. Jet *presque vertical*, jusqu'à 6 m de haut. Fanons noirs, env. 360 de chaque côté de la mâchoire supér.
Espèces semblables : les autres baleines sont toutes plus petites.
Répartition : Atlantique et Pacifique; surtout le long des banquises. Espèce très menacée.

RORQUAL DE BRYDE *Balaenoptera edeni*
(Bryde's Whale)

Jusqu'à 15 m. Parties dorsales bleu-noir, gorge gris bleuté et partie arrière du ventre blanche ou crème. Les nageoires antér. sont gris bleuâtre foncé dessus et dessous; fanons hab. blancs, parfois ornés de rayures grises à l'avant et noir grisâtre à l'arrière. Paire de crêtes latérales longitudinales sur la partie dorsale du museau.
Espèces semblables : (1) le Rorqual commun et (2) le Rorqual bleu sont plus gros. (3) Le Rorqual boréal a les fanons noirs sauf en bordure.
Répartition : très rare; un individu connu en Amér. du N, échoué sur la côte de Floride.

RORQUAL À BOSSE *Megaptera novaeangliae*   **p. 244**
(Humpback Whale)

Jusqu'à 15,2 m; 4,9 m à la naissance. Rorqual trapu à nageoires antér. longues et étroites (près du $1/3$ de la longueur totale de l'animal) festonnées irrégulièrement au bord arrière. Nageoire dorsale petite, située loin derrière. Noir avec la *gorge, la poitrine* et le dessous de la queue et des nageoires antér. *blancs*. Les nageoires antér. portent des *bourrelets charnus* le long des bordures antér. et la bordure postér. de la queue est *irrégulière*. Jet en *colonne étalée* d'environ 6 m de hauteur. 300-320 fanons presque noirs de chaque côté de la mâchoire supér.
Espèces semblables : les autres rorquals ont des nageoires antér. un peu plus courtes sans bourrelets le long des bordures.
Répartition : Atlantique et Pacifique.

Baleines franches : Balaenidae

Tête relativement grosse, environ $1/3$ de la longueur totale; pas de nageoire dorsale; pas de sillons sur la gorge. Espèces très menacées. Fossiles du Miocène inférieur.

BALEINE NOIRE *Balaena glacialis*   **p. 244**

(Black Right Whale)

Jusqu'à 21,3 m. Grosse baleine *noirâtre*, parfois pâle dessous. Jet de 3 à 4,5 m en 2 colonnes qui divergent pour former un V. Fanons d'env. 2,4 m de longueur, 220-260 de chaque côté de la mâchoire supér.

Espèces semblables : (1) le Rorqual à bosse a de longues nageoires bosselées. (2) La Baleine boréale a le devant de la mâchoire infér. blanc.

Répartition : Atlantique et Pacifique.

BALEINE BORÉALE *Balaena mysticetus*   **p. 244**

(Bowhead Whale)

Jusqu'à 20 m. Ne fréquente que les mers *polaires* et *subpolaires*, hab. en *bordure des banquises*. Tête extrêmement grosse, *plus de la moitié de la longueur totale*; corps foncé, brun grisâtre. Au repos, tient parfois une partie de son corps hors de l'eau. 300-360 fanons noirs de châque côté de la mâchoire supér.

Espèces semblables : la Baleine noire n'a pas de blanc sur le devant de la mâchoire supér.

Répartition : circumpolaire; mers polaires et subpolaires.

Crânes
Formules dentaires
Index

Planche 25

CHAUVES-SOURIS, MUSARAIGNES ET TAUPES

(crânes grandeur nature)

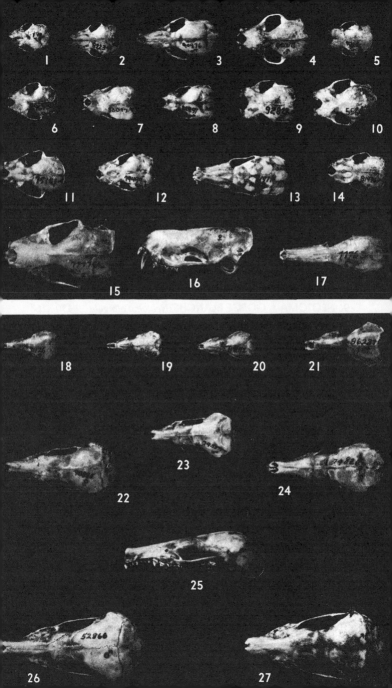

Planche 26

RONGEURS

(crânes grandeur nature)

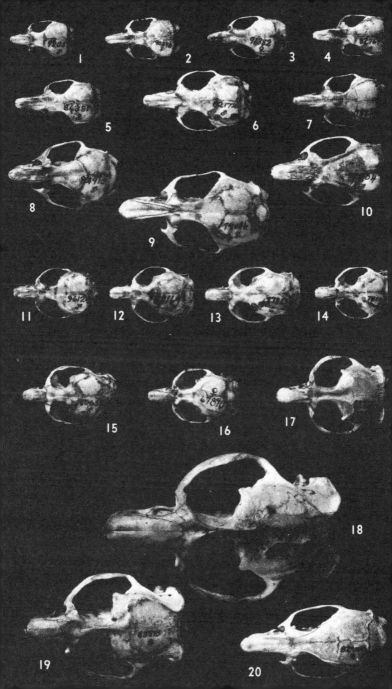

Planche 27

RONGEURS

(crânes grandeur nature)

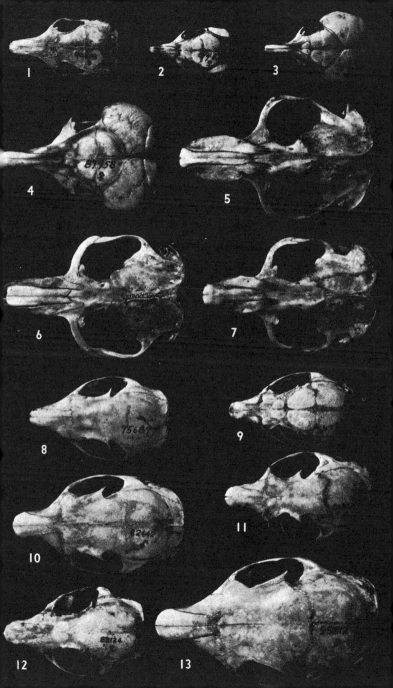

Planche 28

LAPINS, LIÈVRES ET RONGEURS DIVERS
(crânes, moitié de la grandeur nature)

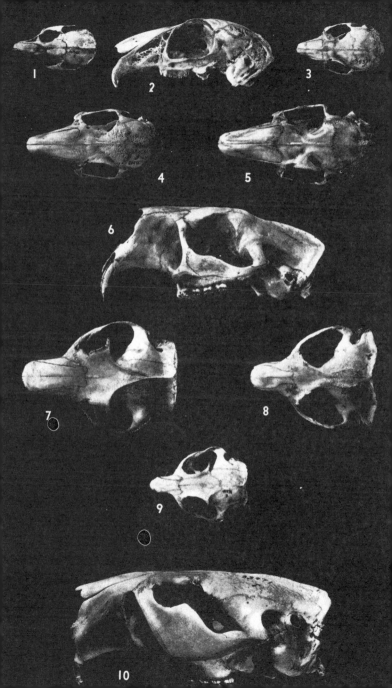

Planche 29

MUSTÉLIDÉS ET PROCYONIDÉS
(crânes, moitié de la grandeur nature)

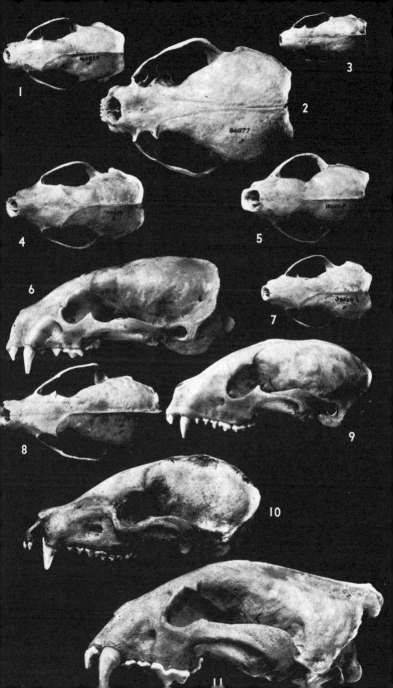

Planche 30

CANIDÉS, FÉLIDÉS ET PROCYONIDÉS

(crânes, moitié de la grandeur nature)

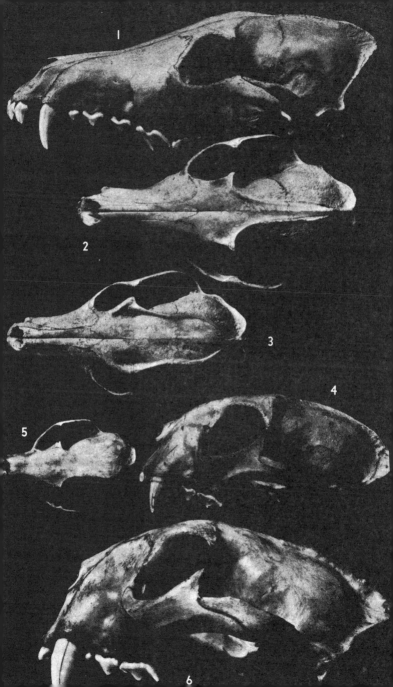

Planche 31

MAMMIFÈRES DIVERS

(crânes numérotés 1-4, moitié de la grandeur nature)

	Carte	Texte
1. **TATOU À NEUF BANDES** *Dasypus novemcinctus*	228	228
2. **TATOU À NEUF BANDES**		
3. **OPOSSUM D'AMÉRIQUE DU NORD** *Didelphis virginiana*	2	1
4. **OPOSSUM D'AMÉRIQUE DU NORD**		

(crânes numérotés 5-7, quart de la grandeur nature)

	Carte	Texte
5. **PÉCARI À COLLIER** *Tayassu tajacu*	214	213
6. **OURS NOIR** *Ursus americanus*	49	46
7. **OURS BRUN** *Ursus arctos*	48	47

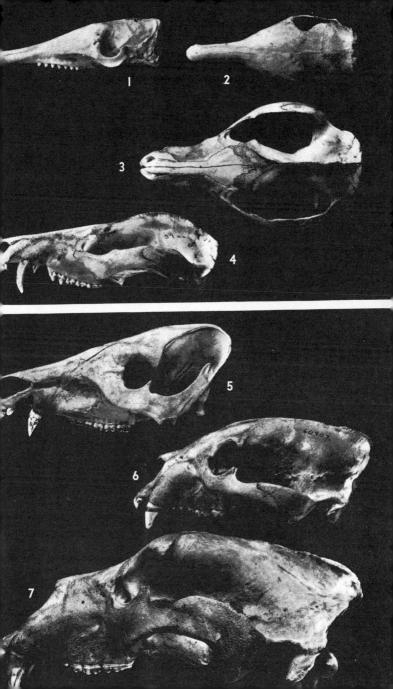

Planche 32

ONGULÉS

(crânes, sixième de la grandeur nature)

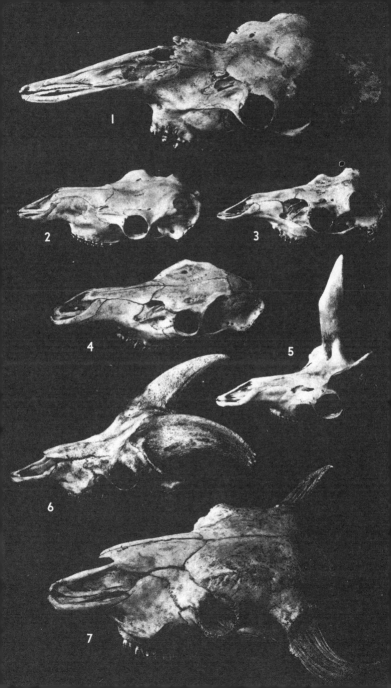

MAMMIFERES MARINS

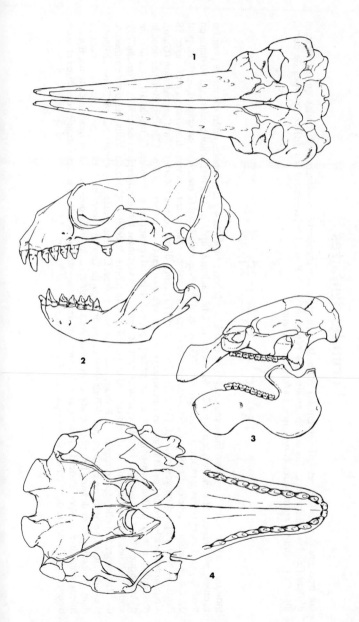

Formules dentaires

On trouvera dans les pages qui suivent les formules dentaires des mammifères terrestres, formules qui permettent d'identifier les crânes recueillis sur le terrain. Les symboles I, C, P et M représentent les différents types de dents, incisives, canines, prémolaires et molaires. La formule suivante

$$I \frac{5\text{-}5}{4\text{-}4}, \quad C \frac{1\text{-}1}{1\text{-}1}, \quad P \frac{3\text{-}3}{3\text{-}3}, \quad M \frac{4\text{-}4}{4\text{-}4} = \frac{26}{24} = 50$$

indique que l'animal a 5 paires d'incisives de chaque côté à la mâchoire supér. et 4 à la mâchoire infér. (de même pour les canines, prémolaires et molaires), qu'il y a 26 dents au total à la mâchoire supér. et 24 à la mâchoire infér., ou 50 dents en tout. Un seul mammifère terrestre a cette formule, l'Opossum d'Amérique du Nord (*Didelphis*); un crâne d'opossum peut donc être identifié avec certitude par dénombrement des dents. Supposons maintenant que vous trouviez un crâne avec 38 dents. Il peut s'agir d'un vespertilion, (*Myotis*), d'un pécari (*Tayassu*), d'une martre (*Martes*), ou d'un carcajou (*Gulo*). Vous examinez les petites dents frontales (incisives) et en trouvez 6 en haut et 6 en bas (total de 12); vous éliminez donc la possibilité que ce soit un vespertilion ou un pécari, qui ont 4 incisives supér. et 6 infér. (total de 10). La Martre d'Amérique et le Carcajou ont le même arrangement de dents; en examinant les photographies de crânes (Planche 29), vous constatez que le crâne de la Martre mesure un peu plus de la moitié de celui du Carcajou. Vous êtes donc en mesure de déterminer à quelle espèce appartient le crâne que vous avez trouvé. Comme plusieurs rongeurs ont 16, 20 ou 22 dents, il est possible que vous ne puissiez pas définir avec certitude à quelle espèce appartient le crâne que vous avez, comme dans les exemples ci-dessus. Les photographies peuvent vous venir en aide, mais pour une identification certaine, il vaut mieux consulter un spécialiste. Les noms scientifiques des genres apparaissent à la suite des formules dentaires et vous trouverez à l'index la position des textes où il en est question.

FORMULES DENTAIRES

	Incisives	Canines	Prémolaires	Molaires	Sup. et Inf.		Total	Mammifères terrestres
Sup.	5-5	1-1	3-3	4-4	26	=	50	*Didelphis*
Inf.	4-4	1-1	3-3	4-4	24			
Sup.	3-3	1-1	4-4	3-3	22	=	44	*Condylura, Parascalops, Scapanus, Sus*
Inf.	3-3	1-1	4-4	3-3	22			
Sup.	3-3	1-1	4-4	2-2	20	=	42	*Alopex, Canis, Urocyon, Ursus, Vulpes*
Inf.	3-3	1-1	4-4	3-3	22			
Sup.	3-3	1-1	4-4	2-2	20	=	40	*Bassariscus, Nasua, Procyon*
Inf.	3-3	1-1	4-4	2-2	20			
Sup.	2-2	1-1	3-3	3-3	18	=	38	*Myotis, Tayassu*
Inf.	3-3	1-1	3-3	3-3	20			
Sup.	3-3	1-1	4-4	1-1	18	=	38	*Gulo, Martes*
Inf.	3-3	1-1	4-4	2-2	20			
Sup.	3-3	1-1	3-3	3-3	20	=	36	*Scalopus*
Inf.	2-2	0-0	3-3	3-3	16			
Sup.	2-2	1-1	3-3	3-3	18	=	36	*Neurotrichus*
Inf.	1-1	1-1	4-4	3-3	18			
Sup.	2-2	1-1	2-2	3-3	16	=	36	*Idionycteris, Lasyonycteris, Plecotus*
Inf.	3-3	1-1	3-3	3-3	20			
Sup.	3-3	1-1	4-4	1-1	18	=	36	*Lutra*
Inf.	3-3	1-1	3-3	2-2	18			

FORMULES DENTAIRES (suite)

	Incisives	Canines	Prémolaires	Molaires	Sup. et Inf.	Total		Mammifères terrestres
Sup.	2-2	1-1	2-2	3-3	16 }	34	=	*Macrotus, Mormoops*
Inf.	2-2	1-1	3-3	3-3	18 }			
Sup.	2-2	1-1	2-2	3-3	16 }	34	=	*Euderma, Pipistrellus*
Inf.	3-3	1-1	2-2	3-3	18 }			
Sup.	3-3	1-1	3-3	1-1	16 }	34	=	*Mephitis, Mustela, Spilogale, Taxidea*
Inf.	3-3	1-1	3-3	2-2	18 }			
Sup.	0-0	1-1	3-3	3-3	14 }	34	=	*Cervus, Rangifer*
Inf.	3-3	1-1	3-3	3-3	20 }			
Sup.	3-3	1-1	3-3	3-3	20 }	32	=	*Blarina, Sorex*
Inf.	1-1	1-1	1-1	3-3	12 }			
Sup.	2-2	1-1	1-1	3-3	14 }	32	=	*Eptesicus*
Inf.	3-3	1-1	2-2	3-3	18 }			
Sup.	1-1	1-1	2-2	3-3	14 }	32	=	*Lasiurus borealis, L. cinereus, L. seminolus, Tadarida*
Inf.	3-3	1-1	2-2	3-3	18 }			
Sup.	3-3	1-1	3-3	1-1	16 }	32	=	*Enhydra*
Inf.	2-2	1-1	3-3	2-2	16 }			
Sup.	3-3	1-1	2-2	1-1	14 }	32	=	*Conepatus*
Inf.	3-3	1-1	3-3	2-2	18 }			
Sup.	0-0	0-0	3-3	3-3	12 }	32	=	*Alces, Antilocapra, Bison, Odocoileus, Oreamnos, Ovibos, Ovis, Rangifer*
Inf.	3-3	1-1	3-3	3-3	20 }			

FORMULES DENTAIRES

	Incisives	Canines	Prémolaires	Molaires	Sup. et Inf.	Total	Mammifères terrestres
Sup.	0-0	0-0		{8-8	16 }		
Inf.	0-0	0-0		{8-8	16 } =	32	*Dasypus*
Sup.	3-3	1-1	2-2	3-3	18 }		
Inf.	1-1	1-1	1-1	3-3	12 } =	30	*Cryptotis*
Sup.	2-2	1-1	2-2	3-3	16 }		
Inf.	0-0	1-1	3-3	3-3	14 } =	30	*Choeronycteris*
Sup.	2-2	1-1	2-2	2-2	14 }		
Inf.	2-2	1-1	3-3	2-2	16 } =	30	*Leptonycteris*
Sup.	1-1	1-1	1-1	3-3	12 }		
Inf.	3-3	1-1	2-2	3-3	18 } =	30	*Lasiurus ega, L. intermedius, Nycticeius*
Sup.	1-1	1-1	2-2	3-3	14 }		
Inf.	2-2	1-1	2-2	3-3	16 } =	30	*Eumops, Nyctinomops*
Sup.	3-3	1-1	3-3	1-1	16 }		
Inf.	3-3	1-1	2-2	1-1	14 } =	30	*Felis, Panthera*
Sup.	3-3	1-1	1-1	3-3	16 }		
Inf.	1-1	1-1	1-1	3-3	12 } =	28	*Notiosorex*
Sup.	1-1	1-1	1-1	3-3	12 }		
Inf.	2-2	1-1	2-2	3-3	16 } =	28	*Antrozous*
Sup.	3-3	1-1	2-2	1-1	14 }		
Inf.	3-3	1-1	2-2	1-1	14 } =	28	*Lynx*

FORMULES DENTAIRES (suite)

	Incisives	Canines	Prémolaires	Molaires	Sup. et Inf.	Total	Mammifères terrestres
Sup.	2-2	0-0	3-3	3-3	16	28	Lepus, Sylvilagus
Inf.	1-1	0-0	2-2	3-3	12		
Sup.	0-0	0-0	{7-7		14	28	Dasypus
Inf.	0-0	0-0	{7-7		14		
Sup.	2-2	0-0	3-3	2-2	14	26	Ochotona
Inf.	1-1	0-0	2-2	3-3	12		
Sup.	2-2	1-1	1-1	2-2	12	26	Diphylla
Inf.	2-2	1-1	2-2	2-2	14		
Sup.	1-1	0-0	2-2	3-3	12	22	Ammospermophilus, Aplodontia, Cynomys, Glaucomys, Marmota, Sciurus aberti, S. carolinensis, S. griseus, Spermophilus, Tamias (sauf striatus), Tamiasciurus
Inf.	1-1	0-0	1-1	3-3	10		
Sup.	1-1	0-0	1-1	3-3	10	20	Castor, Dipodomys, Erethizon, Geomys, Liomys, Microdipodops, Myocastor, Pappogeomys, Perognathus, Sciurus arizonensis, S. nayaritensis, S. niger, Tamias striatus, Tamiasciurus, Thomomys
Inf.	1-1	0-0	1-1	3-3	10		
Sup.	1-1	0-0	1-1	3-3	10	18	Zapus
Inf.	1-1	0-0	0-0	3-3	8		
Sup.	1-1	0-0	0-0	3-3	8	16	Arborimus, Baiomys, Clethrionomys, Dicrostonyx, Lagurus, Lemmus, Microtus, Mus, Napaeozapus, Neofiber, Neotoma, Ochrotomys, Ondatra, Onychomys, Oryzomys, Peromyscus, Phenacomys, Podomys, Rattus, Reithrodontomys, Sigmodon, Synaptomys
Inf.	1-1	0-0	0-0	3-3	8		

Index des noms scientifiques et français

Les numéros des planches (**1-24**) et les numéros de pages (**68, 86, 235, 240, 244**) en caractères gras renvoient aux illustrations autres que celles des crânes. Pour trouver les renvois aux illustrations des crânes et aux cartes de répartition, il faut consulter les pages de description. L'index des noms américains ne renvoie qu'aux pages de description.

271

Index des noms américains

Achevé d'imprimer
en juin 1992 à Hong-Kong
par South China Printing Co.